Toi qui as la clé...

L'auteur

Sarah Dessen est née aux États-Unis en 1970. Elle a baigné très jeune dans la littérature puisque ses parents, professeurs de lettres, lui offraient des livres en guise de jouets. Enfant, elle reçoit une machine à écrire et se lance dans l'écriture. Après son diplôme de lettres, elle décide de travailler comme serveuse et d'écrire le reste du temps. Son premier roman est publié au bout de trois ans. Elle enseigne aujourd'hui l'écriture et vit avec son mari et ses deux chiens.

Du même auteur

Cette chanson-là
Écoute-la
Pour toujours... jusqu'à demain

Sarah Dessen

Toi qui as la clé...

Traduit de l'anglais par Véronique Minder

POCKET JEUNESSE

Directeur de collection : Xavier d'Almeida
Titre original :
Lock and Key
Publié pour la première fois en 2008
par Viking, Penguin Young Readers Group, New York.

Loi n° 49 956 du 16 juillet 1949 sur les publications
destinées à la jeunesse : mai 2009.

ISBN 978-2-266-18753-4

Pour Leigh Feldman, toujours présente,
pendant tout ce temps, tout le temps.

Et pour Jay,
toujours là quand j'ai terminé.

Chapitre 1

— Le meilleur pour la fin : ta chambre ! s'exclama Jamie en ouvrant une porte.

Je m'attendais à tout. À du moche, à du rose et à une ambiance de fille. Non, je ne suis pas injuste, je suis seulement réaliste : j'avais été séparée de ma sœur pendant dix ans, je ne connaissais plus ses goûts ni son style, et je préfère toujours me préparer au pire, avec de parfaits inconnus. Pareil avec les amis. Au final, je ne suis jamais déçue.

Par la grande fenêtre en face de moi j'ai vu du vert. C'était le vert des grands arbres qui bordaient le vaste jardin de derrière. À la vérité, tout était grandissime dans le quartier résidentiel de ma sœur et Jamie : les maisons, les voitures et surtout l'immense portail de l'entrée avec ses énormes rochers. Ce machin phénoménal se voyait à des kilomètres. Imaginez les dolmens de Stonehenge version banlieue chic, et vous voyez le topo.

En attendant, j'étais toujours immobile dans le couloir et ça bouchonnait sec. Jusque-là, c'est Jamie qui faisait la visite, mais il s'était écarté pour me laisser entrer la première et il piétinait. Je me suis donc décidée à passer devant lui et je suis entrée dans ma chambre.

Elle était grande, logique, avec des murs tout blancs et trois autres fenêtres, habillées de stores vénitiens baissés. Sur ma droite, il y avait un lit à deux places recouvert d'une couette jaune et d'oreillers de la même couleur, ainsi qu'une couverture blanche pliée au bout. J'ai aussi vu un petit bureau avec une chaise devant. Au milieu du plafond mansardé, un petit store, sûrement fabriqué sur mesure, fermait une lucarne carrée, genre paupière sur un œil. C'était si classe et si bizarre que mon regard s'y est attaché pendant une éternité, comme si c'était l'événement le plus fou de cette journée.

— Tu as aussi ta salle de bains personnelle ! ajouta Jamie.

Il s'approcha sans bruit sur la moquette épaisse et nickel-propre. Ma chambre sentait la peinture et le neuf, comme le reste de la maison. Ça devait faire un mois – six au grand maximum – qu'ils avaient emménagé.

— Elle est là, sur ta droite, avec le dressing intégré... Étonnant, non ? C'est pareil dans notre chambre. Quand nous avons fait construire, Cora a affirmé qu'elle se préparerait deux fois plus vite, le matin, avec son dressing dans la salle de bains. Une innovation qui a fait ses preuves, je te le garantis.

Jamie me souriait, alors moi aussi j'ai souri. En même temps, je me demandais : « C'est qui ce mutant en maillot de cycliste, jean et Converse trop fashion trop chères, qui se donne un mal de chien pour détendre l'atmosphère avec ses blagues à deux balles ? » Mon beau-frère, OK, mais j'avais du mal à comprendre comment un type si cool avait pu épouser ma sœur, une fille archi-coincée et incapable de se fendre d'un sourire.

Moi, au moins, je faisais des efforts. Pas Cora. Elle nous observait de la porte, raide comme un piquet et bras croisés. Vu qu'elle portait un petit pull à manches courtes (on était à la mi-octobre, mais la maison était chauffée comme au pôle Nord), je voyais ses biceps bombés, ses muscles contractés, exactement comme lorsqu'elle était entrée, deux heures plus tôt, dans la salle de réunion du foyer d'hébergement. À ce moment-là, c'est Jamie qui avait parlé avec moi et Shayna, l'assistante sociale. Cora, elle, n'avait pas pipé ni bougé d'un poil. Maintenant, elle me scrutait jusqu'au fond des yeux. Pourquoi ? Pour projeter ses souvenirs de moi petite sur l'ado que j'étais devenue, ou parce qu'elle se demandait plutôt si cette ado-là, c'était bien moi ?

Moi, en la voyant, j'avais pensé : « Ah tiens, bon, Cora a un mari ? », tandis que Shayna étalait sa paperasse sur la table. S'était-elle mariée en grande pompe, ou incognito, après avoir révélé à son chéri qu'elle avait coupé tous les ponts du monde avec sa famille ? Je voyais le tableau d'ici : Super Cora sans peur et sans reproche. J'aurais même parié que la version préférée de l'histoire de sa vie, c'était celle de la nana qui s'était faite toute seule, sans rien devoir à personne.

— Le thermostat du chauffage est dans le couloir, au cas où tu voudrais le régler, poursuivit Jamie. Personnellement, j'apprécie un petit dix-huit degrés à l'intérieur, mais ta sœur est une frileuse. Tu auras beau baisser le thermostat, elle le remontera dans la seconde.

Il me sourit de nouveau. Je lui souris aussi. Ça devenait fatigant. Dans mon dos, je sentis Cora remuer mais rester silencieuse.

— Ah, j'allais oublier le must ! s'exclama Jamie en frappant dans ses mains.

Il s'approcha de la fenêtre centrale, passa la main derrière le store vénitien, l'ouvrit et recula. C'était une porte-fenêtre qui donnait sur un balcon. Après, j'ai senti plein d'air frais.

— Viens voir !

J'avais envie de regarder Cora tout en avançant à petits pas silencieux sur l'épaisse moquette pour rejoindre Jamie sur le balcon. Mains sur la rambarde, on a contemplé le jardin. Tout à l'heure, de la cuisine, j'en avais vu les obligatoires cabane-patio-barbecue-pelouse. Maintenant que j'avais le nez dessus, j'apercevais une série de roches disposées en rond sur l'herbe. Encore une fois, j'ai pensé menhirs, dolmens et Stonehenge. Ma parole, les druides, c'était une fixation de riches ?

— Eh bien, ce sera une petite mare ! précisa Jamie comme s'il m'avait entendue penser.

— Une mare ?

— Un biotope. Dix mètres sur neuf, avec des berges aménagées. Cent pour cent naturel. Avec une petite cascade. Et des poissons ! Super, non ?

C'était clair : il attendait ma réaction. Comme j'étais l'invitée, j'ai fait ma polie.

— Super, oui.

Il a éclaté de rire.

— Tu as entendu ça, Cora ? Elle, au moins, elle ne me traite pas de cinglé !

J'ai observé le cercle de pierres une dernière fois, puis j'ai regardé ma sœur, qui s'était enfin aventurée dans ma chambre, mais, attention, sans s'éloigner de la porte. Bras toujours croisés, elle nous observait. Lorsque nos yeux se sont rencontrés, je me suis demandé comment j'avais atterri dans cette baraque où je n'avais pas envie d'être et où on n'avait pas envie de m'accueillir. Puis Cora a ouvert la bouche pour la première fois depuis notre arrivée, depuis le début de tout ça.

— Il fait froid. Vous devriez rentrer.

Jusqu'à cet après-midi, jusqu'à ce que Cora vienne me réclamer à une heure pétante comme un vieux parapluie perdu, je n'avais pas vu ma sœur depuis dix ans. Je ne savais pas où elle vivait, ce qu'elle faisait ni quel genre de fille elle était devenue. Pour tout dire, je m'en foutais comme de ma première chaussette. Cora avait fait partie de ma vie, elle en était sortie, fin de l'histoire. Voilà ce que je pensais jusqu'à ce que les Honeycutt se pointent chez nous un beau mardi et bouleversent intégralement ma vie.

Les Honeycutt, je précise, étaient les proprios de la petite maison jaune où ma mère et moi on habitait depuis un an et des poussières. Avant, on louait un studio aux Lakeview Chalets, un lotissement pourri juste derrière le centre commercial. La seule fenêtre de notre unique pièce donnait sur l'issue de secours de la Cafétéria J & K, plutôt sur les employés de la cafète qui s'en fumaient une toutes les deux secondes, charlotte sur la tête et fesses collées sur un carton retourné. Un filet d'eau longeait le lotissement, mais on le remarquait seulement lorsqu'il pleuvait des cordes (en gros, deux ou trois fois par an) et qu'il se prenait tout à coup pour la Méditerranée. Vu qu'on habitait au dernier étage, on n'était pas vraiment inondées, mais on sentait bien l'odeur de moisi qui montait des appartements du bas. Elle imprégnait tout. Si je vous dis que les murs étaient imbibés de sales moisissures, vous verrez mieux le tableau. En clair, j'ai eu la crève non-stop pendant deux ans. Au moins, dans la maison jaune, je pouvais respirer normalement. Ce fut ma première pensée, le jour où on a emménagé.

Chose la plus importante : la maison jaune, c'était une vraie maison, pas un ministudio dans un lotissement ou au-dessus d'un garage privé. Ailleurs, j'avais souvent eu l'impression de vivre à moitié chez les voisins à cause des cloisons minces comme du papier à cigarettes. Notre maison jaune était au milieu d'un champ avec deux chênes de chaque côté. Il y avait bien une autre baraque, sur la gauche, mais on en voyait à peine le toit à travers les arbres. Bref, on était seules et c'est comme ça qu'on aimait vivre.

Maman n'était pas très sociable, cependant elle pouvait être très sympa. Par exemple, quand on faisait les courses. Ou lorsqu'elle se trouvait à cent cinquante mètres d'un mec qui, vu sa tronche, risquait de la traiter comme une moins que rien : maman fonçait droit sur lui et minaudait comme une poupée avant qu'on ait le temps de la retenir par une manche. Je le savais, j'avais vécu l'expérience en live. Mis à part ces deux exceptions, maman évitait les gens les trois quarts du temps (caissiers, personnels scolaire et éducatif, patrons et ex-petits amis), à moins d'y être forcée et contrainte. Dans ce cas, elle avait toujours l'air d'aller à la guillotine.

Elle avait de la chance de m'avoir : je faisais tampon entre elle et le reste de l'humanité. J'étais son intermédiaire, son ambassadeur. Des exemples, j'en ai à la pelle. C'est moi qui allais à la supérette quand elle avait envie d'un Diet Coke, mais que sa gueule de bois l'empêchait de bouger un orteil. C'est aussi moi qui ouvrais au voisin venant râler parce qu'elle avait encore fait du boucan en pleine nuit. Moi qui écartais les Témoins de Jéhovah. Dans tous les cas, maman me disait de sa voix fatiguée en passant son verre sur son front : « Ruby, tu veux bien aller leur causer, à ces gens ? »

Je causais donc avec la caissière de la supérette en attendant ma monnaie. Je calmais le voisin qui menaçait d'appeler les flics pour la millième fois et je fermais la porte au nez des Témoins de Jéhovah. J'étais en première ligne, toujours prête à expliquer ou à feinter. Je disais au proprio : « M'man est à la banque », alors qu'elle ronflait sur le canapé et que toute la rue pouvait l'entendre par la porte du salon entrouverte. « Elle est dehors, elle parle avec le livreur », disais-je à son patron pour qu'il me donne son lot quotidien de valises et de sacs de voyage à rapporter à leurs propriétaires, tandis qu'elle fumait sa clope dans la zone du fret en essayant de maîtriser le tremblement de ses mains. Enfin, il y avait eu le mensonge des mensonges : « Bien sûr qu'elle habite ici ! Elle travaille beaucoup en ce moment, c'est tout ! » C'est ce que j'avais dit au shérif, quand on était venu me chercher en cours, à sa demande. Cette fois, ça avait cafouillé grave. J'avais causé, comme disait ma mère, mais le problème, c'est qu'on ne m'avait pas écoutée.

Le jour où on a emménagé dans la maison jaune, c'était encore impec. Bon, d'accord, on avait quitté notre ancien appart en laissant un petit lot de loyers impayés, et par-dessus le marché un concierge espion toujours dans nos pattes. À cause de lui, nous avions été obligées de charger notre voiture petit à petit, chaque fois que nous allions faire des courses ou que nous partions au boulot. Ça m'était égal, j'avais l'habitude de déménager comme une voleuse ou d'avoir le téléphone une fois sur trois, et toujours sous un faux nom. Pareil avec mes fiches de renseignements pour l'école : maman écrivait régulièrement une fausse adresse dessus, parce qu'elle avait trop peur que créanciers et proprios nous retrouvent. J'ai longtemps pensé que le monde entier vivait comme nous. Lorsque j'ai compris que c'était le contraire, je m'étais déjà habituée à notre vie, et franchement, ça m'aurait fait bizarre d'en changer.

La maison jaune était drôlement mal fichue. La pièce la plus grande, c'était la cuisine, avec les placards, le frigo, la gazinière et les étagères tous alignés d'un côté. En face, il y avait un énorme appareil de chauffage au propane qui chauffait, mal, et qui sifflait comme un oiseau sur le point de mourir quand on l'allumait. Il n'y avait qu'une seule salle de bains, une espèce de cabine qui semblait collée à la superglu contre le mur de la cuisine. Maman m'avait expliqué qu'il ne devait pas y en avoir, à l'origine, et que les toilettes devaient se situer dans une cabane au fond du jardin. Sympa. En tout cas, les matins d'hiver, on s'y gelait. Il fallait faire couler des torrents d'eau chaude pour que la buée la réchauffe un peu. Le salon était minuscule, avec des murs marron imitation bois. Même en plein après-midi, on n'y voyait pas à deux centimètres. Maman s'en fichait, elle aimait l'obscurité et allumait rarement la lumière. Lorsque je rentrais, je la trouvais sur son canapé, fumant en face de la télé allumée dont la lueur blafarde déformait son visage. Dehors, il pouvait faire grand soleil, le monde éclater de lumière, chez nous, c'était toujours minuit, l'heure favorite de maman.

Quand on habitait encore dans le studio, la nuit, j'étais souvent réveillée par le murmure de ma mère tout contre mon oreille. « Chérie, s'il te plaît, tu pourrais aller finir ta nuit sur le canapé ? » Je me levais, complètement groggy, dans les vapes, en évitant de regarder le type derrière elle. Au moins, dans la maison jaune, j'avais ma chambre à moi. Elle était petite, avec un minuscule placard et une seule fenêtre, ainsi qu'un tapis très orange et les mêmes horribles murs imitation bois que dans le salon, mais je pouvais fermer ma porte. J'étais chez moi. Je ne sais pas pourquoi, j'avais l'impression qu'on y resterait plus de deux mois et que notre vie serait meilleure. Au bout du compte, j'ai eu raison sur un point.

J'ai rencontré les Honeycutt pour la première fois trois jours après notre déménagement. C'était en début de soirée, on partait travailler lorsqu'un pick-up vert s'est garé devant chez nous. Un homme conduisait, une femme l'accompagnait.

J'ai appelé maman qui se préparait dans sa chambre.

— Maman ? On a du monde.

Elle a soupiré, excédée. Ma mère était toujours de très mauvaise humeur avant d'aller travailler, pire qu'une gamine punie par ses parents.

— C'est qui encore ?

J'ai regardé le couple approcher. Lui en jean et chemise en jean. Elle en pantalon et petit haut imprimé.

— Aucune idée. Mais ils viennent chez nous.

Maman a de nouveau poussé un soupir énervé.

— Ruby, tu veux bien leur causer ?

J'ai vite compris que les Honeycutt étaient des gentils-amicaux. Tout à fait le genre que ma mère ne supportait pas. Ils souriaient un peu quand je leur ai ouvert, mais quand ils m'ont vue, ils ont souri jusqu'aux yeux.

— Regardez-la donc ! s'exclama la femme, comme si j'étais un ange descendu du ciel. Bonjour, toi !

Elle n'était pas grande et elle avait des cheveux blancs qui frisottaient partout autour de sa tête. Elle m'a tout de suite fait penser à un nain de jardin, sans la barbe.

J'ai hoché la tête. Mon attitude lorsque des inconnus frappaient chez nous. Les commentaires gentillets, ça les encourage, il vaut mieux attaquer de front.

— Que puis-je faire pour vous ?

L'homme a papillonné des yeux.

— Bonjour, Ronnie Honeycutt. Et voici ma femme Alice. Vous êtes... ?

J'ai regardé vers la chambre de ma mère. D'habitude, elle faisait un boucan d'enfer en se préparant (portes d'armoire claquées, grognements...), mais pour une fois, rien : énorme silence. J'ai de nouveau regardé le couple de lutins joyeux, et je me suis dit que ça ne pouvait pas être des Témoins de Jéhovah. Cela dit, j'étais sûre qu'ils avaient quelque chose à me vendre.

J'ai commencé à refermer la porte, doucement mais fermement. C'est un coup à prendre, mais j'étais devenue une spécialiste, à force.

— Je suis désolée, nous...

— Oh, ma minette, tout va bien ! a dit Alice.

Puis elle a continué en regardant son mari :

— « Étranger : danger » ; programme de prévention contre les agressions à l'intention de tous les écoliers !

— Étranger quoi ?

— Nous sommes vos propriétaires, ma minette ! a poursuivi Alice. Nous passons juste vous faire un petit coucou et nous assurer que tout va bien !

Ah, les proprios ! Pires que les Témoins de Jéhovah. J'ai refermé la porte un peu plus, en calant mon pied derrière.

— Tout va bien, dis-je.

— Ta maman est là ? demanda Ronnie alors qu'Alice se hissait sur la pointe des pieds pour regarder dans la cuisine, derrière moi.

Je lui ai bloqué la vue aussi sec.

— Eh bien, elle...

— Je suis là.

Ma mère traversait le salon et s'approchait, la main dans les cheveux. Elle était en jean, top blanc et bottes ; elle avait de l'allure. Elle s'était réveillée à peine vingt minutes plus tôt, mais on ne l'aurait jamais cru parce qu'elle assurait. Autrefois, maman avait été une reine de beauté, et de temps en temps, on voyait qu'elle avait été superjolie. Lorsque la lumière tombait bien, par exemple. Quand elle avait dormi toute une nuit, pour une fois. Ou que la nostalgie me collait des lunettes roses sur le nez.

Maman a souri, puis a posé une main sur mon épaule et tendu l'autre aux proprios.

— Ruby Cooper. Et voici ma fille, qui s'appelle aussi Ruby.

— Comme c'est charmant ! s'exclama Alice Honeycutt. Votre Ruby, c'est tout votre portrait !

— C'est ce qu'on dit.

Maman caressait les frisures de ma nuque, les mêmes que les siennes, sauf que les siennes n'étaient plus rousses mais grises. Toutes les deux, on avait la peau blanche, ce que les rouquins considèrent en général comme une bénédiction, ou une malédiction... ça dépend. On était également grandes et minces. Des gens m'avaient déjà fait remarquer qu'on se ressemblait tellement qu'ils nous confondaient de loin, parfois. Pour eux, c'était un compliment. Pas pour moi.

Je savais que ma mère jouait la comédie pour se mettre les proprios dans la poche afin d'obtenir un délai de paiement des loyers, ou leur échelonnement. Tant pis, j'aimais trop me serrer contre elle et poser ma tête sur son épaule. C'était comme si mon autre moi, ma moitié inconnue que je ne contrôlais pas, n'avait attendu que ce petit câlin.

— Nous avons l'habitude de passer chez nos nouveaux locataires pour voir si tout va bien, expliqua Ronnie tandis que maman jouait les rêveuses en enroulant une boucle de mes cheveux autour de ses doigts. Les agences immobilières gèrent la paperasserie administrative, et nous, le contact humain.

— Comme c'est gentil de votre part, dit maman.

Mine de rien, elle laissa retomber sa main sur la poignée de la porte en la refermant un peu plus.

— Comme Ruby vous le disait, je pars travailler, donc...

— Oh, mais oui, bien sûr ! s'exclama Alice. En tout cas, si vous avez besoin de quoi que ce soit, appelez ! Ronnie, donne donc notre numéro à Ruby.

On l'a regardé sortir un papier et un stylo de la pochette de sa chemise et écrire lentement les chiffres.

— Voilà, dit-il en nous le tendant. N'hésitez surtout pas à appeler !

— Je ne veux surtout pas vous déranger ! répondit maman. Mais merci quand même.

Après quelques plaisanteries, les Honeycutt partirent enfin, enlacés comme deux amoureux. Ronnie ouvrit la portière passager, attendit qu'Alice soit assise pour la refermer et il est monté côté volant. Après, il a démarré, reculé avec la prudence la plus extrême et a fait tout un cirque pour éviter de rouler sur la pelouse.

Ma mère était retournée dans sa chambre depuis longtemps, en prenant soin de jeter le numéro de téléphone dans le cendrier.

— Un petit coucou, mon cul ! gronda-t-elle en refermant un tiroir brutalement. Plutôt des fouineurs ! De quoi je me mêle !

Elle avait cent fois raison. Les Honeycutt n'arrêtaient pas de passer à l'improviste, et je le précise, toujours sous des prétextes bidon : remplacer le tuyau d'arrosage que nous n'utilisions jamais, couper le lilas des Indes à la tombée de la nuit ou installer un abreuvoir à oiseaux dans la cour. Ils venaient si souvent que je reconnaissais le bruit du moteur de leur pick-up. En ce qui concerne maman, son quart d'heure de gentillesse avait cessé après la première rencontre. Les fois suivantes, lorsque les Honeycutt frappaient chez nous, elle les ignorait carrément, même lorsque Alice regardait par la petite ouverture que le store de la fenêtre du salon n'arrivait pas à cacher. Vu qu'Alice était à contre-jour, on ne voyait que sa tête ronde frisottée. On aurait juré voir un lutin fantôme.

Comme les Honeycutt ne voyaient presque jamais ma mère, il leur a fallu presque deux mois pour se rendre compte qu'elle s'était barrée. En réalité, si le sèche-linge ne m'avait pas plantée, je crois qu'ils n'auraient jamais rien remarqué et j'aurais pu passer le reste de ma vie dans la maison jaune. Bon, d'accord, je n'avais pas payé le loyer depuis des lustres et on allait bientôt me couper l'électricité, mais je me serais débrouillée comme je l'avais toujours fait. Que je sois seule ou avec maman, finalement, ça ne changeait pas grand-chose. Vous me direz : oui et alors ? Eh bien, quand même, j'étais fière de moi parce que j'avais la preuve que je n'avais pas besoin d'elle.

Un soir d'octobre, le sèche-linge m'a plantée pendant que je me faisais cuire des pâtes au fromage au four à micro-ondes. Ça a démarré par un ploc ! bizarre et ça s'est terminé par une sale odeur de brûlé. Pas le choix, j'ai tendu une corde à linge dans la cuisine, juste devant le chauffage d'appoint que j'utilisais depuis que j'étais en panne de propane. J'y ai ensuite pendu jeans, tee-shirts et chaussettes en pensant : « Bon, ça pourrait être pire. » Le lendemain, mes affaires étaient à peine sèches, j'ai donc retiré ce qui l'était plus ou moins et j'ai laissé le reste, en me disant que je m'en occuperais le soir, après le boulot. Seulement voilà, Ronnie et Alice sont passés pour remplacer des lamelles de volet soi-disant fichues. Ils ont repéré la corde à linge, ils sont entrés et ont découvert la vérité.

Lorsque je me suis retrouvée au foyer d'accueil, Shayna, l'assistante sociale, l'AS en chef, a lu le rapport à haute voix. J'ai tout de suite compris que l'éduc' qui l'avait écrit en avait rajouté une couche pour faire plus authentique.

Le jeune, un mineur, vit manifestement sans eau courante ni chauffage dans une maison louée, abandonnée par son parent. La cuisine a été retrouvée dans un état de saleté repoussante et envahie par la vermine. Le chauffage ne fonctionnait pas. Des traces d'alcool et de drogue ont également été découvertes. Il semble que l'enfant mineur habite seul depuis déjà quelque temps.

Primo, j'avais l'eau courante. Certes pas dans la cuisine, car les tuyaux étaient foutus. Quant à la vaisselle, elle s'accumulait dans l'évier parce que ça me saoulait de prendre de l'eau dans la salle de bains pour laver une assiette et deux couverts. Secundo, concernant la « vermine », on avait toujours eu des cafards, merci. Je les pschittais régulièrement, mais ces sales bestioles avaient envahi la cuisine parce qu'elles remontaient par les canalisations, qui étaient fichues (voir plus haut). Tertio, j'avais le chauffage, seulement il ne marchait pas. Pour l'alcool et la drogue, ce n'était en fait que quelques bouteilles sur la table basse et un pétard dans le cendrier. Impossible de nier, mais ça n'était pas non plus une raison pour m'arracher à ma vie du jour au lendemain.

Pendant que Shayna lisait son rapport d'une voix neutre et imperturbable, je continuais de penser que j'allais m'en tirer. Si j'expliquais bien la situation, avec les précisions et en y mettant le ton, pas de problème, on me laisserait rentrer chez moi. J'allais avoir dix-huit ans dans sept mois, on n'allait tout de même pas me casser les pieds avec des détails qui n'auraient plus aucune importance à ma majorité. J'ouvrais donc la bouche pour discuter du problème numéro 1, c'est-à-dire le problème de l'eau, lorsque Shayna m'a coupé le sifflet.

— Ruby, où est ta mère ?

C'est là que j'ai tilté. Rattrapée par l'évidence. Je pouvais toujours parler, argumenter, jouer à la plus maligne, nier ou m'écraser, comme je le faisais depuis des années (j'étais devenue une vraie pro), cette fois ça ne marcherait pas.

— Je sais pas. Elle est partie, voilà.

Après la visite guidée de la maison, la contemplation de la mare et d'autres moments plutôt gênants, Jamie et Cora m'ont laissée seule dans ma chambre et sont partis préparer le dîner. Il était à peine cinq heures et demie de l'après-midi, mais la nuit tombait déjà et le soleil descendait derrière les arbres. J'imaginais le téléphone qui sonnait sans arrêt dans la maison jaune. Richard, le boss de ma mère à Commercial Courier, devait péter un câble parce qu'on était en retard et qu'on n'avait pas encore pris notre service. J'étais sûre que le téléphone sonnerait de nouveau, plus tard dans la soirée. Après, une voiture se garerait devant chez nous. On attendrait que je sorte. Peut-être même qu'on viendrait frapper pour que je me grouille. Au bout d'un moment, la voiture ferait demi-tour en vitesse, en salopant la belle pelouse des Honeycutt pour se venger.

Et après ? Ça serait la nuit, mais je ne serais pas là et la maison jaune s'endormirait toute seule, toute calme, dans le noir. Je me demandais si les Honeycutt avaient déjà viré mes affaires ou si mes habits pendaient toujours dans la cuisine comme des spectres. Maintenant que j'étais chez Cora, la maison jaune m'attirait tel un aimant géant. Ça me prenait carrément par les tripes. J'avais espéré que maman ressentirait la même chose, au début de l'automne, et que la force d'attraction l'obligerait à revenir très vite chez nous. Eh bien, non. Et si elle revenait maintenant, c'est moi qui ne serais plus là.

Rien que d'y penser, j'avais mal au ventre. Et soudain, j'ai complètement paniqué. Je me suis levée pour aller respirer sur le balcon. Maintenant, il faisait nuit, des lumières s'allumaient partout dans les maisons. Les gens rentraient et se préparaient à passer une bonne petite soirée chez eux. Moi, je me sentais minuscule dans cette grande maison avec ce grand jardin. Toute petite, petite. Carrément invisible.

Je suis rentrée dans ma chambre, puis j'ai ouvert le sac de voyage qu'un éduc' avait rapporté de la maison jaune et que Jamie avait rapatrié dans le palais de Cora. C'était un sac cheap et en promo que maman avait obtenu par son boulot. Jamais je n'aurais utilisé un truc aussi moche pour y mettre mes trésors, mais le sac ne contenait finalement que des vêtements que je ne portais pas (mes préférés étaient restés sur la corde à linge), des manuels scolaires, une brosse à cheveux et deux paquets de petites culottes en coton inconnues de moi, sans doute un don généreux de l'État à une ado en difficulté. J'imaginais un étranger fouillant dans ma chambre pour faire « mon » sac. Débile. Personne ne pouvait décider à ma place et en deux minutes chrono ce qui était indispensable à ma survie loin de la maison jaune. C'est tout vu, les gens n'ont pas les mêmes besoins.

Je n'avais besoin que de mon pendentif, d'ailleurs je le portais jour et nuit. J'ai passé mes doigts sur la fine chaîne en argent autour de mon cou et sur ma clé. Je l'avais serrée sans arrêt aujourd'hui. J'avais caressé sa forme que je connaissais par cœur : l'anneau rond et la tige, lisse d'un côté, crantée de l'autre. Hier soir, lorsque je m'étais retrouvée dans la salle de bains du foyer, je m'étais raccrochée à ma clé parce que c'était tout ce qui me restait. Je l'avais regardée dans la glace pour ne pas voir ma tête de déterrée ni cet endroit inconnu où je me sentais décalée. Ce soir, j'ai fait pareil : j'ai levé ma clé devant mes yeux, lentement, rassurée de voir sa marque sur ma peau. C'était la seule clé qui ouvrait la porte de ma vie derrière moi.

Lorsque Jamie m'a appelée pour dire que le dîner était prêt, j'avais décidé de me tirer dans la nuit. C'était tout réfléchi : pas la peine que je contamine plus longtemps leur joli petit palais ou le beau lit de ma chambre. J'avais décidé d'attendre que Jamie et Cora dorment pour filer par la porte de derrière et tailler la route en moins de deux. Ensuite, à la première cabine téléphonique du coin, j'appellerais un ami pour qu'il passe me chercher. Je ne pouvais pas retourner dans la maison jaune, parce qu'on viendrait m'y chercher direct lorsqu'on aurait découvert ma fugue. Je n'étais pas complètement demeurée, je savais que ma vie avait changé pour toujours, mais je voulais au moins y repasser prendre des bricoles, lui dire adieu et laisser un mot pour ma mère, au cas où.

Après, facile : je ferais la morte. Après quelques jours à s'être démenés dans tous les sens et dans les déclarations à la police ou je ne sais qui, Jamie et Cora baisseraient les bras, soulagés d'avoir tout essayé mais surtout contents de ne plus m'avoir dans les pattes. C'est bien connu, les gens veulent avant tout se donner bonne conscience.

J'entrai dans la salle de bains pour me recoiffer. J'avais une vraie tête de morte après deux nuits blanches et cette journée longue comme cent mille, mais la lumière de la salle de bains était comme dans les films et me donnait les joues roses et un regard de star. J'ai pas aimé, parce que les miroirs, c'est fait pour montrer la vérité. J'ai donc éteint la lumière et je me suis brossé les cheveux dans le noir.

Avant de sortir de ma chambre, j'ai regardé l'heure à ma montre. Six heures moins le quart. Il me restait six heures et quinze minutes de calvaire à vivre, parce que j'avais calculé que Jamie et Cora dormiraient vers minuit grand maximum. Ça m'a donné le courage et la force de descendre dîner et de subir la soirée.

Hélas pas la force d'affronter ce que je découvris en bas des escaliers. J'avais mis le pied dans quelque chose de très mouillé. Et de vachement froid, en plus, pensai-je en sentant des éclaboussures sur ma cheville.

— Beurk, dis-je tandis que je levais mon pied.

Total, j'ai réussi à en mettre partout, alors je me suis transformée en statue pour ne pas causer un nouveau raz-de-marée. La poisse. Je n'étais pas arrivée depuis cinq minutes dans le petit palais de Cora que j'en polluais déjà l'entrée. Je regardai autour de moi, cherchant quelque chose pour essuyer, n'importe quoi, la tapisserie sur le mur, un truc dans le pot à parapluies, lorsque la lumière s'alluma.

— Ah, c'est toi ! lança Jamie qui s'essuyait les mains dans un torchon. Je me disais bien que j'avais entendu quelque chose. Viens, on va...

Il s'interrompit. Il venait de remarquer la flaque, et moi à côté.

— Ah merde !

— Je suis désolée..., balbutiai-je.

— Essuie vite avant qu'elle...

Il n'a pas achevé. Il me lança son torchon et je me suis accroupie pour essuyer vite fait. C'était déjà trop tard : Cora sortait de la cuisine et regardait ce qui se passait par-dessus l'épaule de Jamie.

— Jamie ?

Il a sursauté.

— Est-ce que c'est...

— Non ! répondit Jamie, affichant un air détendu.

Mais ma sœur, une méfiante, s'approcha pour mieux voir.

— Ah mais si ! C'est de la pisse ! s'exclama-t-elle alors qu'elle tournait les yeux vers Jamie qui repartait dans la cuisine.

— Écoute, Cor...

— Puisque je te dis que c'est de la pisse ! Et voilà, ça recommence ! Ce chien a pourtant sa chatière ?

Un chien ? J'étais surprise, mais soulagée. Mieux valait un cabot incontinent qu'un beau-frère qui prenait l'entrée de sa maison pour un urinoir.

— Vous avez un chien ?

Réponse de Cora : un énorme soupir. Jamie, lui, enchaînait déjà.

— Dresser un chien, ça prend du temps, dit-il en saisissant un rouleau d'essuie-tout dans la cuisine avant de revenir dans l'entrée.

Cora s'écarta tandis qu'il arrachait des feuilles du rouleau et s'accroupissait pour essuyer la flaque et les éclaboussures.

— Tu sais ce qu'on dit ! continua-t-il. Il faut se donner un mal de chien pour changer ses habitudes !

Cora a secoué la tête et elle est repartie dans la cuisine. Jamie, lui, arracha d'autres feuilles et se mit à essuyer le bout de mes chaussures.

— Désolé. C'est un sacré problème, tu sais..., me confia-t-il.

J'ai fait « oui » parce que je ne savais pas quoi dire. J'ai bêtement plié le torchon et j'ai suivi Jamie à la cuisine, où il a jeté ses bouts d'essuie-tout dans une poubelle en acier inox machin. Pendant ce temps, Cora mettait la table près de la baie qui donnait sur la terrasse. Elle a plié les serviettes, en a posé une à côté de chacune des trois assiettes avant de placer les couverts bien dans l'ordre : fourchette, couteau, cuillère. Il y avait aussi des sets de table, des verres et un grand pichet rempli d'eau avec des tranches de citron qui flottaient dedans. Sa maison, sa cuisine, tout ça, c'était comme dans les magazines de déco. Trop parfait pour être vrai.

C'est ce que je me disais lorsque j'ai entendu un ronflement, genre petit papy qui fait la sieste dans son fauteuil spécial papy. Ça venait de la buanderie, derrière moi. J'ai tourné la tête et j'ai vu la bête.

Plutôt, avant de voir le chien, j'ai vu le coucouche panier recouvert... je crois bien mais je n'en suis pas certaine... d'une peau de mouton et de joujoux divers : anneaux en caoutchouc, journaux personnalisés, os velours, corde et, surtout, une énorme poule orange en peluche à l'air abruti. C'est seulement après que j'ai vu un petit chien blanc et noir endormi sur le dos, qui ronflait, pattes en l'air.

— Je te présente Roscoe ! dit Jamie en ouvrant le réfrigérateur. D'habitude, il se lève pour faire la fête, mais notre promeneur de chien est venu aujourd'hui pour la première fois, et la balade a mis Roscoe sur les rotules. Ce qui explique le petit accident dans l'entrée. Il est tout simplement crevé d'être sorti de son ordinaire...

— L'extraordinaire, ce serait qu'il sorte dehors tout seul, intervint Cora.

Un ronflement sonore s'éleva de la buanderie. On aurait dit que les narines de Roscoe allaient exploser.

— C'est prêt, reprit Cora en s'asseyant.

J'attendis que Jamie se mette à table pour m'installer aussi. C'est seulement lorsque je sentis l'odeur de la sauce tomate que je compris que je mourais de faim. Jamie prit l'assiette de Cora, lui servit des spaghettis, de la sauce tomate et de la salade avant de la lui tendre. Puis il m'a fait signe pour que je donne la mienne. C'était si conventionnel, si normal que j'ai été mal à l'aise, à tel point que j'ai attendu que ma sœur prenne sa fourchette pour prendre la mienne. C'était drôle parce que je n'avais pas imité Cora depuis des années. Mais comme elle m'avait tout appris, il y a longtemps, peut-être que j'agissais d'instinct ?

— Demain, commença Jamie d'une voix chaleureuse, nous allons t'inscrire au lycée. Comme Cora a un rendez-vous, c'est moi qui te conduirai dans mon ancien fief !

Je levai les yeux.

— Ah bon. Je ne retourne pas à Jackson ?

— Hors secteur scolaire, répliqua Cora en piquant une tranche de concombre de la pointe de sa fourchette. Et même si nous obtenions une dérogation, c'est trop loin.

— Mais on est déjà à la mi-semestre !

Je vis tout à coup mon casier et mon projet de bio que j'avais rendu la semaine dernière. Abandonnés, exactement comme la maison jaune.

J'avalai ma salive et j'inspirai avant de continuer.

— Je ne peux pas tout laisser en plan !

— T'inquiète donc pas. Nous allons arranger ta situation demain ! répondit Jamie.

— Je m'en fiche, que Jackson soit loin ! Je m'en fiche aussi de passer des plombes à faire le trajet en bus, continuai-je, furieuse après moi, parce que j'avais une petite voix immonde, et par-dessus le marché une grosse boule dans la gorge.

Après ce qui s'était passé depuis trois jours, je chouinais à cause du lycée. Franchement.

— Je peux me lever plus tôt ! J'ai l'habitude !

Cora a levé les yeux sur moi.

— Écoute, Ruby, c'est pour ton bien. De plus, Perkins Day est un excellent lycée.

— Perkins Day ! J'y crois pas !

— Pourquoi ? Perkins Day te pose un problème ? s'étonna Jamie.

— Oui ! Énorme !

Il a eu l'air surpris, un peu vexé aussi. Bien joué. C'était mon seul allié dans cette maison et il allait devenir mon ennemi par ma faute.

— Je ne dis pas que c'est un mauvais lycée, ajoutai-je. C'est juste que ça n'est pas un lycée pour moi...

La phrase de l'année ! Cela faisait deux ans que j'allais à Jackson High, le plus gros lycée du comté. Surpeuplé, peu de moyens et cinquante pour cent de cancres. Survivre une année à Jackson, c'était un honneur, surtout si, comme moi, on fréquentait les derniers de la classe. On avait tellement déménagé, maman et moi, que c'était la première fois que je passais deux ans de suite dans la même école. Alors même si c'était un lycée merdique, j'y avais creusé mon trou et j'y étais bien. Perkins Day, c'était un lycée privé de riches, réputé pour son équipe de hockey, son brillantissime taux de réussite au SAT[1] et son parking rempli de voitures de luxe européennes. Nous, à Jackson, on n'avait aucun contact avec ceux de Perkins Day, sauf quand il y avait des fêtes où ils se la jouaient et se lâchaient. Mais même, les filles de Perkins restaient dans leur voiture, moteur en marche et radio à fond en fumant des cigarettes à la chaîne. Trop belles pour rentrer danser à l'intérieur, je suppose.

1. Scholastic Aptitude Test : examen d'admission à l'université.

Soudain, Jamie a sauté de sa chaise.

— Ah non, Roscoe ! Pas ici ! La chatière !

Trop tard. Roscoe, qui s'était levé de son panier, levait maintenant la papatte contre le lave-vaisselle. Déjà, Jamie le soulevait pendant qu'il pissait et le faisait passer, toujours en train de pisser, par la chatière. Puis il a regardé Cora, mais quand il a vu son visage dur comme un menhir, il est sorti à son tour. La porte a fait un petit clic en se refermant derrière lui.

Cora a posé la main sur son front et fermé les yeux. Bon. Devais-je parler, pas parler ? J'hésitais lorsqu'elle s'est levée pour prendre le rouleau d'essuie-tout. Puis elle a épongé les mouillures de Roscoe.

Je sais, j'aurais dû lui proposer mon aide, mais j'étais toujours en colère à cause de Perkins Day. Il y a dix ans, Cora nous avait abandonnées, maman et moi, pour vivre mieux ailleurs. Et maintenant, elle pensait que son truc réussirait avec moi. Elle croyait donc que j'allais gommer mon passé et prendre un nouveau départ après qu'elle m'aurait arrachée à Jackson et à la maison jaune pour me parachuter dans son petit palais et dans un lycée luxe ? Manque de bol, Cora et moi, on n'avait pas la même vision des choses. Aujourd'hui comme hier.

J'ai eu de nouveau mal au ventre et j'ai serré la clé autour de mon cou. En faisant ce geste, j'ai vu l'heure à ma montre et j'ai soufflé. Encore cinq heures et quinze minutes à tenir. Là-dessus, j'ai repris ma fourchette et j'ai fini mes pâtes.

Six longues heures et cinquante minutes plus tard, je commençais à penser que mon beau-frère, le plus gentil du monde et l'ami des bêtes incontinentes, était aussi un insomniaque grave. Certaine que Cora et Jamie étaient des couche-tôt, j'étais montée dans ma chambre à vingt et une heures trente. Une quarantaine de minutes plus tard, j'avais entendu Cora passer devant ma chambre pour rentrer dans la sienne, au fond. Elle avait éteint à vingt-trois heures, et à partir de là, j'avais fait le compte à rebours en attendant que Jamie aille la rejoindre. Mais il ne montait toujours pas. Et le salon illuminé pire qu'un arbre de Noël éclairait carrément le jardin, tandis que les lumières s'éteignaient peu à peu dans les maisons voisines, plongeant le quartier dans le noir absolu.

J'attendais depuis quatre heures, maintenant. Je ne voulais pas allumer la lampe, parce que j'étais censée dormir. Je tuais donc le temps, allongée sur mon lit, mains croisées sur mon ventre, yeux fixés sur le plafond, en me demandant ce que Jamie fichait. Ça ne me changeait pas beaucoup des soirées que j'avais passées seule à la maison jaune, quelques semaines plus tôt, après une coupure provisoire d'électricité. Mais là-bas, au moins, je pouvais fumer ou boire une bière, histoire de passer agréablement le temps.

Ici, il n'y avait que la nuit, le ronron du chauffage qui s'enclenchait à intervalles irréguliers – je les avais chronométrés – et des lueurs très mystérieuses qui flottaient au fond du jardin. Des extraterrestres qui débarquaient ? Un phénomène stellaire néo-urbain ? Je me posais la question lorsque soudain toutes les lumières s'éteignirent au rez-de-chaussée. Jamie montait se coucher. Pas trop tôt.

Je me suis levée et j'ai écouté. En comparaison avec la maison jaune, toute petite avec des murs tout minces, où l'on entendait un matelas gémir deux chambres plus loin, le palace de Cora semblait insonorisé. Impossible de repérer un quelconque déplacement. Je me suis donc approchée de la porte et je l'ai entrouverte. J'ai entendu des pas, puis une porte plus loin qui s'ouvrait et se refermait. Bien. Jamie était enfin dans sa chambre.

J'ai pris mon sac, j'ai ouvert doucement, puis j'ai enfilé le couloir en rasant le mur jusqu'aux escaliers. Une fois dans l'entrée, j'ai eu mon premier coup de bol depuis des jours : l'alarme n'avait pas été branchée. Alléluia.

J'ai ouvert la porte et j'ai d'abord passé mon sac. Je sortais quand j'ai entendu quelqu'un siffler joyeusement dans la rue le jingle d'une pub pour un détergent ou je ne sais quoi. Qui pouvait se balader à une heure du mat' dans ce quartier résidentiel ?

— Bon garçon, Roscoe ! Bien !

Merde : Jamie ! Il remontait la rue avec son chien qu'il tenait en laisse, et qui levait la patte contre une boîte aux lettres. Me verrait-il si je décampais dans la direction opposée en évitant les éclairages ? Après un calcul rapide, j'ai décidé de passer derrière la maison.

J'ai entendu Jamie siffler de nouveau pendant que je descendais les escaliers du patio en marchant comme les canards, puis j'ai traversé la pelouse, évité de justesse un robinet d'arroseur et continué ma course vers le jardin. Là, je me suis dirigée vers les lueurs flottantes qui m'avaient tellement titillées, tout à l'heure. Si ça se trouve, c'était vraiment des extraterrestres, un trou noir nouvelle génération où je pourrais disparaître.

En fait, je me suis retrouvée devant une barrière. J'ai jeté mon sac par-dessus. Je me demandais si j'avais été suivie ou non, et surtout, sur quoi j'allais tomber, de l'autre côté, lorsque j'ai entendu un clac : Roscoe sortait par sa chatière.

Il a reniflé tout le patio, puis la pelouse en faisant des petits ronds, et tout à coup, il s'est mis à l'arrêt, museau en l'air. La poisse. Je grimpais la barrière en toute hâte au moment où il s'est mis à aboyer. Il a filé comme un boulet sur moi.

On peut dire toutes les horreurs du monde sur les petits chiens. La vérité, c'est qu'ils courent sacrément vite. En une seconde, même pas, Roscoe avait traversé le jardin ; il hurlait maintenant à mes pieds. Moi, j'étais congelée de peur sur ma barrière, et je sentais mes bras et mes jambes qui commençaient à tirer.

— Chhhut ! murmurai-je.

Évidemment, il a aboyé deux fois plus fort. Les lumières se sont allumées dans la maison de Cora et j'ai vu Jamie qui regardait par la fenêtre de la cuisine.

J'ai essayé de me hisser plus haut, de prendre davantage d'élan. J'ai finalement réussi à passer un bras et à me soulever assez pour voir enfin les étranges lumières qui m'avaient tant intriguée, tout à l'heure. C'était les éclairages d'une grande piscine. Un nageur y faisait des longueurs. Une vraie bombe. On aurait dit Michael Phelps.

Roscoe continuait de japper. Comme mon sac était déjà dans le jardin du voisin, je devais vite franchir cette saleté de barrière si je ne voulais pas me faire repérer par Jamie. Je me suis soulevée de toutes mes forces et j'ai tenté de passer une jambe de l'autre côté. Raté.

J'entendis la voix de Jamie, du patio.

— Roscoe ? Que se passe-t-il, mon vieux ?

J'ai tourné la tête dans sa direction. Me voyait-il, ne me voyait-il pas ? Si Roscoe ne la fermait pas dans cinq secondes, mon beau-frère allait rappliquer. Dans quinze, il serait là. Et dans une minute, il aurait tout compris.

— Heu... bonsoir ?

J'étais tellement occupée à cogiter que je n'avais pas remarqué que le nageur olympique avait cessé ses longueurs et qu'il me regardait, de sa piscine. Je le voyais mal, mais j'ai tout de même remarqué que c'était un garçon. Je l'ai trouvé extrêmement amical, vu les circonstances.

— Salut.

— Roscoe ! appela de nouveau Jamie.

Pas besoin de me retourner. Je savais qu'il se rapprochait. Comme je n'avais pas de superpouvoirs et qu'aucun trou noir n'était prêt à m'avaler, je devais à tout prix trouver un plan B.

— Est-ce que tu es une... ? commença le nageur, élevant la voix pour se faire entendre par-dessus les aboiements de Roscoe.

— Non ! lui dis-je en me laissant retomber côté jardin de Cora.

Le visage du nageur a tout de suite disparu de ma vue, tandis que Jamie surgissait de derrière les arbres.

— Ruby, c'est toi ? Mais qu'est-ce que tu fabriques ici ?

Il avait l'air si inquiet que, pendant un moment, j'ai culpabilisé comme si je l'avais trahi, ou je ne sais quoi. Nul. On ne se connaissait même pas.

— Rien.

— Tu es sûre que ça va ?

Il a levé les yeux sur la barrière, puis les a baissés sur moi, tandis que Roscoe cessait d'aboyer et reniflait ses pieds en jappant à peine.

— Eh bien, je...

J'essayais de parler lentement, avec calme. C'est important, de bien placer sa voix.

Je me demandais ce que j'allais inventer. Je cherchais une bonne excuse qui ne venait pas. Normal, vu mon manque de bol. J'étais toujours silencieuse lorsque j'ai entendu un bruit de l'autre côté de la barrière et vu un visage au-dessus de nous. C'était le nageur olympique. Maintenant que je le voyais mieux, je constatai qu'il avait à peu près mon âge. Ses cheveux étaient très blonds, très mouillés, et il avait une serviette autour du cou.

— Salut, Jamie. Un problème ?

Jamie a relevé la tête.

— Tiens, salut !

Puis il s'est adressé à moi :

— Tu as déjà fait connaissance avec Ben ?

J'ai regardé... comment s'appelait-il... Ben ? Oui, c'est ça. J'allais peut-être m'en sortir...

— Ah oui, en fait, je...

— Elle est venue me dire que la musique était trop fort, coupa Ben.

Il semblait très à l'aise du haut de sa barrière. Il était debout sur une pierre ou quoi ?

— Désolé, me dit-il. J'avais mis le volume à fond pour entendre pendant que je nageais.

— C'est vrai. Je ne pouvais... pas dormir.

À mes pieds, Roscoe a toussé en recrachant un truc dégoûtant. Ça a détourné notre attention, forcément.

— Bon, il est tard, reprit Jamie. Nous devons nous lever tôt, demain...

— Moi aussi, je devrais aller me coucher, dit Ben en s'essuyant le visage avec un coin de sa serviette.

Il devait être debout sur un transat, c'est pas possible ! Ou bien il avait des jambes de girafe !

— Content d'avoir fait ta connaissance, Ruby.

— Moi aussi.

Il a fait un signe à Jamie et a disparu. Jamie m'a observée longtemps, comme s'il voulait me percer à jour, mais j'ai tenu bon, enfin, j'ai essayé. Je me suis détendue quand il a fourré ses mains dans ses poches et qu'il est reparti vers la maison, Roscoe sur ses talons.

Je le suivais quand j'ai entendu un pssst... derrière moi. Je me suis détournée. Ben avait ouvert la barrière et me tendait mon sac.

— Tu pourrais en avoir besoin...

En plus, je devais lui dire merci. Pas croyable, pensai-je en prenant mon sac.

— C'est quoi ?

Il avait posé sa main sur le portail, et je notai qu'il avait enfilé un tee-shirt foncé. Ses cheveux qui commençaient à sécher se dressaient dans tous les sens. Dans la lumière clignotante de la piscine, j'ai mieux vu son visage. Il était mignon, dans le genre riche-gentil. Pas du tout mon style.

— C'est quoi quoi ?

— Ta clé, là ! dit-il en me la montrant.

Jamie pénétrait à l'intérieur de la maison. Il a laissé la porte ouverte derrière lui. J'ai serré ma chaîne dans ma main.

— C'est rien.

J'ai mis mon sac sur mon épaule, en essayant de le cacher, et j'ai traversé la pelouse.

Une barrière moins haute, un cabot moins rapide et ma vie aurait pris la direction de la liberté. Rater mon coup si près du but, quelle misère.

C'est toujours pareil, ce sont les détails qui coincent et font pencher la balance, neuf fois sur dix, jamais les choses sur lesquelles on est concentré.

Quand j'arrivai dans le patio, je ne vis ni Jamie ni Roscoe, néanmoins j'ai préféré cacher mon sac avant de rentrer. Comme le balcon de ma chambre était trop haut, je l'ai planqué sous le barbecue. Je le récupérerais dans une heure ou deux, lorsque la voie serait libre... Les éclairages dans la piscine de Ben s'éteignaient. Entre sa maison et la nôtre, ça devint noir tout à coup.

Pas de Jamie en vue non plus lorsque je suis montée dans ma chambre. Tant mieux, qu'est-ce que je lui aurais dit ? Il avait peut-être cru mon mensonge, grâce à la complicité du voisin nageur. Celui-là, c'était ma chance dans ma malchance quand j'y repensais. En tout cas j'espérais que Jamie était du genre à tout gober, à l'inverse de ma sœur, la grande spécialiste des disparitions, meilleure qu'un flic pour repérer les bobards. Je suis aussi certaine qu'elle m'aurait volontiers catapultée de l'autre côté de la barrière ou qu'elle m'aurait montré le portail, trop pressée de se débarrasser de moi pour toujours.

J'attendis une bonne heure avant de redescendre. Lorsque j'ouvris la porte de ma chambre, je trouvai mon sac juste à mes pieds. Dingue ! je n'avais même pas entendu Jamie le déposer ! Ça m'a fichu un gros malaise, je ne sais même pas pourquoi. Quand je l'ai pris et que je suis retournée dans ma chambre, je le jure, j'avais trop la honte.

Chapitre 2

Ma mère détestait aller bosser. Comme elle n'avait jamais trouvé de boulot vraiment sympa, enfin, d'après mes souvenirs, elle avait à mon avis renoncé à être une travailleuse de choc pour le restant de ses jours. Chez nous, « travailler », c'était un gros mot qui signifiait « fini de se la couler douce ». Le truc qui tue, quoi. Autant de raisons pour maman de râler et de faire le maximum pour éviter la corvée.

C'est sûr, elle aurait vu les choses autrement si elle avait été assez qualifiée pour avoir un job cool : agent de voyages ou créatrice de mode. La faute à pas de chance et à ses choix, elle avait toujours eu des petits boulots mal payés avec parfois, mais pas souvent, des commissions ou des pourboires : serveuse, vendeuse, employée télémarketing. On s'est donc dit qu'elle avait eu un gros coup de bol lorsqu'elle a été embauchée à Commercial Courier. D'accord, ça n'était pas glamour, mais au moins ça n'était pas la galère habituelle.

Commercial Courier, « service de livraison en tout genre », livrait des bagages à domicile. Le bureau était à l'aéroport, où aboutissaient valises et sacs acheminés par erreur sur un mauvais avion et dans une mauvaise ville. Un employé de la société était chargé de les remettre à son propriétaire, à son hôtel ou à son domicile.

Avant de travailler chez Commercial, maman était réceptionniste dans une société d'assurance, un job qu'elle haïssait parce qu'elle devait se lever tôt et communiquer. Quand ses patrons l'ont laissée partir, six mois plus tard, elle a dormi et râlé pendant au moins deux semaines avant de faire les petites annonces. C'est là qu'elle a repéré l'offre de Commercial : « Chauffeur-livreur, travail au choix de nuit ou de jour. » Elle savait que l'emploi idéal, ça n'existait pas, mais celui-là semblait s'en approcher. Alors elle a pris rendez-vous et, deux jours plus tard, elle était embauchée.

Je dirais plutôt : nous avons été embauchées. Pourquoi ? Parce que maman conduisait comme un manche, pardi ! D'ailleurs, je me suis toujours demandé si elle n'était pas un peu dyslexique : elle était du genre à confondre sa droite et sa gauche, ce qui pose un vrai problème dans un boulot où la base, c'est de suivre des itinéraires de livraison. Par chance, son service commençait à cinq heures du soir, je pouvais donc l'accompagner. J'avais pensé que je lui filerais un petit coup de main seulement les premiers jours et qu'elle se dépatouillerait ensuite comme une grande. En fait, on a bossé ensemble, huit heures par jour, cinq jours sur sept, seules toutes les deux dans sa Subaru pourrie pour rendre les bagages mal acheminés, perdus et retrouvés, à leurs propriétaires.

Nos soirées débutaient toujours à l'aéroport. Une fois qu'on avait chargé valises et sacs dans la voiture, maman me donnait les adresses et les itinéraires, et nous prenions la route. Nous commencions par les hôtels, plus proches, avant de quitter le centre-ville et de nous coltiner des quartiers complètement paumés.

Les propriétaires des bagages réagissaient de deux façons en nous voyant : contents et reconnaissants, ou bien agressifs et jurant la mort de tous les transporteurs aériens du monde. On a vite appris que le mieux, c'était de la jouer solidaire. « À qui le dites-vous ! C'est une véritable honte ! » disait maman en tendant le formulaire à signer au mec furax qui se plaignait d'avoir dû racheter des affaires de toilette ou des vêtements dans une ville qu'il ne connaissait même pas. En général, ça suffisait à les calmer. C'était un peu comme si la compagnie aérienne se mettait à genoux devant eux. Mais il y avait aussi de vrais emmerdeurs. Dans ce cas-là, ma mère leur balançait carrément leur bagage et revenait à la voiture sans les écouter criser. « C'est leur karma, concluait-elle une fois qu'on reprenait la route. Je te parie que nous reviendrons chez eux avant d'avoir eu le temps de dire ouf. »

Je préférais passer dans les hôtels, parce qu'on remettait les bagages aux grooms ou au personnel de l'accueil. Ils nous faisaient une fleur pour nous remercier d'avoir commencé par eux. Du coup, nous sommes devenues des habituées des bars de tous les hôtels du coin, où on avalait un énorme hamburger entre deux livraisons.

On finissait au bout de la nuit, à l'heure où les autoroutes sont désertes. Notre voiture était la seule en vadrouille dans les petites rues noires et silencieuses. Il était tard, tout le monde roupillait. Comme les gens ne voulaient pas qu'on les réveille, ils laissaient un mot sur leur porte pour qu'on dépose leur bagage devant chez eux. D'autres nous demandaient de le planquer dans le coffre de leur voiture, lorsqu'on leur téléphonait pour confirmer notre arrivée. Les livraisons sur le coup de minuit ou une heure du matin étaient toujours les plus bizarres. On se garait devant une maison sans faire de bruit, comme des cambrioleurs, mais on donnait au lieu de prendre.

Travailler chez Commercial, ça m'obligeait à positiver : c'était comme si j'avais la preuve que ce qui est perdu se retrouve toujours. J'essayais de me mettre à la place du type qui ouvrait sa porte et découvrait sa valise qu'il pensait ne plus revoir. Son bagage était passé par des endroits qu'il ne verrait jamais, il était aussi passé dans les mains d'inconnus avant de rentrer chez son propriétaire, le tout en un temps record.

J'étais sûre de passer une nuit blanche, comme au foyer d'hébergement, mais je me suis réveillée d'un coup lorsque Jamie a frappé à ma porte en m'annonçant qu'on partait dans une heure.

J'avais si bien dormi, je revenais de si loin que pendant un moment je me suis demandé où j'étais. C'est lorsque j'ai vu la lucarne avec son store que je me suis souvenue de tout. Cora. Ma fugue ratée d'hier. Perkins Day aujourd'hui. Trois jours plus tôt, je vivais dans la maison jaune, je cumulais un boulot chez Commercial et mes cours à Jackson. Et voilà, de nouveau des changements, mais j'avais l'habitude. Ma vie avec maman, elle était en montagnes russes.

La première fois que ma mère a fugué, je savais que ça n'était pas pour de bon. C'était l'une de ses escapades qui duraient jusqu'à ce qu'elle soit fauchée ou que son mec du moment la plaque. Les deux premières fois où elle s'était barrée, j'avais tout de même été morte d'angoisse, et quand elle était revenue, supersoulagée. Je me souviens que je l'avais bombardée de questions, ce qui l'avait mortellement énervée. « J'avais besoin de prendre l'air, ça te va ? » m'avait-elle répondu. Puis elle avait filé dans sa chambre pour dormir : vu sa tête, elle avait un millier d'heures de sommeil à rattraper.

Il a fallu deux autres disparitions, plus longues celles-là, pour me faire comprendre que j'avais intérêt à la boucler et à ne pas dramatiser lorsqu'elle revenait. Je l'ai donc joué blasée, comme si elle n'avait jamais fugué. Pour ma mère, la liberté, la sienne, la mienne et la nôtre, c'était sacré. Je le reconnais, elle avait pas mal de défauts, mais elle n'était pas collante. J'avais donc décidé qu'elle fuguait pour m'apprendre à vivre. Après tout, seules les petites natures ont besoin de leur mère vingt-quatre heures sur vingt-quatre. Maman me prouvait chaque fois que ma vie et mes décisions ne dépendaient que de moi.

À la fin de l'été, après deux semaines sans nouvelles, j'ai trouvé le courage d'entrer dans sa chambre et de fouiller partout. Sa caisse noire, qui contenait trois cents dollars la dernière fois que j'avais compté, avait disparu, ainsi que ses bons d'épargne, sa trousse de maquillage et surtout son maillot de bain et sa robe bain de soleil préférée. Elle avait donc dû partir vers le soleil.

Je ne savais pas exactement quand elle s'était tirée, parce qu'à ce moment-là, on était devenues deux étrangères dans la même maison. Il n'y avait pas d'amour mais il n'y avait pas de haine non plus. Seulement du vide. En gros, c'était chacun pour soi. J'ajoute que maman avait aussi cessé de bosser. Elle dormait quand j'allais au lycée, quand j'en rentrais et quand je repartais bosser chez Commercial. Et en général, elle était sortie lorsque je revenais après la dernière livraison. Pour se parler, ça n'était pas l'idéal... De plus, les rares fois où elle était à la maison sans y dormir, c'est qu'elle se trouvait avec son mec du moment.

Lorsque je voyais la Cadillac pourrie de son Warner devant chez nous, je me garais derrière, puis j'entrais par la fenêtre de ma chambre, toujours ouverte, et je n'en bougeais plus. J'étais donc obligée de me laver les dents avec la flotte de ma bouteille et de faire une croix sur le reste, mais c'était le prix à payer pour éviter Warner, qui enfumait la maison avec sa pipe et semblait toujours cuver sa cuite de la veille. Il était le plus souvent vautré sur le canapé avec une bière et me suivait des yeux en silence quand je me risquais à passer devant lui. Il ne m'a jamais tripotée, mais c'est parce que je l'évitais le plus possible et qu'il n'en a jamais eu l'occasion.

Ma mère adorait son Warner, enfin, c'est ce qu'elle disait. Tous les deux s'étaient rencontrés au Halloran, un bar en bas de la rue où elle allait parfois boire une bière et faire un karaoké. Warner n'était ni gros ni gras et n'avait pas non plus un cerveau lourd et épais comme les autres mecs de maman. Dans son pantalon noir, sa chemise à deux balles, ses chaussures bateaux et sa casquette de capitaine de navire, il avait l'air de débarquer d'un cargo illégal rempli de poisson braconné. Je ne sais pas s'il avait été marin, s'il se la jouait en espérant l'être un jour, en tout cas, il buvait comme un trou et avait toujours de l'argent. Reste à savoir d'où il le sortait, mais pour ma mère, il était parfaitissime.

Je m'imaginais donc qu'elle était au bord de l'océan avec Warner. Ils étaient peut-être partis en Floride dans sa Cadillac pourrie et faisaient une croisière, maintenant. Ils en avaient tellement parlé... C'était poétique, mais je me doutais que la réalité était beaucoup plus glauque. Tant pis, pour une fois que je pouvais me faire des films.

Pour résumer, maman a fait sa dernière fugue en août. À partir de là, il me restait neuf mois à attendre avant d'avoir dix-huit ans et le droit de vivre légalement seule. Conclusion : je devais assurer jusqu'au mois de mai, et comme je n'étais pas plus bête qu'une autre, je pensais que j'y arriverais. Pour cela, je devais garder mon boulot chez Commercial jusqu'à ce que Robert, le gérant, remarque que ma mère avait disparu dans la nature. Après, c'est sûr, il faudrait que je trouve autre chose, mais pour l'instant je n'en étais pas là. Côté factures, pas de problèmes : je portais les mêmes nom et prénom que maman, j'avais donc accès à son salaire, qui était automatiquement viré sur son compte. J'avais tout bon. Il suffisait que je me tienne à carreau au lycée pour que personne ne devine que je vivais toute seule.

Ça aurait peut-être marché si le sèche-linge n'était pas tombé en panne. Je ne le saurai jamais. En tout cas, ce n'est pas parce que mon destin sur le court terme venait de changer que ça cassait le grand rêve de ma vie : je voulais être libre, ne plus dépendre des lubies de ma mère, du système ou d'autre chose et ne pas être un fardeau pour qui que ce soit. Au final, que j'habite dans la maison jaune ou dans le monde parfait de Cora jusqu'à mes dix-huit ans, ça m'était complètement égal. L'essentiel, c'était en effet que je réalise mon rêve.

Hélas, pour l'instant, je devais aller au lycée. J'ai donc remis le jean que je portais depuis deux jours et un vieux sweat qui datait, en essayant de me rendre présentable. Certainement pas pour impressionner les riches de Perkins Day, pensais-je en tirant sur mon sweat trop juste et trop court. Même mes plus belles affaires leur auraient servi de serpillière.

Une fois prête, j'ai pris mon sac à dos et je suis sortie de ma chambre. La porte de celle de Cora et Jamie était entrouverte, et j'ai entendu un bip-bip, genre alarme de réveil, en moins fort. En passant, j'ai regardé dans la chambre et j'ai vu ma sœur allongée sur son lit, un thermomètre à la bouche. Au bout d'un moment, elle l'a retiré et l'a examiné.

Ma sœur était malade ? Pas étonnant. Cora, c'était Boboland, la destination préférée des microbes, virus et bactéries du monde entier : elle les attrapait tous. Maman disait : « C'est une bileuse, et chacun sait que l'anxiété ravage les défenses immunitaires ! » Maman, elle, se vantait de n'avoir pas eu « le moindre petit méchant rhume en quinze ans ». À mon avis, c'est grâce à son système immunitaire complètement alcoolisé, pas parce qu'elle était zen. Cela dit, j'avais beaucoup de souvenirs de Cora malade : otites, allergies, angines, éruptions, fièvres subites et inexpliquées. Alors si la théorie de ma mère était bonne, Cora était malade à cause de moi.

En bas dans la cuisine, Jamie était à table, un ordinateur ouvert devant lui, portable pressé à l'oreille. En me voyant, il a souri et écarté son portable.

— Salut ! Une seconde et je suis à toi. Il y a des céréales et tout ce qu'il faut. Regarde et fais comme chez toi.

Je m'attendais à voir une seule grande boîte de corn flakes et du lait, mais j'ai vu plusieurs boîtes de céréales, fermées ou ouvertes, plein de muffins, un grand pichet de jus d'orange et une énorme salade de fruits.

— Il y a du café ? demandai-je.

Il a fait « oui » et m'a montré la cafetière et des tasses. Puis il a repris sa conversation au téléphone, en bloquant son téléphone entre la joue et l'épaule pour taper sur son ordi.

— C'est exactement mon avis. Si nous envisageons sérieusement d'accepter cette proposition, nous devons réfléchir à la façon dont nous allons négocier. C'est très important.

J'ai pris la cafetière, une tasse et je me suis servie. En passant, j'ai regardé l'ordi de Jamie et j'ai reconnu la page d'accueil de UMe.com. Je connaissais bien UMe.com : c'était le grand site de l'amitié virtuelle où tout le monde, de votre bande de copains à votre arrière-grand-mère, se connectait pour garder le contact avec ses amis, s'en faire d'autres, échanger, partager et bloguer. Moi aussi, j'avais créé ma page, mais je ne l'avais pas consultée depuis longtemps parce que je n'avais pas d'ordinateur.

— Oui justement, c'est là le problème, poursuivit Jamie en cliquant sur l'écran. Ils prétendent qu'ils veulent préserver l'intégrité et les intentions qui sont à la base du projet, cependant ils ont bel et bien une logique d'entreprise. Écoute, parles-en avec Glen, tu verras ce qu'il en pense. Non, ce matin, hélas, ça n'est pas possible, je suis pris. Mais je serai là vers midi. D'accord. À plus.

Bip. Jamie avait raccroché. Il posa son portable et prenait un muffin quand j'entendis le ping typique de UMe.com pour signaler la réception d'un nouveau message.

— Tu as une page UMe ? demandai-je alors que je m'asseyais avec ma tasse de café en tirant sur mon sweat trop court.

Il a eu l'air bizarre, tout à coup.

— Heu... si on veut, oui.

Puis il m'a montré ma tasse.

— Tu ne manges rien ?

— Le petit déjeuner, c'est pas trop mon truc.

— Je rêve !

Il se leva, prit deux bols dans le placard, ouvrit le frigo pour en sortir une brique de lait.

— Quand j'étais gamin, reprit-il en les posant sur la table, ma mère me préparait des œufs ou des pancakes tous les matins. Avec des saucisses, du bacon et des tartines grillées. Tu en as besoin. C'est bon pour la matière grise !

Je l'ai observé par-dessus ma tasse alors qu'il prenait une boîte de céréales, l'ouvrait et en remplissait un bol. Il a ensuite versé du lait à ras bord dedans et l'a posé sur une assiette sur laquelle il a ajouté un muffin et de la salade de fruits. J'allais lui dire qu'il avait un appétit d'enfer, le matin, lorsqu'il m'a tendu le tout.

— Ah non ! Je ne peux pas !

— Je ne te demande pas de tout manger, dit-il en versant des céréales dans son bol. Seulement de faire un effort. Tu vas avoir besoin d'énergie, crois-moi !

J'ai hésité, puis j'ai posé mon mug et j'ai pris une cuillerée de céréales. La bouche pleine, il m'a adressé un grand sourire.

— C'est bon, hein ?

J'ai fait « oui » tandis que j'entendais un deuxième, puis un troisième ping. Mais Jamie n'y faisait même pas attention. Il était concentré sur le morceau d'ananas au bout de sa fourchette.

— Grosse journée, aujourd'hui..., reprit-il.

— On dirait, dis-je en avalant ma deuxième cuillerée de céréales.

Ça me faisait mal de le dire, mais j'avais trop faim et je devais faire attention à ne pas m'empiffrer comme un goret. Maintenant que j'y repensais, cela faisait des années-lumière que je n'avais pas eu un vrai petit déj'.

— C'est vrai, ce n'est pas facile de changer de lycée, reprit-il alors que j'entendais trois nouveaux pings.

Incroyable, mon beau-frère était une star de UMe !

— Je sais de quoi je parle, mon père était militaire de carrière, continua-t-il. Huit écoles en douze ans, imagine ! J'en avais marre d'être le petit nouveau.

— Tu es resté combien de temps à Perkins Day ? demandai-je, convaincue qu'il aimait ce lycée parce qu'il y était resté à peine une minute trente.

Ping, ping !

— Deux ans. J'y ai fait ma première et ma terminale. Les deux meilleures années de ma vie !

— Vraiment ?

Il a froncé un sourcil et s'est versé un verre de jus d'orange.

— J'ai conscience que Perkins, ce n'est pas Jackson, mais ça n'est pas aussi terrible que tu le penses.

Pas de commentaire, ça valait mieux. Ping, ping, ping, ping ! Puis un tchac ! qui m'a fait me retourner. C'était Roscoe qui entrait par sa chatière.

— Salut, mon vieux, le salua Jamie alors que le chien trottinait vers son bol d'eau. Ça va, la vie ?

Roscoe répondit en lapant son eau, ce qui fit cliqueter ses médailles contre le bol. Maintenant que j'avais tout le temps de le regarder, je remarquai qu'il était mignon dans le genre gentil toutou. Juste ce que je détestais. Il devait peser dans les dix kilos et il était trapu. Il avait un pelage noir avec du blanc sur le ventre et les pattes, deux oreilles pointues, et un museau écrabouillé, ce qui expliquait ses ronflements de papy, son signe particulier, je l'avais déjà compris. Après avoir lapé son eau, il a éructé en toute simplicité et a trottiné vers nous, s'arrêtant en route pour lécher trois miettes de muffin sur le carrelage.

Pendant que j'observai Roscoe, l'ordi de Jamie ping-pinguait comme un dément. Il avait dû recevoir au moins vingt messages en cinq minutes !

— Heu... tu ne devrais pas... regarder ?

— Regarder quoi ?

— Ta page, dis-je en lui montrant son ordinateur. Tu as des tonnes d'e-mails.

— Non, ça peut attendre.

Soudain, Cora est entrée, en pantalon noir et chemisier blanc, pieds nus, cheveux humides. Le visage de Jamie s'est illuminé.

— Bonjour, ma belle au bois dormant ! Tu es en retard, ce matin !

— Parce qu'un certain individu que je ne nommerai pas n'a pas mis le réveil, grommela ma sœur.

— Le même individu qui a une demi-heure d'avance sur toi ! dit Jamie en se levant pour s'approcher d'elle.

Cora a levé les yeux au ciel, puis elle l'a embrassé sur la joue et s'est versé une tasse de café. Après, elle s'est baissée, tasse à la main, pour caresser Roscoe dans ses jambes.

— Vous devriez y aller, vous deux, sinon vous allez être coincés dans les embouteillages, nous dit-elle.

— On prendra les petites routes ! décréta Jamie alors que je me levais, tirant de nouveau sur mon sweat trop court.

Je posai ma tasse sur l'évier.

— Autrefois, j'allais à Perkins en dix minutes, en comptant les feux ! enchaîna-t-il.

— C'était il y a dix ans, Jamie ! lui rappela Cora. Les temps ont changé.

— Bah, pas tant que ça.

Ping ! Cora, comme Jamie, n'y fit pas attention. En fait, Cora m'observait pendant que je me penchais pour mettre mon assiette dans le lave-vaisselle.

— Est-ce que tu... ?

Silence. Elle a poursuivi seulement quand je me suis relevée.

— Je pourrais peut-être te prêter des fringues ?

— C'est bon.

Elle s'est mordillé la lèvre en regardant mon sweat trop court qui rebiquait sur mon nombril, malgré mes efforts.

— Viens avec moi, me dit-elle.

On est montées. En silence. Cora devant moi. Sa chambre était immense avec des murs bleu clair. Je n'ai pas été surprise de découvrir qu'elle était nickel-propre : lit fait, oreillers alignés avec une telle précision que j'aurais juré qu'elle avait un double décimètre planqué quelque part. Comme dans ma chambre, il y avait beaucoup de fenêtres et une lucarne, mais le balcon était plus grand que le mien, mais avec des escaliers pour descendre dans le jardin.

Cora a traversé sa chambre en buvant son café et elle est entrée dans sa salle de bains. On est passées devant la douche, le double lavabo et la baignoire encastrée, et on est allés jusqu'à la pièce du bout : un grand dressing avec des casiers à vêtements sur deux murs et des étagères du sol au plafond sur le troisième. Je vis tout de suite les affaires de Jamie, jeans, quelques costumes et beaucoup de tee-shirts et de Converse, tassées dans un coin pour laisser toute la place aux vêtements de Cora. Je suis restée sur le seuil pendant qu'elle fouillait dans un casier.

— Il te faut un tee-shirt et un pull, n'est-ce pas ? dit-elle. Tu as une veste, j'imagine.

— Cora.

Elle a déplié un pull, et l'a examiné.

— Oui ?

— Pourquoi je suis ici ?

C'était sorti tout seul. Parce qu'on était sans Jamie, et comme coupées du monde dans ce dressing ? En tout cas, j'étais aussi surprise que Cora d'avoir lâché cette phrase. Mais maintenant que c'était dit, j'attendais une réponse. Et rapide si possible.

Elle a cessé de chercher dans ses affaires.

— Parce que tu es mineure. Et que ta mère t'a abandonnée.

— Mais j'ai presque dix-huit ans. Et puis, je me débrouillais bien, toute seule.

— Bien ? répéta-t-elle, le visage sans expression.

Je l'observai. C'est drôle, j'avais oublié qu'on ne se ressemblait pas du tout, elle et moi. Moi, j'étais rousse avec la peau blanche et des taches de rousseur, et elle était brune avec des yeux bleus. J'étais plus grande qu'elle, et mince comme maman. Cora était plus petite, plus ronde aussi.

— Tu appelles ça *bien* te débrouiller ?

— Qu'est-ce que tu en sais ? Tu n'étais pas là pour voir.

— Je sais ce que j'ai lu dans le rapport. Je sais aussi ce que l'assistante sociale m'a raconté. Tu veux me faire croire que c'était des mensonges ?

— Oui.

— Tu avais donc l'eau et le chauffage, dans cette baraque infecte ?

— Oui.

Silence. Elle m'a regardée jusqu'au fond des yeux.

— Où est maman, Ruby ?

J'ai avalé ma salive. Ça m'a fait mal à la gorge. Puis j'ai tourné la tête et serré ma clé.

— Je n'en sais rien. Je m'en fiche.

— Moi aussi. Mais elle a disparu et tu ne peux pas vivre seule. Est-ce que cela répond à ta question ?

Je n'ai rien dit. Elle s'est remise à fouiller dans ses vêtements.

— Pas besoin que tu me prêtes des fringues, dis-je. Ma voix était trop aiguë et trop tendue.

— Ça suffit, Ruby, dit-elle d'un ton las.

Elle a pris un pull noir sur un cintre, l'a jeté sur son épaule avant de passer à une autre étagère d'où elle a sorti un tee-shirt vert. Puis elle s'est approchée pour me les donner.

— Dépêche-toi de te changer. Il faut au moins un quart d'heure pour aller à Perkins.

Là-dessus, elle m'a laissée seule. J'ai regardé son dressing, ses chemisiers bien pliés et rangés par couleurs. Après, j'ai examiné les trucs qu'elle venait de me prêter. Je me fichais complètement de ce que ceux de Perkins penseraient de mon horrible sweat. Ça ne durerait pas longtemps, tout ce bazar. Je veux dire, ma vie chez Cora ou à Perkins. Ou ailleurs.

Mais un instant plus tard, lorsque Jamie m'a appelée pour me dire qu'il était l'heure de partir, j'ai enfilé les affaires de ma sœur en vitesse. D'abord, son tee-shirt, à mon avis supercher et qui m'allait bien, puis son petit pull tout doux, tout chaud. En sortant de la salle de bains, je me suis regardée dans la glace avec ces fringues qui ne m'appartenaient pas, pour aller dans un lycée où je n'avais pas envie d'aller. Personne ne pouvait voir ma clé, parce qu'elle était bien cachée sous les cols du pull et du tee-shirt. Mais quand je regardais de près, je la devinais bien au chaud contre ma peau. Elle était invisible, mais facile à trouver, même si j'étais la seule à vouloir la chercher.

Cora avait eu raison : on a été coincés dans les bouchons, on a eu tous les feux et on est arrivés à Perkins au moment où ça sonnait.

Toutes les places réservées aux visiteurs étaient prises, Jamie a donc garé sa voiture, une petite Audi sport tout en cuir, dans le parking des élèves. Sur ma gauche, j'ai vu une Mercedes toute neuve. Et sur ma droite, une autre Audi, une décapotable rouge.

J'avais eu mal au ventre pendant la route parce que mon petit déjeuner ne passait pas, mais maintenant, c'était pire. Il était huit heures dix à l'horloge du tableau de bord. En clair, dans une salle de classe toute pourrie à une bonne vingtaine de bornes d'ici, Barrett-Hahn, mon prof principal, commençait à faire les annonces de la journée, que personne n'écoutait, de sa voix monotone et tristoune. Au bout de cinq bonnes minutes, la moitié des élèves se baladerait dans la salle en parlant, ou sortirait pour se battre dans le couloir conçu pour des gnomes, pas pour les lycéens de ma classe. Je me demandais si ma prof d'anglais, Valhalla (jean de mémère et polos toujours trop grands), savait ce qui m'était arrivé, ou si elle pensait que j'avais séché, ce que faisait un bon paquet de lycéens pendant toute l'année. En anglais, on avait commencé à étudier *Les Hauts de Hurlevent*, d'Emily Brontë. Valhalla nous avait juré (sur sa vie) que c'était beaucoup plus marrant que *David Copperfield*, de Dickens. Les semaines précédentes, elle avait essayé de nous intéresser à la longue histoire de David Copperfield au cours d'une lutte sans merci qu'elle avait évidemment perdue, la pauvre. Je me demandais si *Les Hauts de Hurlevent*, c'était vraiment mieux que *David Copperfield*. Mais je ne le saurai jamais.

— Alors ? Prête pour le baptême du feu ?

Je revins au présent et sursautai. Jamie attendait que je me bouge, la main sur la poignée de la portière.

— Excuse-moi, me dit-il. J'ai mal choisi mes mots.

Il a ouvert sa portière. Les tripes nouées, je me suis forcée à ouvrir la mienne. Je descendais de la voiture lorsque j'entendis de nouveau sonner.

— Les bureaux administratifs du lycée sont par là, m'expliqua Jamie tandis que nous remontions le parking.

Il m'a montré un passage couvert, juste à droite. Plus loin, j'ai vu la pelouse et des bâtiments.

— C'est la cour, m'expliqua-t-il. Les salles de classe sont situées dans les immeubles autour. L'auditorium et le gymnase sont dans les deux grands bâtiments, là-bas. La cafétéria est toute proche, juste là. Enfin, elle l'était de mon temps. Ça fait un bail que j'ai avalé mon dernier *sloppy joe*[1] !

On a enjambé un petit mur, longé un long bâtiment plat avec des fenêtres partout. Je suivais Jamie dans le passage couvert, lorsque j'ai entendu un bruit que je connaissais bien. J'ai compris pourquoi quand j'ai tourné la tête et repéré une vieille Toyota qui entrait dans le parking en pétaradant horriblement. La voiture de maman pétaradait pareil lorsqu'on s'arrêtait aux feux ou près des maisons devant lesquelles je filai déposer un bagage, au beau milieu de la nuit.

La Toyota était blanche avec des pare-chocs prêts à dégringoler. Elle est passée devant nous avant de s'engager dans le parking des lycéens. Puis j'ai entendu une portière claquer, des bruits de pas et j'ai vu une Black avec de longues nattes qui courait, sac au dos à l'épaule, portable à l'oreille. Elle a continué de parler, même en sautant par-dessus le muret, puis

1. Sorte de hamburger.

sous le passage et enfin en sprintant à travers la pelouse.

— Une retardataire ! dit Jamie tout joyeux. Ça me rappelle des souvenirs !

— Je croyais que tu faisais le trajet en dix minutes ?

— Cinq en voiture, cinq en courant pour arriver avant la sonnerie.

Jamie a ouvert la porte vitrée et je suis entrée devant lui. Ça ne sentait pas le moisi et le désinfectant comme à Jackson, mais le propre et la peinture qui sèche. C'était aussi impec que chez Cora. Et aussi flippant, je dois dire.

— Ah, monsieur Hunter ! s'écria un type en costume à l'air important.

Il s'est précipité sur nous, main tendue.

— Le retour de l'enfant prodigue ! reprit-il. Alors, comment voyez-vous le monde, des hautes sphères où vous vous êtes propulsé ?

— Avec de la hauteur ! répondit Jamie qui souriait.

Ils se serrèrent la main, puis Jamie fit les présentations.

— Monsieur Thackray, je vous présente ma belle-sœur, Ruby Cooper. Ruby, voici le proviseur, M. Thackray.

— Ravi de faire ta connaissance, dit M. Thackray en me serrant la main.

Il avait une grande main sympa qui enveloppait la mienne.

— Bienvenue à Perkins Day !

Je hochai la tête, parce que j'avais la bouche trop sèche pour parler. Normal, vu mon lourd passif avec les directeurs d'école, les profs, les proprios d'appartement et la police. Même quand je me tenais à carreau, mon instinct me hurlait dans les oreilles : « Bats-toi ou barre-toi ! »

— Ne perdons pas de temps, venez ! dit M. Thackray.

Il a pris le couloir, et on l'a suivi docilement. Deux minutes plus tard, il nous a fait entrer dans son bureau et s'est assis derrière une grande table. Jamie et moi, on s'est posés sur les deux chaises en face. Par la fenêtre, je voyais un terrain de foot avec des gradins. Un gars sur un tracteur-tondeuse tondait la pelouse comme s'il avait eu la vie devant lui. Sa respiration faisait des mininuages dans l'air frais du matin.

M. Thackray se détourna pour regarder aussi par la fenêtre.

— Cela fait plaisir à voir, n'est-ce pas ? Il nous manque seulement une belle plaque pour remercier notre généreux donateur !

— C'est inutile, voyons, répondit Jamie en passant une main très embarrassée dans ses cheveux.

Il s'est appuyé contre le dossier de sa chaise et a croisé les jambes. Avec ses Converse, son jean et son sweat à capuche zippé fermé, il ressemblait à un élève de terminale.

M. Thackray hocha la tête

— Décidément, il est incroyable ! me dit-il. Il fait don d'un terrain de football avec gradins au lycée, et il ne veut pas que cela se sache.

J'ai tourné les yeux sur Jamie, sidérée.

— C'est vrai ?

— Ça n'est rien..., dit-il, l'air gêné.

— Mais si, c'est beaucoup ! objecta M. Thackray. Justement, j'aimerais que vous reveniez sur votre décision de garder l'anonymat et que vous acceptiez enfin de rendre votre geste public. D'autant que votre histoire est fascinante, Jamie ! Nos étudiants flânent plus sur UMe.com que sur n'importe quel autre site de réseau social, et le créateur de UMe.com réinvestit une partie de ses bénéfices, tirés des flâneries intempestives de nos élèves, dans l'éducation ! Voilà qui est inestimable !

— Le football, ça n'est pas vraiment de l'éducation, déclara Jamie.

— Le sport, c'est très important pour le développement de nos jeunes !

Je regardai mon beau-frère, me souvint des ping-ping de ce matin sur sa messagerie UMe. Lorsque je lui avais demandé s'il avait une page, il m'avait répondu quelque chose comme « Si on veut, oui... ». Il avait vachement minimisé !

— Je vais aller chercher des formulaires et nous ferons ton emploi du temps, Ruby, poursuivit M. Thackray. Est-ce que cela te convient ?

Zut, Thackray me parlait.

— Ouais.

Aïe.

— Enfin, bon, je veux dire, oui.

Le proviseur a gentiment hoché la tête, puis il s'est levé et il est sorti de son bureau. Jamie a observé la semelle d'une de ses Converse comme si elle conservait un grand secret. Dehors, le gars sur son tracteur avait fini de tondre une partie du terrain et passait de l'autre côté.

— Alors comme ça, UMe, c'est toi ? demandai-je à Jamie.

Il a laissé retomber son pied.

— Eh bien... Pas tout à fait... C'est moi et d'autres.

— Mais il a dit que c'était toi, UMe, lui fis-je remarquer.

Jamie a soupiré.

— C'est moi qui en ai eu l'idée. Je finissais mes études. Maintenant, je supervise.

J'étais sûre que ça n'était pas tout. J'attendis donc la suite.

— Bon, d'accord, je suis le directeur général de la société UMe, reprit-il. Mais ce sont juste des mots. Une façon de dire que je supervise le site.

— Je n'arrive pas à croire que Cora ne m'ait rien dit.

— Tu connais Cora !

Il sourit.

— Pour l'impressionner, il faut faire comme elle : travailler au moins quatre-vingts heures par semaine pour sauver le monde.

J'ai regardé le type à la tondeuse qui tondait lentement.

— Cora sauve le monde ?

— En tout cas, elle essaie. Elle ne t'a pas parlé de son boulot ? Dans ce cabinet d'avocats ?

Non. Je ne savais même pas que Cora avait fait des études de droit, jusqu'à hier, lorsque l'assistante sociale lui avait demandé ce qu'elle faisait comme métier. La dernière fois que maman et moi on avait eu de ses nouvelles, c'était il y a cinq ans. On avait appris complètement par hasard qu'elle allait être diplômée de l'université, parce que l'invitation à la cérémonie de remise des diplômes était arrivée chez nous on ne savait comment ni pourquoi. Je me souviens encore que c'était un tout petit carton avec son nom. J'avais bien regardé l'enveloppe, en me demandant pourquoi on avait reçu des nouvelles de Cora après cinq années. J'avais posé la question à maman, mais elle avait haussé les épaules et elle avait expliqué que la fac envoyait ces trucs-là automatiquement. C'était logique puisque Cora nous avait fait comprendre par un silence très épais qu'elle ne voulait pas de nous dans sa nouvelle vie. La vérité : on avait été plus que contentes de lui faire ce plaisir-là.

— Bon, eh bien, j'ai l'impression que tu as du temps à rattraper, fit Jamie.

Et lui, qu'est-ce qu'il savait sur notre famille au juste ? Avait-il été surpris de savoir que Cora avait une sœur ? J'ai eu soudain l'impression d'être comme les bagages qu'on livrait. Perdue et retrouvée.

— Je me trompe ? acheva-t-il.

J'ai regardé mes mains sans répondre. Peu après, M. Thackray est revenu avec ses formulaires. Il a parlé dossier scolaire, cours et emploi du temps, et j'ai oublié notre conversation.

Un peu plus tard, j'ai regretté de n'avoir pas répondu que j'avais connu Cora mieux que personne, autrefois. C'était il y a longtemps, quand elle n'essayait pas encore de sauver le monde, seulement de me sauver moi.

Quand j'étais petite, maman me chantait des chansons au moment de me souhaiter bonne nuit. Elle s'asseyait sur mon lit, caressait mon front, et je sentais son haleine un peu alcoolisée (à cette époque, elle buvait un ou deux verres de vin entre amis, pas plus) lorsqu'elle m'embrassait sur le front et me disait : « À demain matin. » Quand elle se levait et s'éloignait, je la rappelais et je lui demandais de me chanter une chanson. Si elle n'était pas de trop mauvaise humeur, elle acceptait.

Je croyais que maman inventait toutes ses chansons, alors ça m'a fait drôle, la première fois que j'en ai entendu une à la radio. J'ai eu l'impression très nette qu'on m'avait volé un secret et j'ai eu peur de perdre d'autres biens très précieux. Mais ça, c'est arrivé beaucoup plus tard. Quand j'étais petite, les chansons étaient encore à nous, rien qu'à nous.

Elles faisaient partie de trois catégories : les chansons d'amour, les chansons tristes et les chansons d'amour tristes. Les happy ends, ça n'était pas pour elle. Je m'endormais donc sur *Frankie and Johnny*, une vieille chanson folk où une certaine Frankie découvrait son mari, un certain Johnny, avec une autre femme, et le tuait. Il y avait aussi *Don't Think Twice It's All Right*, de Bob Dylan, l'histoire d'une rupture, et *Precious Time*, de Pat Benatar, de la nostalgie et plein de regrets. Mais c'est *Angels from Montgomery*, dans la version de Bonnie Raitt, qui me rappelait le plus maman.

Dans *Angels from Montgomery*, il y avait ses thèmes favoris – un cœur brisé, des désillusions et la mort. C'était l'histoire d'une vieille femme solitaire qui parlait de son passé avec des regrets. Ça ne ressemblait pas à ma vie, ce n'était que des paroles sur une jolie mélodie, chantées par une voix que j'aimais. C'est seulement des années plus tard lorsque j'ai entendu à travers la cloison maman chanter en pleine nuit que ses chansons m'ont fait peur et ne m'ont plus jamais endormie. Je trouvais étrange, presque injuste que de si belles chansons racontent des histoires abominables. Ça ressemblait à une sale blague.

Si vous aviez demandé à maman si elle était contente de sa vie, elle vous aurait répondu qu'elle avait tout foiré. Elle aurait dû aller à l'université, puis épouser son petit ami du lycée, un certain Ronald Brown, le quaterback de l'équipe de football. Mais comme les parents de Ronald avaient décidé qu'eux, c'était trop sérieux, ils avaient forcé leur fiston à rompre juste avant Noël, pendant l'année de terminale. Le cœur en mille morceaux, maman s'était laissé entraîner dans une fête où elle ne connaissait pas un chat et s'était retrouvée à faire la causette avec un étudiant de première année à Middletown Tech qui voulait devenir ingénieur. Il lui avait parlé de ponts suspendus et de gratte-ciel, « miracles de la construction », dans une cuisine envahie par des cadavres de bouteilles de bière. Ce qui l'avait ennuyée, on s'en doute, à mourir. Je n'ai donc jamais compris pourquoi elle avait accepté de sortir avec lui, puis de coucher avec lui et enfin de concevoir avec lui ma sœur.

Pour faire court, à dix-huit ans, ma mère était femme au foyer avec un bébé et un jeune mari alors que ses copines finissaient le lycée. Mais d'après les albums photos, on voit que les premières années ont été plutôt heureuses. Il y avait des tonnes de photos de Cora. En maillot de bain, une pelle à la main, en tricycle dans l'allée d'une maison. On voyait aussi mes parents sur les photos, mais pas très souvent et rarement ensemble. Maman était toute jeune, magnifique avec ses longs cheveux roux et sa peau blanche, et mon père, un brun aux yeux bleus, la serrait contre lui.

Comme Cora et moi on a dix ans d'écart, je me suis toujours demandé si je n'avais pas été un accident, ou la dernière tentative de sauver un mariage qui coulait comme le *Titanic*. Tout ce que je sais, c'est que mon père a fichu le camp quand j'ai eu cinq ans et ma sœur quinze. À l'époque, nous habitions dans une vraie maison, dans un vrai quartier. Un après-midi qu'on revenait de la piscine, Cora et moi, on a vu maman sur le canapé, un verre à la main. D'abord, on n'a pas été trop surprises. Maman ne travaillait pas, et en général, elle attendait que mon père rentre à la maison pour boire un verre, mais ça lui arrivait aussi de prendre de l'avance. Ce jour-là, ce qu'on a tout de suite remarqué, c'est qu'il y avait de la musique et que maman chantait. Et c'est la première fois que je n'ai pas aimé l'entendre. Ça n'était plus ni doux ni joli, mais triste et bizarre. C'était comme si tout à coup je comprenais toute la tristesse de ses chansons. Un vrai coup sur la tête. À partir de là en tout cas, ça a toujours été mauvais signe lorsque maman se mettait à chanter.

J'ai revu mon père après le divorce, mais ça reste des souvenirs flous. Le week-end, il nous emmenait prendre le petit déjeuner, et en semaine, on allait dîner quelque part. Quand il passait nous chercher, il se garait devant la maison et restait dans sa voiture en regardant droit devant lui. On n'aurait jamais dit qu'il nous attendait. C'était lui, et en même temps, c'était pas lui. Je crois que c'est à cause de cela que j'ai du mal à me rappeler mon père. Je le revois aussi me lire des histoires ou cuire des steaks au barbecue, dans le patio. Mais il était là sans être là. Il était comme une espèce de fantôme.

Je ne sais plus quand et comment il a arrêté de venir. Je ne pense pas qu'il y ait eu une dispute ou un événement grave. Il venait, puis il n'est plus venu, c'est aussi simple que ça. En CM2, j'ai dû faire mon arbre généalogique et j'ai eu une période où je pensais tout le temps au mystère de sa disparition. J'ai tellement tanné maman de questions qu'elle a fini par lâcher qu'il avait déménagé dans l'Illinois. Au début, il était bien resté en contact avec nous, mais après un remariage et de nouveaux déménagements, il avait disparu dans la nature, et avec lui, la pension alimentaire et le reste. Lorsque je voulais forcer maman à me parler de papa, le plus souvent, c'était silence radio. Avec elle, quand quelqu'un sortait de sa vie, je vous jure que c'était pour l'éternité. Elle ne perdait certainement pas son temps à penser à lui, alors nous devions suivre le mouvement, contentes ou pas contentes, c'était pareil.

Mon père parti, maman a peu à peu oublié que j'existais, en clair, de me réveiller, me préparer pour aller à l'école, m'accompagner à l'arrêt du bus, me rappeler de me coiffer et de me brosser les dents. C'est Cora qui l'a remplacée. C'est venu tout seul, avec le temps. Pareil, lorsque maman s'est mise à roupiller toute la journée, à sourire de moins en moins et à chanter tard le soir avec cette voix pas claire que je détestais, et que j'entendais même quand je me mettais en boule en essayant de penser à autre chose.

Cora est vite devenue mon seul point de repère. Je savais que je pouvais compter sur elle à cent cinquante pour cent. La nuit, je l'écoutais respirer avant de m'endormir à mon tour.

Je me souviens de nous en chemise de nuit dans notre chambre. Chuttt ! me disait-elle, tandis qu'elle écoutait à la porte ce que maman faisait en bas.

D'après ce qu'elle avait entendu – lumière qui s'allumait, puis s'éteignait, roulement des glaçons dans un verre ou téléphone décroché-raccroché –, Cora savait si on pouvait sortir sans risque pour aller nous laver les dents, ou grignoter un petit truc à la cuisine les soirs où maman avait oublié le dîner. Si maman dormait, Cora me prenait par la main et nous passions devant elle sur la pointe des pieds pour filer à la cuisine. Pendant que je tenais le vieux plateau en plastique. Cora posait la boîte de corn flakes et une brique de lait dessus, ou mon plat préféré, des pizzas qu'elle faisait avec des muffins toastés au grille-pain. Elle était rapide et silencieuse pour ne pas réveiller maman qu'on entendait toujours dormir dans la pièce d'à côté. Les bons soirs, on remontait sans se faire repérer. Mais il y avait ceux où maman se réveillait brusquement et s'asseyait, le visage tout fripé de sommeil. Elle nous demandait : « Mais qu'est-ce que vous fichez encore ? » Et Cora répondait : « Ça va, on se prenait juste un petit quelque chose à manger. »

Si maman était complètement dans les vapes, ça s'arrêtait là. Mais le plus souvent, j'entendais le matelas grincer et le bruit de ses pieds sur le parquet. Aussitôt, Cora interrompait ce qu'elle faisait – préparer un sandwich, prendre des sous dans le sac à main de maman pour payer le déjeuner du lendemain ou cacher la bouteille de vin ouverte et poisseuse – et elle se mettait devant moi. Maman entrait dans la cuisine, super en colère et cherchant la bagarre. Je la voyais d'abord arriver, et avec elle, quelque chose qui faisait peur à mourir, puis tout à coup, je ne voyais plus que le dos de Cora. Bien sûr, je savais que maman continuait de s'approcher, mais je ne fixais que Cora, ses cheveux noirs et ses épaules terriblement raides. Quand ça allait franchement mal, ma sœur tendait sa main derrière son dos pour prendre la mienne et la serrer fort. Puis elle ne bougeait plus, prête à encaisser. Elle ressemblait à un petit navire qui se prenait une grosse vague en pleine proue.

Comme Cora me protégeait, c'est elle qui attrapait les coups et les claques. Maman la poussait, la secouait et lui serrait les bras. Après ça, ma sœur avait de grandes marques rouges qui devenaient bleues. C'était la marque de ses doigts.

On ne savait jamais ce qu'on avait fait de mal, c'était donc difficile d'éviter les raclées. Peut-être qu'on s'était levées alors qu'on n'aurait pas dû. Peut-être qu'on faisait trop de raffut. Peut-être qu'on répondait mal à des questions qui n'avaient pas besoin de réponses. En tout cas, lorsque c'était fini, maman secouait la tête et retournait se coucher sur son canapé ou dans sa chambre. Moi, je ne regardais que Cora. J'attendais qu'elle décide. Les trois quarts du temps, elle sortait de la cuisine en s'essuyant les yeux et je courais derrière elle. Je ne disais rien, je la collais comme son ombre, parce que je me sentais en sécurité pas seulement quand elle était entre maman et moi, mais aussi entre moi et le reste du monde.

Plus tard, j'ai développé mes propres antennes pour savoir si maman était dans un bon ou dans un mauvais jour. Lorsque je rentrais à la maison, je devinais son humeur rien qu'en comptant les verres ou les bouteilles sur la table, ou à sa voix, à sa façon de m'appeler Ruby comme si elle avait une grosse pierre dans la bouche. J'ai tout de même pris de sacrées volées, mais c'est devenu plus rare quand je suis entrée au collège.

Cependant, le pire signal d'alarme, c'était l'entendre chanter toutes ces chansons que je connaissais par cœur. À ces moments-là, j'avais vraiment peur de rentrer chez nous. J'évitais de me mettre en pleine lumière, en arrivant. Sa voix avait beau être fantastique, je savais qu'il y avait du danger et que je devais me méfier.

À cette époque-là, Cora n'habitait déjà plus avec nous. Il n'y avait plus que maman et moi. Cora était une excellente élève qui visait la fac. Pendant ses années de lycée, elle avait bossé à Exclamation Taco pour se payer l'université tout en étudiant comme une malade afin d'obtenir une bourse d'études. On le voit, ma sœur était calibrée organisée. Et elle avait réussi à rester ordonnée dans notre quotidien bordélique. Chez nous, c'était plutôt crade et mal rangé, mais sa moitié de chambre à coucher (j'avais l'autre moitié) était nickel-propre et bien agencée. Ses livres étaient classés par ordre alphabétique, ses chaussures deux par deux, son lit toujours fait au cordeau et ses oreillers, parfaitement alignés. Parfois, de mon lit, je regardais le sien en face, en me disant : quel contraste, quand même ! C'était comme un portrait avant-après, ou comme un miroir magique qui aurait reflété le contraire des choses.

Cora a eu une bourse, ce qui lui permettait de payer la moitié de ses études dans l'université pas loin de chez nous, et elle a fait un emprunt pour payer l'autre moitié. Une fois que son dossier de candidature a été accepté, au mois de janvier, c'est toute notre vie qui a été chamboulée jusqu'à la rentrée universitaire. À partir de là, ma sœur évitait maman au maximum. Elle allait au lycée, puis du lycée à son boulot et rentrait seulement pour se coucher. Elle s'éloignait de nous, se libérait et semblait devenir plus légère au fur et à mesure que le temps passait. Le samedi soir, ses potes passaient la chercher pour sortir. Je les entendais parler par la fenêtre ouverte. Il y avait aussi plein de filles à l'air sympa qui lui téléphonaient. Chaque fois, Cora s'enfermait dans la salle de bains pour être tranquille. Je ne reconnaissais pas sa voix lorsque je collais mon oreille contre la porte pour l'écouter.

Plus Cora s'éloignait, moins maman parlait. Et d'ailleurs, elle n'a pas pipé lorsque Cora est revenue avec des cartons pour déménager ses affaires, puis lorsqu'elle a vidé et nettoyé sa moitié de chambre. Comme on était en été, maman passait ses soirées sur la terrasse devant la maison à fumer et à regarder la cour. On ne parlait jamais du départ de Cora, mais plus le grand jour se rapprochait, plus on sentait qu'il y avait du mouvement dans l'air. C'était comme si je voyais Cora se libérer lentement de ses liens, de nous, pour gagner enfin sa liberté. La nuit, je me réveillais parfois tout à coup et je regardais vers son lit. Lorsque je la voyais dormir tranquillement, j'étais soulagée, mais pas longtemps, parce que je savais que bientôt elle ne serait plus là.

Je me souviens bien du jour de son départ. C'était un samedi matin. J'avais très mal à la gorge lorsque je m'étais réveillée. J'ai aidé Cora à porter ses cartons et ses deux valises en bas. Maman était dans la cuisine. Elle fumait à la chaîne sans rien dire. Elle a fait comme si nous n'existions pas, tandis que nous déménagions les trois malheureux cartons de Cora, tout ce qu'elle possédait, et chargions le coffre d'une voiture qui appartenait à une certaine Leslie que je n'avais jamais vue et que je ne revis jamais.

— Bon, eh bien... je crois que c'est tout..., dit Cora en refermant le coffre.

J'ai tourné les yeux vers la maison. J'ai vu maman par la fenêtre, qui marchait entre la cuisine et le salon. Je me rappelle ce que j'ai pensé : elle ne pouvait tout de même pas laisser partir Cora comme ça, sans lui dire au revoir. Pourtant, elle est restée dans la maison, et bientôt, je ne l'ai même plus vue par la fenêtre, même en regardant bien.

Cora fixait aussi la maison, mains dans les poches. Je ne sais pas si elle attendait. Tout à coup, elle a sorti ses mains de ses poches et a poussé un gros soupir.

— Vous m'attendez, les filles ? Je reviens.

Leslie a fait « oui ». Toutes les deux, on l'a regardée rentrer dans la maison. Elle n'est pas restée longtemps, à peine une minute. Elle avait sa tête de tous les jours quand elle est ressortie.

— Je vous téléphone ce soir, me dit-elle.

Puis elle m'a serrée dans ses bras. Après, j'ai regardé la voiture partir, en me disant, je m'en souviens encore très bien, que j'allais tomber gravement malade tellement j'avais mal à la gorge. Même pas. Le lendemain, c'était passé.

Le soir, comme promis, Cora a téléphoné. Le week-end d'après aussi. Pour venir aux nouvelles, pour savoir comment j'allais. Pour me dire qu'elle aimait bien sa promo, ses cours, sa compagne de chambre, que ça roulait pour elle. Les deux fois, j'ai entendu des voix et des rires derrière elle. Lorsque Cora a demandé si j'allais bien, j'ai eu envie de lui dire qu'elle me manquait et que maman buvait comme un trou depuis qu'elle n'était plus là. Mais nous n'avions jamais parlé de ces choses-là quand elle vivait encore avec nous, alors ça semblait impossible d'en parler par téléphone.

Cora n'a jamais demandé que je lui passe maman, et maman ne décrochait jamais quand ça sonnait. C'était comme si leurs relations avaient été un contrat à durée déterminée qui n'avait pas été renouvelé au bout de dix-huit années. Et quelques mois plus tard, lorsque nous avons déménagé et que ma sœur a cessé de téléphoner, je me suis dit que mon nom aussi devait sûrement figurer sur le contrat.

Longtemps, j'ai cru que c'était ma faute si Cora avait coupé tous les ponts du monde avec maman et moi. Je ne lui avais jamais dit que je voulais rester en contact, alors forcément, elle ne pouvait pas deviner. Puis j'ai pensé qu'elle n'avait peut-être pas réussi à trouver notre nouveau numéro de téléphone. Le jour où j'en ai parlé à maman, elle a soupiré et secoué la tête.

— Ta sœur vit sa vie maintenant, elle n'a plus besoin de nous..., m'expliqua-t-elle en me caressant les cheveux. Il n'y a plus que toi et moi, baby. Juste toi et moi.

Et pourtant, maman, Cora et moi, on habitait toutes les trois dans le même État. De plus, la fac de ma sœur était tout près de chez nous. Alors pour se perdre de vue, il fallait vraiment y mettre du sien. C'est ce que je me dis, à présent que j'ai le recul. On aurait facilement pu faire un saut à sa fac, trouver sa résidence universitaire et aller lui dire un gentil petit coucou. Mais maman et moi, on n'a jamais fait le détour. Au fur à mesure que le temps passait, on avait plutôt la nette impression que Cora ne voulait plus de nous dans sa vie, alors nous, on n'a plus voulu d'elle dans la nôtre. C'est arrivé tout seul. Sans qu'on en parle. Comme la solidarité entre Cora et moi, quand j'étais petite.

D'un autre côté, je n'étais ni surprise ni traumatisée. Cora et moi, on n'avait toujours eu qu'une envie : se tirer. Je comprenais donc parfaitement pourquoi elle ne voulait pas nous revoir ni revenir, même pas un jour, une heure ou une minute. Je lui disais même bravo en pensée. Prendre le risque de repasser à la maison, ç'aurait été nul.

J'ai souvent pensé à Cora pendant les années qui ont suivi, où nous n'arrêtions pas de déménager. Ça m'arrivait souvent la nuit, quand je ne pouvais pas dormir. J'essayais de l'imaginer dans la chambre de sa résidence universitaire, seulement à soixante bornes de chez nous. C'était près, géographiquement parlant, mais ça semblait aussi loin que si elle avait habité dans une autre galaxie. Était-elle heureuse ? Avait-elle une vie sympa ? Et puis surtout : est-ce qu'elle pensait un peu à moi ?

Chapitre 3

— Bienvenue, Ruby ! Viens t'asseoir, il y a une place de libre, juste là.

Je savais que les élèves m'observaient comme une bête curieuse, mais j'ai seulement regardé la direction que m'indiquait la prof, entre parenthèses, une blonde mince qui semblait tout juste diplômée de l'université. J'ai vite repéré la place, au bout d'une grande table.

J'avais lu sur mon nouvel emploi du temps que j'étais en Cours pratique de littérature avec une certaine Mme Conyer. À Jackson, les matières avaient des vrais noms de matière : anglais, géométrie, histoire. Si vous ne faisiez pas partie des élus qui suivaient les cours intensifs pour passer les examens anticipés de mai afin d'entrer dans l'une des huit meilleures universités américaines de l'Ivy League, vous choisissiez le minimum de matières en vous fichant royalement de l'avis des trois conseillers d'orientation.

Pas à Perkins. M. Thackray avait passé une bonne heure à étudier mon dossier scolaire, à composer mon emploi du temps avec le catalogue des cours proposés à Perkins, et enfin à m'interroger sur mes centres d'intérêt et mes buts. C'était peut-être pour en mettre plein la vue à Jamie ? Après tout, mon beau-frère était un donateur cinq étoiles. Pas sûr du tout. La vérité, c'est que tout se passait autrement, à Perkins.

Je me suis assise, j'ai examiné mon emploi du temps bien mis au propre : Introduction aux mathématiques, Cultures du monde et Mode de vie, Dessin : la Vie et les Formes. J'ai mis le temps, parce que je me disais que cela donnerait aux élèves le temps de bien me regarder avant de passer à autre chose. Bien pensé. Au moment où j'ai relevé ma tête vers la prof, plus personne dans la classe ne s'intéressait à moi.

— Comme vous le savez, dit Mme Conyer en s'approchant de son bureau, sous un large tableau blanc, puis en juchant une fesse dessus, nous allons avoir beaucoup de travail d'ici à la fin de l'année scolaire. Vous avez votre projet de recherche sur un roman de votre choix, mais nous allons aussi lire des autobiographies et des témoignages.

Comme je me sentais plus à l'aise, j'ai observé la salle. Elle était grande, avec trois immenses fenêtres qui donnaient sur la pelouse. Il y avait des ordinateurs tout neufs au fond et des tables sur trois rangées. Nous étions une douzaine d'élèves à tout casser. Génial.

Sur ma gauche, j'ai vu une fille avec des cheveux blond vénitien. Elle portait un chignon banane retenu par un crayon, qui semblait avoir été bidouillé en une seconde. Elle était assez jolie, dans le genre, au choix : cheerleader/présidente du conseil des étudiants/ future physicienne nucléaire. Elle se tenait bien droite, avec un gobelet de café sur la table devant elle. À ma droite, il y avait un énorme sac à dos où pendaient une douzaine de clés, ce qui m'empêchait de voir la tête de celui ou de celle qui était assis là.

Mme Conyer a bondi de son bureau et elle est passée derrière pour ouvrir un tiroir. Avec son jean, sa chemise Oxford simplissime et ses sabots fashion rouges, elle avait l'air d'une ado. Elle devait avoir un mal fou à se faire respecter, mais je remarquai que les élèves se tenaient tranquilles. Même les garçons derrière moi, genre baraqués branchés joueurs de hockey ou de football, semblaient plus endormis que prêts à faire la révolution.

— Aujourd'hui, poursuivit Mme Conyer en refermant son tiroir, nous allons commencer par le projet que vous me rendrez en fin d'année : il s'agit de votre recherche d'histoires orales, bien que le terme de compilation de témoignages convienne mieux à l'exercice.

Elle s'est avancée, un bol en plastique à la main. Elle l'a tendu à une petite grosse avec une queue-de-cheval. La fille a plongé la main dedans et a tiré un morceau de papier. Mme Conyer lui a demandé de lire à haute voix ce qui était écrit dessus. La fille a obéi.

— « Opinion ».

— « Opinion », répéta Mme Conyer en se dirigeant vers un autre élève, un garçon avec des lunettes.

Elle lui a tendu son bol.

— Qu'est-ce que l'opinion ?

Personne n'a parlé. Elle a continué sa distribution. Enfin, la blonde à ma gauche a parlé.

— C'est un peu de sagesse, offerte par une ou plusieurs personnes.

— Bien, Heather, dit Mme Conyer en tendant le bol à une fille très mince en polo à col roulé. Une autre définition ?

Silence. La plupart des élèves lisaient leur papier et discutaient de leur mot avec des murmures. L'un des mecs derrière moi a donné sa réponse comme s'il pensait à autre chose.

— C'est la dernière chose qu'on a envie d'entendre.

— Pas mal, fit Mme Conyer.

Elle s'approchait de moi. Elle m'a souri lorsque j'ai plongé la main dans le bol pour prendre le premier papier qui venait. Puis j'ai retiré ma main, sans regarder ce que j'avais pioché. Pendant ce temps, Mme Conyer continuait sa distribution.

— Quoi d'autre ?

— Parfois, dit la fille qui avait tiré « opinion », on en a besoin quand on n'arrive pas à se décider.

— Exactement ! dit Mme Conyer en se déplaçant vers les baraqués de la rangée du fond.

Elle passait maintenant devant un garçon avec des cheveux en pétard qui roupillait sur son livre. Elle l'a secoué, il a sursauté et regardé autour de lui tandis qu'elle lui tendait son bol. Il a tiré un papier.

— Par exemple, si je devais donner une opinion à Jake, que devrais-je lui dire ?

— D'aller se faire couper les tifs ! lança quelqu'un, ce qui fit rire les autres.

— Ou bien, enchaîna Mme Conyer, je lui dirais

d'aller se coucher plus tôt, ce qui lui éviterait de dormir en classe.

— ...m'excuse, marmonna Jake.

Son pote à côté de lui, qui se la jouait avec sa caquette de base-ball Butter Biscuit, lui a donné un grand coup de coude.

— Vous l'avez compris, aucun mot n'a une seule définition, reprit Mme Conyer. Peut-être dans le dictionnaire, mais pas dans la vie quotidienne. Le but de cet exercice, ce sera donc de vous pencher sur le mot que vous avez tiré au sort et de chercher ses différentes définitions. Vous lui donnerez la vôtre, puis vous interrogerez votre entourage : vos amis, votre famille, vos collègues de travail, vos coéquipiers. À la fin, nous ferons une compilation des réponses obtenues. Vous aurez ainsi un autre regard sur votre mot et en plus une multitude de définitions.

À présent, tout le monde parlait en même temps. J'en profitai pour déplier, lentement, mon carré de papier. J'avais tiré « famille ». Super. La seule chose que je n'avais pas et qui ne m'intéressait pas. Sacrée blague.

— Sacrée blague ! J'y crois pas ! entendis-je à ma droite.

Je regardai vers le gros sac à dos qui était en train de glisser.

— Qu'est-ce que tu as tiré, toi ?

C'était la fille aux nattes que j'avais vue courir dans le parking avec son portable collé à l'oreille, tout à l'heure. Elle avait des yeux très verts et un petit brillant à une narine. Elle a poussé son sac, qui est tombé avec un gros tchak.

— Tu es muette ou quoi ?

— « Famille », répondis-je en lui montrant mon papier, comme pour lui prouver que je disais la vérité.

Elle a soupiré.

— Et toi ?

— « Argent », lâcha-t-elle d'une voix inexpressive.

Puis elle a levé les yeux au ciel.

— Évidemment ! Je suis la seule dans tout le bahut à ne pas en avoir, et il a fallu que ça tombe sur moi ! C'est un thème qui aurait été trop facile, pour les autres.

Elle avait parlé assez fort pour attirer l'attention de Mme Conyer.

— Que se passe-t-il, Olivia ? Le mot que tu as tiré te déplaît ?

— J'adore. Si vous saviez.

Mme Conyer sourit gentiment et revint vers son bureau pendant qu'Olivia fourrait son papelard dans sa poche.

— On échange ? lui demandai-je.

Elle a louché sur mon mot.

— Nan. Surtout pas. La famille, je connais trop bien ! lâcha-t-elle en levant de nouveau les yeux au ciel.

Tu en as, du bol, pensai-je alors que Mme Conyer s'asseyait sur son bureau et ouvrait un roman.

— Passons à Dickens, maintenant. Qui veut reprendre la lecture de *David Copperfield* à la page où nous nous sommes arrêtés hier ?

Après trente minutes de *David Copperfield* et l'impression surréaliste de revivre ce grand moment de littérature, ça a enfin sonné. Tout le monde s'est levé et a rassemblé ses affaires en discutant. J'ai pris mon sac, en me disant qu'il était aussi décalé que moi à Perkins, le pauvre. Il était moche, pourri et dedans j'avais laissé mes cahiers de Jackson, remplis d'infos inutiles désormais. Je sais, ce matin, j'aurais dû tout balancer, tant pis, j'avais pris mes notes d'aujourd'hui sur *David Copperfield* à la suite de celles que j'avais prises à Jackson sur le même *David Copperfield*. J'ai glissé le papier avec mon mot dans mon cahier et je l'ai refermé.

— Tu étais à Jackson, avant ?

J'ai regardé Olivia qui s'était levée, portable déjà en main, son lourd sac à dos à l'épaule. Sa question m'a étonnée, et je me suis demandé si c'était mon horrible sac à dos qui l'avait renseignée. Puis je me souvins du sticker *Jackson Spirit !* qu'un rigolo du pep club, « le club qui donne la pêche au lycée et à tous les lycéens », avait collé sur mon cahier, en permanence.

— Heu... oui. J'y étais.

— Jusqu'à quand ?

— Quelques jours.

Elle a incliné la tête et m'a bien regardée, comme si cela l'aidait à enregistrer la nouvelle. Pendant ce temps, j'entendais sonner son portable, parce qu'elle venait de faire un numéro.

— Moi aussi, me dit-elle en me montrant son blouson.

Un blouson bomber de Jackson.

— Ah.

— J'ai quitté Jackson l'année dernière. Mais je ne te connais pas.

J'entendis un clic à l'écouteur de son portable, puis un « allô ? ». Elle l'a plaqué à l'oreille.

— C'est grand, Jackson, dit-elle.

— Tu m'étonnes.

Elle me regardait toujours, sans écouter les « allô, allô » désespérés de son portable.

— C'est vachement différent ici.

— J'ai déjà remarqué, répondis-je.

Je rangeai mon cahier dans mon sac.

— Tu n'as même pas idée, me dit-elle. Hé, tu veux un conseil ?

Elle a répondu sans attendre ma réponse.

— Méfie-toi des barbares de Perkins.

Olivia m'a souri, comme si c'était la blague du jour, ou peut-être pas, je n'en sais rien, avant de coller son portable à l'oreille et de sortir en enchaînant avec sa conversation téléphonique.

— Salut, Laney. Quoi ? Qu'est-ce qu'il y a encore ? Oui, juste entre deux cours... Vraiment ? Évidemment, je sais, je ne peux pas rester à attendre que tu m'appelles.

Je mis mon sac à l'épaule et la suivis dans le couloir, maintenant bruyant et bondé, mais quand même moins qu'à Jackson. Personne ne me bousculait par accident ou exprès, et si un mec m'avait collé la main aux fesses, j'aurais eu vite fait de voir qui c'était.

D'après mon emploi du temps, j'avais Espagnol Conversation dans le bâtiment C. Comme c'était mon premier jour à Perkins, je me suis dit que je pouvais traîner et arriver en retard. J'ai donc pris mon temps pour sortir. Dans un coin de la cour, j'ai vu une sculpture en métal en forme de U qui étincelait tellement au soleil que ça éblouissait quand on la regardait. Du coup, c'était difficile de bien voir les élèves assis ou debout tout autour, et lorsque quelqu'un m'a appelée, je me suis demandé d'où ça venait.

— Ruby !

J'ai pilé, je me suis retournée et je me suis aperçue que ça venait d'un petit groupe près de la sculpture. J'ai tout de suite reconnu le style de la tribu : il y avait exactement la même à Jackson, mais à Jackson, son coin, c'était près des bureaux administratifs. C'était le clan des stars du lycée et des glamoureux qu'on pouvait approcher seulement sur invitation. Pas du tout mon genre. Manque de bol, la seule personne que je connaissais à Perkins en faisait partie. D'un autre côté, ça ne m'a pas étonnée.

Ben a levé la main et a souri.

— Alors ! commença-t-il tandis qu'un petit mec avec une casquette de base-ball courait entre nous. Pas de nouvelle grande évasion depuis hier ?

Drôlissime. Tout à l'heure, j'étais la petite nouvelle invisible dans un lycée où tout le monde se connaissait au moins depuis la maternelle, et maintenant, la tribu de Ben (la blonde au café de chez Jump Java de mon cours d'anglais en faisait partie) et tous les autres me regardaient comme si je n'avais plus de nez. Ils étaient nombreux à avoir entendu le récit tordant de mon évasion de la nuit depuis ce matin ? Génial, tout le monde serait au courant avant ce soir.

— Tordant. Je suis morte de rire, lui dis-je avant de lui tourner le dos.

— Arrête, je plaisante ! me rappela-t-il.

Sans moi. Je me suis éloignée, mais il m'a rattrapée et m'a bloqué la route.

— Désolé, Ruby. Je voulais juste... enfin bon, c'était une blague !

En plein jour, avec son jean, tee-shirt col rond et pull, sa petite chaîne et ses épaisses claquettes aux pieds (alors que l'été, je précise, c'était fini depuis un bail), il était encore plus mignon que de nuit. Ses cheveux, ainsi que je l'avais déjà remarqué hier, étaient très blonds, comme s'il avait passé tout l'été au soleil. J'ajoute qu'il avait des yeux d'un bleu incroyable. Trop parfait, trop beau. La vérité, si ç'avait été la première fois que je le rencontrais, j'aurais tout de suite pensé que c'était un mec mignon avec un cerveau gros comme un atome et un QI de microbe. Tout de suite après, j'aurais évidemment culpabilisé parce que ça ne se faisait pas de juger les gens en deux secondes. Mais comme c'était la deuxième fois que je le rencontrais, je ne me suis pas du tout pris la tête : c'était un crétin, point barre.

— Laisse-moi me faire pardonner ! Tu veux que je te montre où tu as cours ? demanda-t-il en regardant mon emploi du temps que je tenais toujours.

— Non, dis-je tandis que je remontais mon sac à dos sur mon épaule.

J'ai cru qu'il serait surpris, parce que c'était le genre de mec qui avait toutes les filles à ses pieds, mais ça ne lui a rien fait.

— Comme tu veux. Bon, à plus. Ou à demain matin, dans tous les cas !

J'ai entendu rire deux filles qui passaient en se partageant des écouteurs iPod.

— Demain ?

Ben a eu l'air étonné cette fois.

— Mais oui, on ira au lycée ensemble en voiture, dit-il comme si j'étais déjà au courant. Jamie m'a dit qu'il fallait quelqu'un pour te conduire à Perkins, le matin.

— Toi ?

Il posa la main sur son cœur et recula.

— Tu vas vraiment finir par me vexer ! plaisanta-t-il avec le plus grand sérieux.

— Pas besoin que tu me conduises, dis-je simplement.

— Jamie pense que si.

— Moi, je pense que non.

— Comme tu veux, dit-il en haussant de nouveau les épaules.

La coolitude incarnée, ce type.

— Je passe vers 7 h 30. Si je ne te vois pas, je pars. No problemo.

No problemo ? Il m'a fait un sourire de star et il est reparti, mains dans les poches, l'air cool, vers sa bande de potes bien propres sur eux.

J'ai entendu la sonnerie tandis que je me dirigeais, enfin je l'espérais, vers le bâtiment C. Méfie-toi des barbares de Perkins, m'avait dit Olivia. Ce qu'elle ne savait pas c'est que je me méfiais de tout le monde sans exception. Que ce soit pour demander ma route, me faire conduire au lycée ou ailleurs, ou encore pour solliciter une opinion ou un conseil. D'accord, ça gonflait d'être paumée, mais j'avais compris depuis des lustres que je préférais être complètement perdue que de dépendre des autres pour m'orienter. C'est ça la solitude, en théorie ou en principe : vous êtes le seul responsable de ce qui vous tombe dessus, que ce soit positif, négatif ou entre les deux.

Après le lycée, j'aurais dû prendre le bus pour rentrer chez Cora, mais j'ai marché un petit kilomètre jusqu'au Quick Zip où je me suis acheté un Zip Coke. Ensuite, je suis entrée dans une cabine téléphonique et j'ai décroché le combiné poisseux. J'ai mis des pièces et j'ai composé un numéro que je connaissais par cœur.

— Allô ?

— Salut, c'est moi, dis-je.

Puis j'ajoutai avec une seconde de retard :

— Ruby.

À l'autre bout du fil, Marshall a inspiré et soupiré.

— Ah. Mystère résolu.

— J'étais un mystère ?

— Quelque chose dans le genre. Ça va, toi ?

J'ai été surprise par sa question et par la grosse boule qui a tout à coup bloqué ma gorge. J'ai avalé ma salive avec du mal.

— Ouais. Ça va.

Marshall avait dix-huit ans. Il avait été diplômé de Jackson l'année dernière, mais on ne s'était rencontrés que lorsqu'il avait emménagé avec Rogerson, un type qui vendait de l'herbe à ma bande. Au début, je remarquais à peine Marshall. Pour moi, c'était un grand maigre qui passait dans la cuisine lorsqu'on allait chercher notre sac Zip-lock rempli de cannabis. Mais un jour où j'étais venue seule et que Rogerson n'était pas là, on avait fait connaissance.

Avec Rogerson, c'était toujours business business. Tu frappes, tu entres, tu achètes et tu te casses. Avec Marshall, ça a été pareil. Enfin, au début. Il ne m'a pas décroché deux mots quand je l'ai suivi dans le salon, puis regardé remplir mon Zip-lock. Je l'ai payé et j'allais filer lorsqu'il a ouvert un tiroir et en a sorti une petite pipe en céramique.

— Ça te dit ?

— Pourquoi pas ?

Il me l'a tendue avec un briquet. Il m'a observée tandis que j'allumais la pipe, en tirais une bouffée avant de la lui passer.

C'était du cannabis top qualité, bien meilleur que celui que nous achetions à Rogerson. Je l'ai compris lorsque le brouillard est tombé sur mes pensées et sur le salon. Soudain, tout devenait cent mille fois plus intéressant, du motif du tissu du canapé sur lequel j'étais assise jusqu'à Marshall qui avait pris place sur une chaise et croisé ses mains derrière sa nuque. Au bout d'un petit moment, je me suis rendu compte que nous avions cessé de nous passer et de nous repasser la pipe, et qu'on ne parlait plus. Je ne sais pas si ça a duré longtemps.

— Il y a un truc qui serait bien, maintenant, dit-il soudain d'une voix basse et sans expression.

— Quoi ?

Ma langue était trop volumineuse pour ma bouche trop sèche.

— Boire un granité. Viens, on va s'en acheter.

J'ai eu peur qu'il ne me demande de conduire, parce que c'était évidemment hors de question, mais on a traversé à pied un champ bourré de pylônes avec des câbles haute tension, et on a émergé un bloc plus loin, devant une supérette. C'est seulement quand on est ressortis avec nos gobelets, froids, doux et parfaits, que Marshall s'est remis à parler.

— Délicieux.

— Dis plutôt : fantastique.

Il a souri. Ça m'a fait drôle parce que c'était la première fois que je le voyais sourire. On se connaissait à peine, et pourtant, sur le chemin du retour, il m'a prise par la main et il a marché un peu devant moi.

Je jure que je n'oublierai jamais ce moment-là. Mon granité était bien froid dans ma bouche et ma main toute chaude dans celle de Marshall. Dans la fin d'après-midi, les câbles haute tension au-dessus de nos têtes faisaient de l'ombre comme les ailes de grands oiseaux.

Tout à coup Marshall s'est arrêté. Puis il m'a embrassée et j'ai cru que le temps nous avait oubliés. C'était comme si le monde s'était arrêté de vivre et mon cœur de battre. Je me souvenais de cette petite minute-là chaque fois que j'étais avec lui. Est-ce parce que nous étions seuls dans ce champ ? Parce que c'était la première fois qu'un garçon m'embrassait ? Plutôt parce que nous étions seulement capables de passer ensemble des instants trop courts mais intenses comme celui-là. Mais à ce moment-là, je ne le savais pas encore.

Marshall n'était pas mon petit ami, mais il n'était pas non plus un ami. Disons que c'était plus ou moins mon mec. En clair, notre relation était élastique, parfois amoureuse, parfois amicale. Je crois que cela dépendait des gens qui étaient avec nous, de ce qu'on avait bu, etc. C'était parfait pour moi, parce que m'engager, ça n'était pas mon truc. Et puis, franchement, une relation mec-fille plus simple, ça n'existait pas. Le secret, c'était de donner le strict minimum, pour ne rien avoir à perdre, vous voyez ? Marshall et moi, on jouait à un jeu qui aurait pu s'appeler « plus détaché tu meurs ». J'étais scotchée à un autre garçon pendant une fête et lui il disparaissait avec une nana dans la fête suivante. Il ne me rappelait jamais et je restais parfois des jours sans lui donner de nouvelles, jusqu'à ce qu'il se demande où j'étais passé. Et ainsi de suite.

Ça durait depuis tellement longtemps que je ne me posais plus de questions. Mais maintenant, j'étais surprise d'être si contente d'entendre sa voix familière dans cet univers tout neuf. J'étais même heureuse au point de casser les règles : j'ai parlé de ma vie.

— Ouais. Des histoires de famille, dis-je en m'appuyant à la cabine. J'ai déménagé chez ma sœur et...

— Attends. Quitte pas.

Il a posé la main sur le combiné pour parler à quelqu'un, mais je n'ai pas entendu ce qu'il disait.

— Désolé, reprit-il.

Puis il a toussé.

— Tu disais ?

Trop tard. Marshall ne me manquait plus, tout à coup. Il devenait un fantôme. Comme tout le reste.

— Rien. Écoute, je dois filer. Je te rappelle un de ces quatre, d'acc ?

— Ouais. À plus.

Je raccrochai, mais je n'ai pas lâché le combiné. Je cherchais des pièces dans ma poche. Après, j'ai soupiré, décroché et j'ai mis de la monnaie dans le téléphone pour appeler quelqu'un qui, j'en étais certaine, serait ravi de discuter avec moi.

— Oh, Ruby, c'est toi ? s'exclama Peyton dès qu'elle reconnut ma voix. Oh, mon Dieu ! Mais où est-ce que tu étais passée ?

— Eh bien...

Elle m'a interrompue et a repris à toute vitesse :

— Tu vois, je t'attendais dans la cour devant chez toi, comme je le fais toujours, mais tu n'es jamais venue ! Alors j'ai pensé que tu étais en colère contre moi, ou je ne sais quoi, puis Aaron a dit que les flics étaient venus te chercher en classe. Personne n'a su pourquoi. Après, je suis repassée chez toi, j'ai vu qu'il n'y avait pas de lumière et...

Je l'ai coupée. Pas par manque de temps, mais parce que Peyton parlait souvent pour ne rien dire.

— Tout va bien. C'est juste une histoire de famille. Je vais habiter chez ma sœur pendant quelque temps.

— C'est pas ce qu'on dit ici, je te jure ! Ma parole, si tu entendais la rumeur !

— Ah ?

— L'horreur !

Elle avait vraiment l'air horrifié.

— J'ai tout entendu ! Ça va d'un meurtre que tu aurais commis à la prostitution d'adolescents !

— Mais ça fait seulement deux jours que je ne suis pas venue à Jackson !

— Non mais attends, moi je te défends, pire qu'un avocat ! ajouta Peyton très vite. J'ai dit à tous les autres que tu ne coucherais *jamais* avec des mecs pour du fric ! Non mais. Quand même !

Typique Peyton. Elle pensait qu'il était plus important de défendre ma réputation que de m'innocenter de meurtre.

— Merci.

— Pas de problème !

J'entendais des voix autour d'elle. J'étais certaine qu'elle était dans la clairière pas loin du lycée. C'est toujours là qu'on se retrouvait, après les cours.

— Bon, alors raconte-moi tout ! C'est hard ? C'est ta mère ? reprit Peyton.

— Plus ou moins. Mais comme je te disais, c'est rien.

Peyton était ma meilleure amie à Jackson, mais elle ne savait pas que ma mère avait fugué. La vérité, elle ne l'avait jamais perçue et ça n'était pas un hasard, c'était voulu : ma vie privée était superprivée. C'était important pour moi, parce que Peyton venait d'une famille parfaite : parents riches et dynamiques, immense baraque luxe. Jusqu'à l'année dernière, Peyton avait été une petite fille modèle avec d'excellentes notes et qui jouait au hockey comme une pro. Mais à la rentrée, elle était sortie avec mon ami Aaron, un accro du cannabis, aussi inoffensif qu'une amibe. Peyton s'était fait prendre avec un joint dans son lycée très catho de St Micheline, et elle en avait été expulsée vite fait bien fait. Évidemment, ses parents l'avaient eu plutôt mauvaise, et ils avaient espéré que sa crise d'ado rebelle se terminerait dès qu'elle plaquerait Aaron. Au bout de quelques semaines, Aaron et Peyton avaient rompu, mais à ce moment-là, on était déjà bonnes copines.

Pour résumer, Peyton était trop mignonne. C'était une jolie petite nana bien foutue. Elle était aussi incroyablement naïve, ce qui m'énervait ou m'émouvait ; en fait, ça dépendait des jours et de mon humeur. Parfois, j'avais l'impression d'être sa grande sœur : je lui sauvais la vie quand un taré lui sautait dessus pendant une fête. Je lui tenais la tête les fois où elle vomissait parce qu'elle avait trop picolé et je lui expliquais comment fonctionnaient les gadgets électroniques que ses parents lui achetaient à la pelle. Mais je l'aimais bien. Peyton avait une voiture et elle ne se plaignait jamais de faire un grand détour pour passer me chercher dans ma maison au milieu de nulle part.

— Écoute, j'ai un service à te demander, lui dis-je.

— Vas-y.

— Je suis près de Perkins Day, tu pourrais passer me chercher ?

— Où ? À Perkins ?

— Pas loin.

Elle attendit avant de répondre. Derrière elle, j'entendis rire.

— Écoute, Ruby... je te jure que j'aimerais, mais je dois être rentrée à la maison dans une heure.

— C'est tout près.

— Je sais, mais tu sais aussi comment est ma mère, maintenant.

Depuis que Peyton était rentrée en puant la bière, ses parents avaient mis en place un programme très strict qu'elle devait respecter à la virgule près et dans la minute. En gros, ils la fliquaient, reniflaient son haleine et faisaient des descentes dans sa chambre pour des fouilles sauvages.

— Tu as appelé Marshall ? Je parie que...

— Non.

J'ai secoué la tête. Peyton n'avait jamais compris mon arrangement avec Marshall. C'était une romantique de première, et pour elle, toutes les histoires avec un mec étaient des histoires d'amour.

— Laisse tomber. Je me débrouillerai.

Encore un silence. De nouveau j'entendis des rires derrière elle, la musique à la radio, une voiture qui démarrait. Perkins était à une vingtaine de kilomètres de Jackson à tout casser, mais si on m'avait dit que c'était aussi loin que de la Terre à la Lune, j'y aurais cru.

— Tu en es certaine ? demanda-t-elle. Parce que je peux demander à quelqu'un d'ici de te dépanner ?

J'avalai ma salive et je m'adossai à la cabine téléphonique. Au-dessus du téléphone quelqu'un avait écrit : « Tu dors où ? » avec un feutre noir épais. Et en dessous, la réponse claire et nette : « Avec ta mère. » Je me suis frotté le nez, les yeux. Pas besoin qu'on vienne à mon secours. Surtout pas.

— Nan. C'est bon. Je vais me débrouiller.

— Bon, alors...

J'entendis un bruit de Klaxon derrière elle.

— Donne-moi le numéro de ta sœur. Je t'appelle ce soir et on causera, d'acc !

— Écoute, je suis en plein déménagement, je suis en train de me poser, alors c'est plutôt moi qui te rappelle. Bientôt.

— D'accord. Dis, au fait, Ruby...

— Quoi ?

— Je suis vachement contente que tu ne sois pas une criminelle ou une pute !

— Oui. Moi aussi.

Je raccrochai. Je suis sortie de la cabine et j'ai fini mon Coca en me demandant ce que j'allais faire à présent. Le parking du lycée, presque vide tout à l'heure, était maintenant plein à déborder. Des lycéens parlaient, assis sur le capot ou le coffre de leur voiture de riche, d'autres allaient se lâcher au centre commercial façon jeune du peuple. Tout à coup, je vis Ben sur ma droite, bras croisés contre la portière d'une voiture noire. Une brune avec une queue-de-cheval et une veste bleue courte lui racontait quelque chose en gigotant dans tous les sens, un Zip Coke à la main. Ben souriait en l'écoutant. Pas de souci, c'était un vrai gentil, ce mec-là.

Soudain, j'ai eu une idée géniale. Mais pour que ça marche, je devais d'abord voir quelle heure il était. Presque seize heures. En gros, il me restait une heure avant de rentrer en retard. Si je me bougeais dans la seconde, j'aurais donc largement le temps de faire ce que j'avais en tête. Tout ce qu'il me fallait, c'est un coup de main d'un vrai gentil. Et si je calculais bien, je n'aurais peut-être même pas besoin de demander quoi que ce soit.

Je mis mon sac sur l'épaule et pris la direction de la nationale. Je passai devant ceux de Perkins Day, en faisant bien attention de ne pas les regarder, de seulement fixer le croisement devant moi. Je savais que je prenais un gros risque. Chez Cora, c'était loin, et là où je voulais aller, ça l'était encore plus. Conclusion : si mon plan capotait, ce qui était possible vu comme j'avais été lourde tout à l'heure, j'étais bonne pour une longue marche forcée. D'un autre côté, je me disais que les gentils, ça devait pardonner. Forcément, c'était dans leur nature.

J'arrivais près de la nationale, lorsque j'entendis un coup de Klaxon, puis une voiture ralentir. J'attendis le deuxième coup de Klaxon pour me retourner. J'ai fait mon étonnée mais j'avais gagné mon pari, c'était Ben.

Il s'est penché sur le siège passager, une main sur le volant, l'autre sur la poignée de la portière.

— Laisse-moi deviner... tu préfères rentrer à pied plutôt qu'avec moi ?

— Exact. Merci quand même.

— Je te préviens, tu arrives sur la nationale. C'est dangereux, il n'y a même pas de trottoir.

— Tu fais partie de la police ?

Il a fait la grimace.

— Tu veux vraiment marcher dix kilomètres jusque chez toi ?

— Il n'y en a pas dix.

— Tu as raison : il y en a exactement 10,5, dit-il alors qu'une Ford rouge klaxonnait et le doublait. Je le sais, je cours de Perkins à chez moi tous les vendredis.

— Pourquoi tu tiens tellement à me ramener ?

— Parce que je suis un chevalier des temps modernes.

Oui, c'est ça.

— La chevalerie est morte et enterrée.

— C'est ce qui va t'arriver si tu continues sur cette route.

Puis après un soupir, il a conclu.

— Allez, monte !

Pas plus difficile que ça, vous voyez ?

Dans la voiture de Ben, c'était impec et ça sentait le tout neuf. Mais il y avait quand même un parfum d'ambiance accroché au rétroviseur intérieur. Dessus on lisait : « Le Service qui vous rend vraiment service : Destress Sans Stress. »

- C'est la société de mon père, m'expliqua Ben. Nous rendons la vie plus facile aux gens, à une époque où tout est devenu difficile.

Ah.

— Tu parles comme une pub.

— Parce que je te fais de la pub. Je dois sortir cette phrase quand on me pose des questions sur la société. Ordre de mon père.

— Et si on veut une vraie réponse ?

Ben regarda derrière lui avant de changer de file.

— Dans ce cas, je dis que nous faisons tout : relever le courrier, promener les chiens, passer au pressing et glacer les gâteaux d'anniversaire.

— Ça en jette un peu moins.

— Je sais. D'où le slogan.

Je m'installai mieux et je regardai les voitures qui nous doublaient et les maisons par la vitre. Pas terrible comme compagnie. Mais je n'étais pas là pour copiner.

— À propos de ce que j'ai dit tout à l'heure, tu sais, ma plaisanterie..., commença-t-il.

— C'est bon. Laisse tomber.

— Qu'est-ce que tu fichais sur la barrière, cette nuit ? Si ça ne te gêne pas que je te pose la question, bien entendu.

Si, ça me gênait. Comme j'étais dans sa voiture, j'ai fait ma polie.

— Je croyais que c'était évident.

— Ça l'est, mais quand même, j'ai été étonné.

— De quoi ?

— Je ne sais pas. La plupart des gens essaieraient plutôt d'entrer de force dans cette maison que d'en filer. Surtout quand on connaît Cora et Jamie. Ils sont tellement cool.

— Je ne suis pas « la plupart des gens ».

Il m'a jeté un coup d'œil, mais j'ai tourné la tête vers la vitre. Je connaissais mal cette partie de la ville, cependant, je savais que nous n'étions pas très loin de

Wildflower Ridge, de chez Cora et Jamie. Il était temps de changer de sujet. Mine de rien.

— C'est sympa que tu me raccompagnes. Merci.

— Je t'en prie. Ça n'est pas comme si je faisais un détour.

— Eh bien, justement...

J'attendis d'avoir toute son attention pour continuer.

— Si tu me déposais à un arrêt de bus, ce serait génial.

— À un arrêt de bus ? Tu vas où ?

Nous arrivions à un croisement. Ben ralentit, changea de nouveau de file et freina derrière une Coccinelle avec sur le coffre un autocollant en forme de pâquerette, genre hippie.

— Alors ? C'est où ?

— Loin. Trop pour toi.

Le feu passa au vert, les voitures redémarrèrent. C'était le moment de vérité. Soit il mordait, soit c'était fichu. Il était seize heures et quart, je ne devais plus perdre de temps.

— Avec le bus, tu vas mettre des heures, dit-il au bout d'un moment.

Je secouai la tête.

— Ça ne me gêne pas du tout. Laisse-moi là, près de la boîte aux lettres. Ce sera bien.

Si on veut négocier ou manipuler quelqu'un, on ne doit jamais faire trop de bluff. On peut refuser une fois, c'est bon, deux, passe, mais trois, ça devient risqué. On ne sait jamais quand l'autre va cesser d'insister et c'est lorsqu'il se tait qu'on a perdu son pari.

Je sentis de nouveau son regard, mais je fis comme si de rien n'était, comme si je ne le voyais pas hésiter. Allez, vas-y ! lui disais-je en pensée. Parle !

— Trop bien, dit-il en prenant la bretelle d'autoroute. Indique-moi juste la route.

— Oh, la vache ! s'exclama Ben tandis qu'il s'engageait devant la maison jaune en évitant les trous dans la route et des piles de journaux complètement trempées.

Je voyais la Subaru de maman là où je l'avais laissée, le dernier jour que j'avais passé à la maison jaune. Peyton était venue me chercher pour aller au lycée parce que j'étais en panne sèche.

— Qui habite ici ?

— Quelqu'un que je connais.

Je me disais que ce serait rapide et sans douleur : j'allais entrer, prendre des affaires et sortir en espérant que Ben me poserait un minimum de questions. Il me reconduirait ensuite chez Cora et Jamie, et on n'en parlerait plus. Facile.

Mais lorsqu'on est passés devant la fenêtre de la chambre de maman, j'ai vu les rideaux bouger comme si quelqu'un était à l'intérieur et voulait regarder dehors sans se montrer. Ça a été tellement rapide que j'ai cru que j'avais halluciné.

Je ne savais pas très bien ce qui m'attendait, dans la maison jaune. Peut-être les Honeycutt au milieu d'un projet à la Honeycutt. Ou une baraque vide et récurée, comme si nous n'y avions jamais vécu. Oh merde, ça je ne l'avais jamais envisagé.

J'étais trop impatiente, soudain ; j'ai sauté de la voiture en marche.

— Hé, Ruby, tu ne pourrais pas...

Je n'écoutais pas, je courais déjà. J'ai grimpé les marches quatre à quatre, et une fois devant la porte, j'ai pris ma clé autour de mon cou et je l'ai introduite dans la serrure. Puis j'ai tourné cette poignée que je connaissais comme ma vie et je suis entrée.

— Maman ?

Ma voix a résonné, rebondi sur les murs et m'est revenue en pleine tronche. Ma corde à linge était toujours dans la cuisine, avec mes jeans et mes tee-shirts raides et tout moisis. Je les ai écartés pour passer dans le salon.

J'ai vu des bouteilles de bière alignées sur la table basse, puis la couverture roulée en boule dans un coin du canapé. Là, j'ai vraiment eu un coup au cœur. Parce que, moi, je la pliais toujours bien.

Après le salon, je suis entrée dans ma chambre. J'ai allumé l'ampoule tristoune seule au plafond. Rien de changé, sauf la porte de l'armoire grande ouverte. Sans doute par l'un des éducs du foyer qui était venu me chercher des vêtements ? J'ai fait demi-tour, j'ai retraversé le salon et je me suis dirigée vers l'autre chambre. J'ai posé ma main sur la poignée et j'ai fermé les yeux. *Maman.*

Ça n'était pas un vœu, même pas le désir absolu qu'un foutu rêve se réalise, seulement, je me souvenais des milliers de fois où je m'étais approchée de cette porte lorsque je rentrais à la maison. Je l'ouvrais à peine, puis je voyais maman roulée en boule sur son lit, ses cheveux étalés sur l'oreiller. Elle levait tout de suite les mains pour se les mettre devant les yeux parce que la lumière derrière moi l'éblouissait. C'était une image si nette, que pile au moment où j'ai ouvert, j'aurais pu jurer sur ma vie que je voyais ses cheveux roux sur l'oreiller et son corps bouger sous la couverture. Mon cœur a tressauté. Il était plein à craquer des émotions que je refusais d'admettre et de montrer depuis une semaine, une boule s'est bloquée dans ma gorge comme un ascenseur. Mais une demi-seconde plus tard, même pas, la réalité a écrabouillé l'image trop nette et je n'ai vu qu'un lit vide, des murs marron moche, et je me suis souvenue de cette saleté de fenêtre avec son carreau cassé et mal rafistolé où entrait le vent. C'était ce vent à la con qui avait agité le rideau. Je m'étais bien plantée, mais je suis restée immobile, en me disant que si je ne bougeais pas, peut-être que la vie et le mouvement reviendraient dans cette chambre, que le vide se remplirait.

— Ruby ?

La voix de Ben était basse et hésitante. J'avalai ma salive. Quelle idiote d'avoir pensé que maman était revenue. Je savais bien pourtant qu'elle avait emporté toutes ses affaires.

— Oui, j'arrive.

Saloperie de voix tremblante.

— Ça va ?

J'ai fait « oui », l'air sûr de moi.

— Évidemment ça va. Je dois juste prendre des bricoles.

Je l'entendais marcher. Il s'approchait ? Reculait ? Ça m'a tellement énervée de ne pas savoir que je me suis retournée. Ben était devant la cuisine, la porte d'entrée grande ouverte derrière lui. Il regardait partout comme s'il était au zoo. J'ai eu la honte à pleurer. Qu'est-ce qui m'avait pris de l'amener ici ? Je savais pourtant que c'était super risqué de montrer le secret de sa vie et de son histoire à un total inconnu. À tous les coups ça se retournerait contre moi : Ben utiliserait ce qu'il savait pour me faire du mal.

— Cette maison, ça me fait penser..., dit enfin Ben qui regardait les bouteilles de bière, et l'énorme toile d'araignée entre nous au milieu de la pièce.

Soudain il y a eu une bourrasque. Les paquets de journaux devant la porte ont envahi la cuisine en masse. J'étais si mal que je l'ai carrément agressé.

— Va m'attendre dans la voiture. J'arrive.

Il n'a pas discuté.

— D'acc.

Puis il est sorti en refermant la porte derrière lui.

J'avais la haine parce que les larmes me piquaient les yeux. Zut à la fin. J'ai regardé autour de moi, en essayant de penser à autre chose. Qu'est-ce que j'allais prendre ? Mais j'avais tant d'eau dans les yeux que je ne voyais plus rien. Je sentais la grosse boule dans ma gorge fondre maintenant, se transformer en une vague qui montait, montait toujours, et arriver sur mes lèvres. En tremblant j'ai posé ma main dessus pour ne pas craquer, puis j'ai fait un effort pour m'arracher de là et me bouger.

J'essayai de réfléchir tandis que je revenais dans la cuisine et arrachais les vêtements sur la corde à linge. Au fur et à mesure que je les retirais, je voyais mieux la cuisine. Les poêles crades qui s'entassaient dans l'évier. Les seaux que j'utilisais pour transporter l'eau entre la salle de bains et la cuisine. La corde à linge qui pendouillait. Qu'est-ce que j'avais dit à Cora déjà ? Ah oui, que je me débrouillais bien ! Je jure que je le croyais, à ce moment-là. Mais maintenant que je tenais mes vêtements et que l'odeur de pourriture me montait au nez, je ne savais plus si je me débrouillais aussi bien que ça.

J'ai essuyé mes yeux et j'ai regardé Ben qui m'attendait dans la voiture, portable collé à l'oreille. Qu'est-ce qu'il en pensait, de tout cela ? Là-dessus, j'ai regardé mes fringues. Je ne pouvais pas prendre ces horreurs, même si c'était tout ce que je possédais avec deux ou trois autres trucs dans mon armoire et la vieille Subaru complètement foutue. Je les ai balancées sur la table de la cuisine et je me suis dit que je reviendrais tout récupérer une fois que je me serais posée quelque part pour de bon. C'était une promesse facile à faire. À tenir, je n'en sais rien. Mais au moins, j'y croyais. Enfin, presque.

Je n'avais pas du tout envie de reprendre la route avec Ben. Qu'est-ce qu'il allait dire ? Comment allais-je répondre aux questions qu'il me poserait sûrement ? Pendant que je fermais à clé la maison jaune, j'ai décidé de nier à cent cinquante pour cent. De faire comme si tout s'était passé selon mes prévisions. Si j'assurais bien, il se la bouclerait.

J'ai donc pris mon air le plus naturel lorsque je suis revenue à la voiture. Mais j'ai vite compris que je n'aurais même pas besoin de jouer mon rôle : Ben causait toujours dans son portable et il ne m'a même pas regardée quand je suis montée. J'ai claqué la portière, il a démarré et fait marche arrière.

J'ai regardé une dernière fois la fenêtre de la chambre de maman. J'avais vraiment été nulle, tout à l'heure. Même de loin, même avec le rideau qui frétillait, on voyait bien qu'il n'y avait pas un chat dans cette fichue baraque. Le vide, ça se voit, ça se sent tout de suite, même si on veut se convaincre du contraire.

— Pas de problème, dit tout à coup Ben dans son portable.

Je tournai les yeux sur lui. Il fixait la route, le visage crispé.

— Oui, j'y serai dans une dizaine de minutes. Peut-être moins. Je lui prends ses...

Le mec avec qui il parlait l'a interrompu. Il criait si fort que j'entendais sa voix, mais je ne comprenais pas ce qu'il disait.

Ben se passa la main sur le visage comme si ça l'empêchait de craquer.

— Je te répète que j'y serai dans dix minutes, répéta-t-il tandis qu'il accélérait et prenait la nationale. Mais non... J'ai été obligé de faire un truc pour le lycée, c'est tout. Ouais. Oui. D'accord.

Il a refermé son portable et l'a jeté entre nos sièges.

— Un problème ?

— Non, juste mon père. Il est un peu maniaque quand il s'agit de sa société.

— Tu as oublié de glacer des cupcakes ?

Il a eu l'air étonné que je blague.

— Plus ou moins. Je dois passer chez l'un de nos clients, avant de rentrer. Ça ne te dérange pas ?

Je haussai les épaules.

— C'est ta voiture, tu fais ce que tu veux.

On était sur l'autoroute lorsque son portable a de nouveau sonné. Ben l'a repris, a regardé le numéro sur l'écran et a décroché.

— Allô ? Oui, oui, je suis sur l'autoroute. Dix minutes. Pas de problème. D'accord. Bye.

Après, il a gardé son portable en main comme s'il était certain d'avoir un nouvel appel dans la seconde.

— Je vis seul avec mon père, m'expliqua-t-il ensuite. On travaille ensemble et il y a des jours c'est too much.

— Pas la peine de m'expliquer, je vois bien ce que tu veux dire.

C'était sorti tout seul. Pourquoi ? Parce que je pensais encore à maman ? Le pire, je n'avais pas envie d'en parler, et surtout pas avec Ben, mais évidemment, il a sauté sur l'occasion.

— Ah ? Pourquoi ?

— Je travaillais aussi avec ma mère. Enfin, à un moment donné.

— Vraiment ? Qu'est-ce que vous faisiez ?

— Livrer les bagages perdus et retrouvés par les compagnies d'aviation.

Il a froncé les sourcils. Surpris ou impressionné ?

— Il y a vraiment des gens qui font ce boulot-là ?

— Qu'est-ce que tu crois, que les bagages se téléportent tout seuls chez leurs propriétaires ?

— Non...

Il m'a jeté un coup d'œil en biais.

— En fait... cela fait partie des choses qui vont de soi. Tu ne te poses même pas la question de savoir si quelqu'un le fait.

— Le quelqu'un, c'est moi. Enfin, c'était.

Il a pris la sortie de l'autoroute et s'est arrêté au feu.

— Que s'est-il passé ?

— Avec quoi ?

— Avec la livraison des bagages égarés. Pourquoi as-tu arrêté ?

Cette fois, j'étais sur mes gardes. Je suis donc restée vague.

— J'ai déménagé. C'est tout.

Il n'a pas insisté, tant mieux. Il mettait son clignotant et tournait dans Vista Mall, un immense centre commercial. Nous avons ensuite cherché une place dans le parking plein à craquer avant de nous garer derrière une vieille Chevrolet verte. Comme la portière de derrière était ouverte, j'ai vu la banquette déchirée à mort avec des cartons et des boîtes de rangement recouvertes d'enveloppes et de matériel d'emballage. J'ai aussi vu, mais de dos, une rouquine avec un chignon explosé, en pull rose, qui tenait un gobelet de café protégé par un couvercle.

Ben fit descendre sa vitre.

— Harriet ?

Elle ne l'entendit pas, elle était trop occupée à soulever l'un de ses cartons. Un gobelet vide qui était posé dessus a dégringolé et roulé, mais elle l'a rattrapé et fourré dans un autre carton.

— Harriet.

Pas de réponse. Elle avait quasiment la tête dans son carton. Ben n'avait pas l'air de comprendre qu'il n'avait pas assez élevé la voix.

— Plus fort, lui dis-je.

Il a pris une grande inspiration et, tout à coup, il a klaxonné. Une seule fois mais la rouquine a sauté en l'air, à la verticale, pieds décollant carrément du sol. Son café a giclé partout. Après, elle a fait demi-tour et posé sa main sur son cœur comme si elle avait failli mourir.

— Désolé ! fit Ben, tu ne...

— Non mais, tu es complètement malade ? Tu veux que j'aie une crise cardiaque ?

— Non ! Évidemment !

Ben descendit de voiture à la hâte et s'approcha.

— Laisse-moi faire. Ce sont ces trois cartons-là que je dois prendre ? Ou ceux-là ?

— Tu prends tout ! dit Harriet qui semblait encore sonnée.

Elle s'est appuyée contre le pare-chocs pour reprendre ses esprits tout en s'éventant avec sa main libre.

Tandis que Ben chargeait les cartons dans le coffre de sa voiture, je regardai mieux la rouquine. Elle était plutôt jolie. Elle portait une grosse chaîne en argent avec des boucles d'oreilles assorties et plusieurs bagues.

— Je suis une grande nerveuse, m'expliqua-t-elle en me montrant Ben avec son gobelet. Il le sait, et il ose me klaxonner !

— Je ne l'ai pas fait exprès, déclara Ben qui revenait chercher le dernier carton. Je suis désolé.

Harriet soupira et ferma les yeux.

— Laisse tomber, Ben. C'est ma faute... J'ai un timing d'enfer en ce moment, je n'ai le temps de rien et je savais que je n'aurais jamais le temps de passer au service Expédition avant sa fermeture.

— C'est pour cette raison que nous sommes là : pour t'aider, coupa Ben en refermant le coffre. Je vais m'en occuper. Ne te fais pas de souci.

— Mes paquets doivent partir en tarif standard, avec livraison en un ou trois jours ouvrables. Surtout pas en prioritaire, avec livraison le lendemain à 12 heures ou 17 heures ! précisa Harriet. Je n'en ai pas les moyens.

— Oui, je sais.

— Et je veux le suivi des colis, parce qu'ils doivent arriver à destination avant la fin de la semaine, et il paraît que le temps est mauvais à...

— D'acc, coupa Ben qui ouvrait sa portière.

Harriet réfléchissait en tripotant son gobelet.

— Tu as déposé mes affaires au pressing, hier ?

— Oui. Tout sera prêt mardi.

— Tu es passé à la banque ?

— Mon père s'en est occupé, ce matin. Il a déposé le reçu dans une enveloppe que tu trouveras dans ta boîte aux lettres.

— Est-ce qu'il s'est souvenu...

— ... de bien la refermer ? Oui. La clé est dans sa cachette. Autre chose ?

Harriet reprenait son souffle, comme si elle allait poser une nouvelle question, mais elle a finalement poussé un énorme soupir.

— Non, dit-elle d'une voix lente. Pas d'autres questions. Pour l'instant, du moins...

Ben se mit au volant.

— Je t'envoie un e-mail avec le numéro de traçabilité de ton colis dès que je suis rentré. C'est bon ?

— Oui, répondit-elle avec hésitation tandis que Ben démarrait. Merci !

— Je t'en prie. Appelle si tu as besoin de nous !

Harriet fit « oui ». Elle était toujours contre sa voiture, serrant son gobelet avec son air incertain pendant que nous reprenions la nationale.

— Vive Destress Sans Stress, dis-je. C'est un max de bonheur.

— Non, c'est seulement Harriet.

Lorsque nous arrivâmes devant chez Cora, il était cinq heures et demie. Il ne s'était passé qu'une heure entre ma sortie de Perkins et la maison jaune, mais j'avais l'impression qu'elle avait été longue comme une journée en enfer. Je prenais mes affaires et j'ouvrais la portière lorsque le portable de Ben sonna de nouveau. Il a regardé son écran, puis moi.

— Bon, mon père s'énerve, me dit-il. Je ferais mieux d'y aller. Alors, à demain matin ?

J'ai réfléchi en observant Ben. Mignon, et gentil. Justement, c'était un vrai supergentil et peut-être pas un crétin fini avec un pois chiche dans la tête comme je l'avais pensé. Vu qu'il m'avait dépannée deux fois en deux jours, il devait penser qu'on était presque copains et que j'accepterais d'aller au lycée avec lui, le matin. D'un autre côté, je n'arrivais pas à oublier Peyton qui m'avait lâchée comme une vieille chaussette au moment où j'avais eu besoin d'elle. Et si un jour Ben faisait pareil ?

— Merci pour la route, dis-je simplement.

Il m'a fait un petit signe, puis il a ouvert son portable pendant que je claquais la portière. Avait-il remarqué que je n'avais pas répondu à sa question, pour demain ? À moins que ça ne lui soit égal ? Pas grave, de toute façon, il repartait déjà.

Ce matin, une fois que mon emploi du temps et le reste avaient été bouclés, Thackray m'avait accompagnée en cours d'anglais. Jamie partait de son côté lorsqu'il m'avait rappelée.

Étonnée, je m'étais retournée et je l'avais vu zigzaguer entre les élèves qui sortaient de leur première heure de cours pour me rejoindre. Il m'avait ensuite fait un grand sourire à la Jamie puis il avait tendu la main en me faisant signe de tendre la mienne.

Oh là, qu'est-ce qu'il voulait me donner ? Et quand il m'avait filé une clé, je m'étais sentie nulle de chez nulle. Franchement, je m'étais attendue à quoi ?

— La clé de la maison ! Au cas où tu rentrerais avant nous ce soir, m'expliqua-t-il.

OK, très bien, j'avais fourré la clé dans ma poche et je l'avais oubliée jusqu'à ce que j'arrive à la maison. C'était une petite clé avec les mots Wildflower Ridge gravés sur un côté, qui était accrochée à une chaîne en argent. C'est drôle, j'avais eu cette clé dans ma poche pendant toute la journée, mais je ne l'avais ni sentie ni remarquée alors que je pensais tout le temps à celle que je portais autour du cou. Peut-être parce qu'elle était lourde, tout contre ma peau, donc impossible à oublier ?

La porte de la maison s'ouvrit sans bruit sur la belle entrée. Dedans, c'était comme dans la maison jaune, très calme et paisible, mais de manière différente. Chez Cora, ça n'était pas abandonné, seulement dans l'attente. Comme si une maison savait faire la différence entre une courte absence et un départ pour toujours.

Je refermai la porte derrière moi. De l'entrée, je distinguais la salle à manger, et par la baie, le soleil qui baissait derrière les arbres, avec cette lumière dorée unique que l'on ne voit qu'à l'automne, en fin d'après-midi.

J'étais toujours immobile à regarder le ciel en feu lorsque j'entendis un tip-tap-tip juste sur ma gauche. C'était Roscoe qui allait tranquillou à la cuisine. Quand il m'a vue, ses oreilles se sont dressées comme deux cimes de sapin sur sa tête et il s'est assis pour m'examiner. Je n'ai plus bougé, j'avais trop peur qu'il m'aboie dessus. Après une journée dans un nouveau lycée et mon passage dans la maison jaune, je ne l'aurais pas supporté. Mais Roscoe s'est juste léché en faisant des gros bruits. Je me suis donc dit que je pouvais entrer dans la cuisine sans risquer ma vie. Ce que j'ai fait, en le contournant très largement.

J'ai vu un Post-it sur la table. J'ai tout de suite reconnu l'écriture de Cora, même si je ne l'avais pas vue pendant des années : impec' soignée, chaque lettre et chaque mot parfaitement formés. À se demander si elle n'avait pas rédigé cent brouillons avant de mettre sa note au propre.

Lasagnes dans le frigo. Mets le four à 170° dès que tu rentreras. Je serai à la maison à dix-neuf heures au plus tard. Je t'embrasse. Ta C.

J'ai pris le Post-it pour le relire. Ma sœur avait donc obtenu une belle maison, un boulot d'enfer et la sécurité qu'elle avait rêvés d'avoir, à l'époque où nous partagions une moitié de chambre. Surtout, elle avait trouvé quelqu'un avec qui partager ces bonheurs : rentrer à la maison le soir en étant certaine de retrouver l'amour de sa vie, dîner avec lui et lui laisser un gentil Post-it. C'était tout simple, tout bête. N'empêche, c'était la vraie vie.

Cora avait ramé pour avoir cette vie-là, ça devait donc être galère de me voir rappliquer juste au moment où elle pensait que son passé était vraiment derrière elle. Alors le moins que je pouvais faire, c'était de mettre ses lasagnes au four.

J'ai préchauffé le four, sorti le plat du frigo et je l'ai posé sur la table. J'en retirais le film, lorsque j'ai senti quelque chose de vivant contre ma cheville. Roscoe. Il était entré sans que je l'entende, s'était mis entre mes pieds et levait ses yeux de chien sur moi. J'ai d'abord pensé qu'il avait pissé partout dans la baraque et qu'il avait peur que je le gronde, puis j'ai remarqué avec étonnement que la pauvre bête se balançait comme un cheval à bascule.

— Qu'est-ce que tu as ? lui demandai-je.

Il a continué de se balancer, mais encore plus fort, et s'est blotti contre mes jambes. Il avait l'air de me supplier de faire quelque chose, mais quoi ? Aucune idée.

C'était bien ma chance, ce cabot agonisait alors que j'étais toute seule ! Voilà, gagné ! J'étais devenue la plaie de cet endroit. En soupirant, je me dégageai des pattes de Roscoe pour décrocher le téléphone. J'appelai le premier numéro sur la liste accrochée à côté du fixe, soit le portable de Jamie. Roscoe revenait déjà se mettre entre mes jambes et tremblait à la puissance dix.

Je continuai de le regarder pendant que ça sonnait. Alléluia, Jamie a décroché.

— Il y a un problème avec le chien.

— Ruby ? C'est toi ?

— Oui, dis-je en avalant ma salive.

Roscoe pressait maintenant sa truffe sur mon pied.

— Désolée de te déranger, mais on dirait que Roscoe est malade... Je ne sais pas quoi faire...

— Malade ? Tu veux dire qu'il vomit ?

— Non.

— Alors il a la colique ?

Beurk.

— Non. Enfin, je ne pense pas. Voilà, je viens de rentrer. Cora avait laissé un Post-it pour les lasagnes et j'ai...

— Ah, ça y est, je comprends. C'est bon, Ruby, tu peux souffler. Il n'est pas malade.

— Ah ?

— Non. Il est mort de trouille.

— À cause des lasagnes ?

— À cause du four.

Jamie soupira.

— Nous ne comprenons pas pourquoi. Je pense que ça a un rapport avec un incident que nous avons eu : une fois, des croquettes de pomme de terre ont brûlé, ce qui a déclenché le détecteur d'incendie.

Roscoe tremblait toujours. Je me demandais comment des patates cramées avaient pu traumatiser un toutou à ce point. C'est sûr, son cœur allait lâcher.

— Qu'est-ce que je dois faire ? demandai-je alors qu'il me regardait d'un air terrorisé.

— Rien. Il va trembler aussi longtemps que le four sera en marche. Parfois, il file se cacher sous un lit, ou sous le canapé. Surtout, agis comme si tout était normal. Et s'il t'embête vraiment, enferme-le dans la buanderie.

— Ah. Bon d'accord, dis-je, pendant que Roscoe se blottissait entre ma chaussure et le placard, juste derrière.

— Je dois te laisser, mais je rentre bientôt. N'oublie pas...

Il y a eu un buzz..., puis plus de Jamie. Je raccrochai, replaçai le téléphone sur sa base. « Bientôt » ? Ça voulait dire quand au juste ? Cinq minutes ? Il avait intérêt à se grouiller, en tout cas, parce que les animaux et moi, ça faisait deux. Cela dit, je n'aurais jamais pu enfermer une pauvre bête proche de l'infarctus dans la buanderie.

— Calmos, OK ? lui dis-je.

Puis je me dépatouillai de ce pauvre Roscoe pour aller chercher mon sac dans l'entrée.

D'abord, il n'a pas bougé, puis il m'a suivie. Comme je n'avais pas envie d'avoir de la compagnie, j'ai monté les escaliers vite fait en espérant qu'il comprendrait le message et resterait gentiment en bas. Ça a marché. Quand je suis arrivée en haut, il était encore dans l'entrée. Il me regardait toujours avec son air de chien battu, mais de loin au moins.

Je suis entrée dans ma chambre, je me suis passé de l'eau sur le visage, puis j'ai ôté le pull de Cora et je me suis allongée en travers du lit. Je regardais le coucher du soleil depuis déjà un bon bout de temps lorsque Roscoe est arrivé. Lentement, en avançant de travers à la façon des crabes. Quand il a compris que je l'avais repéré, ses oreilles se sont écrabouillées sur sa tête, comme s'il avait peur que je l'éjecte, mais il a continué d'avancer.

Tous les deux, on s'est regardés dans le blanc des yeux. Puis il s'est rapproché jusqu'à ce qu'il se cale entre mon pied et le bas du lit. Il s'est remis à trembler doucement et ses médailles autour de son cou ont cliqueté. À ce moment-là, j'ai pensé : « Ah non, tout mais pas ça. » J'aurais aimé lui dire que moi aussi j'avais des problèmes à la louche et que j'étais la dernière personne à pouvoir le réconforter, mais j'ai été la première étonnée lorsque je me suis assise pour le caresser. Aussitôt après, il s'est calmé.

Chapitre 4

Au début, j'ai perçu une espèce de grondement lointain rythmé par des bip-bip superagaçants. Tout à fait le genre de bruit qu'on ne veut pas entendre quand on dort bien et qui donnent envie de tuer. Puis, à huit heures pétantes, j'ai cru que c'était la fin du monde.

J'ai fait un saut de carpe dans mon lit et je me suis redressée, tandis que j'entendais un horrible raclement de métal contre la pierre. C'est seulement quand je me suis levée et que je me suis précipitée sur mon balcon perso que j'ai tout compris.

— Jamie !

Ma sœur en pyjama hurlait de son balcon, en serrant la rampe de toutes ses forces. Son mari, frais comme une fleur, une tasse de café à la main et Roscoe à ses pieds, a levé les yeux vers elle et lui a souri de bonheur.

— C'est génial, hein ? On peut vraiment s'imaginer ce que ça va être, maintenant !

Je n'entendis pas le début de la réponse de Cora, couverte par le fracas de la pelleteuse qui repartait de plus belle dans la pelouse. Elle a retiré un beau paquet de terre du cercle que Jamie avait fait avec des pierres, pour le balancer sur un tas déjà impressionnant. Ensuite, lorsque la pelleteuse a reculé, embrayé, prête à repartir enfourner de la terre, il y a eu un court silence après lequel j'ai entendu la fin de ce que disait Cora.

— ... un samedi matin, quand les gens veulent *dormir* !

— Regarde, chérie, c'est notre future mare ! s'exclama Jamie sans l'écouter. Nous avions parlé de commencer les travaux ce matin, tu t'en souviens ?

Cora a passé la main dans ses cheveux, qui se hérissaient comiquement sur un côté, puis elle est rentrée dans leur chambre.

Jamie l'a suivie des yeux, l'air intrigué.

— Salut ! cria-t-il ensuite en me voyant.

La pelleteuse se remit à pelleter dans un épouvantable raffut.

— C'est trop génial, hein ? s'écria-t-il. Avec un peu de chance, le trou sera creusé avant la nuit !

Je fis « oui » pendant que l'engin déchargeait de nouveau de la terre sur le gros tas. Jamie avait raison, on voyait bien ce qui se passait. Il y avait en effet une grosse différence entre une mare en théorie et un trou qui allait au moins jusqu'en Chine. Cela dit, c'était encore difficile de comprendre ce qu'il voulait, c'est-à-dire une mare, un biotope cent pour cent naturel avec des poissons, des roseaux et je ne sais quoi, dans un jardin plat comme ma main. À mon avis, il aurait pu payer le meilleur jardinier-paysagiste du monde, une mare au milieu de sa pelouse aurait toujours l'air tombée du ciel.

Je rentrai à mon tour dans ma chambre et me remis au lit en sachant que je pouvais oublier ma grasse matinée. J'avais du mal à croire que samedi dernier, j'étais encore à la maison jaune, sur le canapé, enveloppée dans une vieille couverture moisie. Cela faisait maintenant une semaine que j'habitais chez Cora. J'avais l'eau courante, le chauffage et je mangeais à ma faim. En gros, mes besoins primaires étaient archisatisfaits, mais je ne me faisais toujours pas à l'idée de vivre ici. J'avais impression que ça ne durerait pas, à tel point que j'avais laissé mes affaires dans mon sac, et le sac au pied de mon lit, comme si j'étais de passage pour des vacances et prête à repartir dans la seconde. Mes affreux vêtements choisis par l'éduc' étaient froissés, à force, mais le fait de fouiller dans mon sac tous les matins et voir ce que je possédais d'un seul coup d'œil me donnait un sentiment de superpuissance. J'en avais bien besoin, parce que, la vérité, c'est que toute ma vie semblait m'échapper.

Le premier soir, Jamie m'avait annoncé que Ben passerait me chercher, et je lui avais répondu que je préférais encore le car scolaire.

— Tu veux vraiment prendre le car ? Tu plaisantes ?

— Il n'y a pas de car de ramassage scolaire pour Perkins, le matin, enchaîna Cora en face de moi à table. Seulement l'après-midi, pour faciliter les activités extrascolaires.

— Alors je prendrai le bus de ville.

— Décidément, tu te compliques la vie, objecta Jamie. Je me demande pourquoi, puisque Ben se rend lui aussi à Perkins et qu'il propose de t'y conduire !

— Il voulait juste être sympa. Il s'en fout de me conduire à Perkins.

— Ah, mais pas du tout ! insista Jamie en prenant le pain. Ben, c'est un prince ! De plus, nous allons participer aux frais d'essence. Tout est déjà réglé !

— Le bus, ça me va.

Cora m'observa.

— Si tu nous expliquais la vraie raison de ton refus ? Tu n'aimes pas Ben, c'est ça ? Ou c'est autre chose ?

Je pris ma fourchette et la piquai dans mon asperge.

— Aller au lycée avec lui, c'est galère, dis-je avec tout mon calme. Si je prends le bus, au moins, je pourrai partir quand je veux et ne pas dépendre de lui, c'est tout.

— Mais tu dépendras des horaires du bus, ce qui est encore pire ! dit Jamie.

Puis il réfléchit et ajouta :

— On devrait peut-être t'acheter une voiture ? De cette façon, tu serais réellement indépendante.

— Nous n'achèterons pas une autre voiture, déclara Cora comme si elle avait parlé du temps qu'il faisait.

— Mais elle a dix-sept ans, souligna Jamie. Il faut qu'elle puisse se déplacer librement.

— Alors elle prendra le bus, reprit Cora. Ou elle ira à Perkins avec Ben. Ou bien elle utilisera ta voiture.

— Comment ça : ma voiture ?

Cora ne lui répondit pas. Elle me parlait.

— Si tu veux prendre le bus, très bien. Mais si tu arrives en retard au lycée, tu devras aller avec Ben. On est d'accord ?

D'accord. Après le dîner, je suis allée sur Internet et j'ai imprimé quatre horaires de bus différents, en entourant ceux qui me feraient arriver au lycée avant la sonnerie. C'est clair, je serais obligée de me lever plus tôt et de marcher jusqu'à l'arrêt le plus proche, qui n'était pas proche du tout, mais ça en valait la peine.

C'est ce que je pensais, jusqu'à ce que, le lendemain matin, j'arrête la sonnerie du réveil et que je me rendorme. Je suis donc descendue à sept heures vingt. Je voulais prendre un muffin et filer en courant, mais Cora m'attendait au détour.

— Début des cours dans trente minutes ! lança-t-elle sans lever les yeux de son journal.

Elle se mouilla le doigt et tourna une page.

— Si tu veux mon avis, le bus, c'est fichu pour aujourd'hui.

Dix minutes plus tard, j'ai donc attendu devant la maison, pas trop contente, et avec un muffin pour la route. Ben est arrivé tout de suite. En me voyant, il a ralenti, puis freiné.

— Salut !

Il s'est penché pour m'ouvrir la portière.

— Alors ? Tu as changé d'avis ?

Bien sûr que non. Je ne voulais surtout pas me faire d'amis. Hélas, aller au lycée avec Ben, ça me compliquait l'existence. Mais comme je n'avais pas le choix, je suis montée devant et j'ai posé mon muffin sur mes genoux.

— On ne mange pas dans la voiture.

La voix était sans expression et venait du siège arrière. J'ai tourné la tête et j'ai vu un gamin en veste de marin, avec un appareil à multibagues et un casque orthodontique, qui tenait un livre ouvert sur les cuisses. Bref, un troll avec une calandre de Mercedes dans la bouche.

— Hein ?

Il a décollé de la banquette pour se rapprocher. J'ai vu les bagues de son appareil et son casque orthodontique briller sous le soleil qui passait au travers du pare-brise.

— J'ai dit : on ne mange pas dans la voiture.

Il a pointé l'index sur mon muffin.

— C'est le règlement.

J'ai regardé Ben, puis le troll.

— Tu es qui, toi ? dis-je.

— Et toi ?

— C'est Ruby, intervint Ben.

— C'est ta nouvelle copine ?

— Non ! dis-je en même temps que Ben.

Je devais être toute rouge. L'affreux gamin s'est adossé à son siège.

— Alors tu ne manges pas. Les petites amies sont la seule exception au règlement.

— Gervais, la ferme.

Gervais reprit son livre et en tourna une page. Ben s'engageait sur la nationale.

— Où est-ce que tu le conduis ? demandai-je. Au collège ?

— Erreur ! intervint Gervais.

Il parlait du nez, comme Donald Duck. C'était crispant.

— Il est en seconde, expliqua Ben.

— En seconde !

— T'es sourde ou quoi ? demanda Gervais.

Ben le regarda dans le rétroviseur.

— Gervais est en avance pour son âge, dit-il en changeant de file. Il va à Perkins le matin, et à l'université, l'après-midi.

— Oh, dis-je tandis que je regardais de nouveau Gervais.

Il m'ignorait. Il avait le nez dans son bouquin, un truc gros et épais, écrit serré.

— Tu passes prendre quelqu'un d'autre ? demandai-je à Ben.

— On passait chercher Heather, quand elle sortait avec Ben, me renseigna Gervais sans lever les yeux de son bouquin. Elle mangeait dans la voiture. Des gaufrettes fourrées à la framboise.

À côté de moi, Ben, gêné, toussota et regarda par la vitre.

— Mais il y a deux semaines, continua Gervais de sa voix de robot en tournant une page, elle a plaqué Ben. Pas vraiment un scoop, mais Ben te dira le premier qu'il n'a rien vu venir.

J'observai Ben qui soupira lourdement.

— Non, je ne passe prendre personne d'autre..., répondit-il enfin.

Ça s'est arrêté là, ouf. Et lorsque Ben s'est garé dans le parking, cinq minutes plus tard, Gervais est sorti le premier, son énorme sac à dos sur son dos de troll, et il a filé, direction la cour, sans nous dire un mot.

Je l'aurais bien suivi pour vivre ma vie, mais Ben est venu me coller, comme si notre complicité allait de soi, après cinq minutes ensemble dans la même voiture. Il avait l'air de bien assurer, sur le plan des relations humaines. Mais pour moi, c'était l'inconnu total.

— Au fait, je voulais te dire, à propos de Gervais...

— Il est charmant.

— Entre autres. Tu sais, il n'est pas si...

Il se tut, pour se concentrer sur la BMW verte qui passait devant nous et se garait plus loin. Un instant plus tard, la portière côté conducteur s'ouvrit et Heather, la blonde de mon cours d'anglais, petit pull blanc en maille fine et lunettes de soleil sur la tête, sortit avec une besace bourrée à craquer.

Elle a claqué sa portière d'un coup de hanche et s'est éloignée en faisant gonfler ses cheveux du bout des doigts. Ben l'a regardée un bon moment, puis il a toussoté et fourré ses mains dans ses poches.

— Il n'est pas si quoi ? insistai-je.

— Hein ? Quoi ?

Devant nous la blonde qui, je l'avais deviné, était la dévoreuse de gaufrettes fourrées à la framboise, s'approchait de son casier et posait sa besace par terre.

— Non, rien, dis-je. À plus.

— Oui, à plus, répondit Ben distraitement alors que j'accélérais pour le semer.

Il l'observait toujours. Pathétique. Pauvre type. Enfin, ça n'était pas mon problème, parce que j'avais décidé de suivre mon plan et de prendre le bus tous les matins.

Mais le lendemain, je me rendormis après la sonnerie du réveil et j'ai de nouveau loupé mon bus. Au début, ça m'a vraiment énervée, puis pendant que je prenais ma douche, j'ai pensé que ça n'était pas la fin du monde d'aller au lycée avec Ben. D'autant que le trajet jusqu'à Perkins était court.

— Tu utilises quelle marque de shampoing ? me demanda Gervais de sa banquette arrière quand je montai dans la voiture, les cheveux encore humides.

Je détournai mon regard.

— Aucune idée. Pourquoi ?

— Parce que ça pue. Ça sent l'écorce pourrie.

— L'écorce pourrie ?

— La ferme, Gervais, intervint Ben.

— Je disais ça pour parler, grommela Gervais en se ratatinant sur son siège.

Je me suis retournée et je lui ai lancé un regard mortel. Le troll m'a considérée avec ses yeux de grenouille à cause de ses lunettes, mais j'ai tenu bon et je n'ai pas cligné. C'est lui qui a laissé tomber : il a vite tourné les yeux vers la vitre de la portière.

Facile de casser les sales gosses de douze ans. Quand je me suis enfin détournée, j'ai rencontré le regard de Ben.

— Quoi ? demandai-je.

— Rien. J'admirais juste la technique.

En arrivant à Perkins, Gervais a filé comme hier, et de nouveau, Ben et moi avons continué ensemble. Non seulement je sentais sa présence, très envahissante (ce qui était déjà plutôt bizarre), mais j'ai aussi remarqué les réactions étonnées des autres de Perkins, qui sortaient de voiture ou étaient déjà devant leurs casiers. C'était beaucoup d'attention pour rien. En plus, c'était gênant et embarrassant.

Dès mon premier jour à Perkins, j'avais automatiquement pris la « nouvelle élève attitude », en clair : ne jamais se faire remarquer et avoir le moins de contacts possible. J'avais perfectionné ce système pendant toutes les années où maman et moi, on déménageait sans arrêt. Mais Perkins Day, c'était tout petit et, forcément, j'avais vite attiré l'attention. Surtout qu'on avait tout de suite fait le rapprochement entre moi et Jamie. « Salut, UMe ! » m'avait crié un abruti dans le grand hall, quelques jours plus tôt. Difficile de rester anonyme dans ces conditions-là.

Et même impossible à cause de Ben qui avait décidé que nous étions amis. Dès mon deuxième jour à Perkins, j'avais compris qu'il était l'un des élèves les plus populaires du lycée, du coup, en allant du parking au lycée avec lui, je le devenais aussi. (Enfin, pour ceux de Perkins.) La plupart des nanas auraient adoré. Moi, je détestais.

Un groupe de cheerleaders près d'une Volkswagen toute neuve a ricané sur notre passage. Ça m'a énervée, mais Ben ne les a même pas remarquées : il dévorait des yeux la BMW verte garée plus loin. Heather, derrière le volant, son gobelet de Jump Java à la main, parlait avec Jake Bristol, le baraqué qui dormait en anglais, accoudé à la vitre de sa portière.

Les histoires d'amour de Ben, ça ne me regardait pas. Mais quand je voyais les gens mal se comporter, genre Gervais le matin, je ne pouvais pas m'empêcher de m'en mêler. Tant pis pour Ben si je lui disais ses quatre vérités, il l'avait bien cherché, il n'avait qu'à pas me coller.

— La regarder avec des yeux de merlan frit, ça craint.

— Hein ? Quoi ?

Je lui montrai Jake et Heather.

— Quand tu tiens à quelqu'un qui t'ignore, le pire c'est de le lui montrer.

— Mais je ne tiens pas à elle.

S'il le prenait sur ce ton...

— OK. Moi, tout ce que je peux te dire, c'est que si tu veux la récupérer, tu dois faire comme si tu t'intéressais pas à elle. Personne n'aime les faibles et les mendiants, ça fait trop pitié. C'est la règle de base n° 101.

— La règle de base n° 101 ? répéta-t-il, sceptique. Tu donnes des cours ou quoi ?

— Ce n'est qu'un conseil. Tu en fais ce que tu veux.

Je croyais qu'il n'en ferait rien, justement, mais le lendemain matin, on traversait le parking vers le lycée, notre habitude maintenant, lorsque la BMW de Heather est arrivée. Même moi je la remarquais, c'est dire. Ben a fait son indifférent. Il m'a regardée rapide, et ne s'est pas arrêté de marcher.

Là-dessus, la semaine a passé. Tous les matins, je perdais la guerre contre la sonnerie du réveil, j'étais donc obligée d'aller à Perkins avec Ben et de marcher jusqu'à l'entrée du lycée avec lui, sous les regards des autres. Ça n'était plus la peine de me braquer. Ben et moi, on devenait des amis. Enfin, quelque chose du genre. Du moins pour lui.

C'était incroyable, parce que tous les deux, on n'avait rien en commun. Moi, j'étais une vraie solitaire, à bout de tout et avec une vie à la con. Ben, lui, c'était un fils à papa, le mec le plus populaire de Perkins. Mignon, gentil et charmant. Et en plus, vice-président des lycéens, élu roi du lycée, délégué et enfin champion du volontariat. J'entendais son nom partout, dans les annonces du matin par le haut-parleur.

Les terminales voulaient trouver de l'argent pour leur voyage de fin d'année ? Contactez Ben Cross ! Vous voulez aider à faire le grand nettoyage de printemps sur le campus ? Voyez Ben ! Il vous faut un lycéen pour étudier en binôme en prévision des examens de la mi-semestre ? Ben Cross est votre homme !

Mais Ben n'était pas mon homme, même si ceux de Perkins avaient une autre vision des choses, comme je l'avais remarqué au cours de la semaine, et pas seulement à cause des regards dans le parking. La rupture entre Heather et Ben, ç'avait été la nouvelle de l'année. Ils avaient en effet rompu depuis déjà deux ou trois semaines, et j'en entendais encore parler ! Ils avaient commencé à sortir ensemble en troisième, lorsque Ben était arrivé d'Arizona, puis ils avaient été élus roi et reine du lycée, en première, et ils avaient projeté d'aller étudier dans la même université, l'année prochaine. Cela dit, je ne savais pas pourquoi ils avaient rompu. J'avais pourtant tout entendu, et je le précise, sans rien demander à personne. « Tu sais quoi ? Ben serait sorti avec une autre fille, à la plage ! » « Heather voulait être libre de sortir avec d'autres mecs ! Je te jure que c'est vrai ! » Tout cela pour dire que, finalement, personne ne savait la vérité.

Ça expliquait pourquoi tout le monde à Perkins s'intéressait à moi. Le type le plus populaire du lycée était scotché à la nouvelle après avoir rompu avec son grand amour. Vous me direz, c'est la suite de l'histoire, ou ça y ressemble, alors évidemment, c'est normal que les autres se fassent des films. Dans un autre lycée, ou dans une autre ville, ça l'était. Mais quand on y réfléchissait bien, à Perkins rien n'était normal.

J'avais carrément l'impression d'être sur une autre planète : les profs semblaient vraiment contents d'enseigner ici. La bibliothèque était monstrueusement grande, avec des ordinateurs tout neufs et en état de marche, la cafétéria proposait un bar à salades et à smoothies. De plus, comme on n'était pas nombreux, en classe, c'était impossible de roupiller tranquille dans son coin. Résultat, j'étais persécutée par les profs. Je n'avais jamais été une bonne élève à Jackson, pourtant même avec le boulot de ma mère tous les soirs, les amis et le reste, j'arrivais à avoir plus que la moyenne. Maintenant que je n'avais plus ni voiture ni amis, j'avais tout mon temps pour étudier, mais je n'en avais pas assez. Je me répétais que ça n'était pas la peine de me prendre la tête pour rester à niveau parce que je ficherais le camp dès que j'aurais assez d'argent. Mais une fois que j'étais rentrée à la maison, je m'ennuyais tellement que j'ouvrais mes bouquins pour me mettre au travail. Sérieux, ça me faisait passer le temps.

À Perkins, la mentalité aussi était différente. Par exemple, à Jackson au moment de la pause de midi, la cafète était remplie à craquer, et comme il n'y avait pas assez de tables pour tout le monde et qu'il y régnait un mal-être, mal de vivre général, il y avait toujours de gros drames : des coups de poing, des hurlements et des prises de tête qui duraient à peine deux secondes et qui n'intéressaient personne. Mais à la cafète et sur la pelouse de Perkins, on se serait cru dans un restau étoilé tant c'était poli et calme. Les trucs les plus chauds, c'était lorsque les lycéens des tables HELP déliraient sur je ne sais quoi, ce qui déclenchait toujours de grandes discussions qui restaient malgré tout très correctes.

Tiens, les tables HELP, justement. C'était une vraie curiosité. Tous les jours au moment de la pause déjeuner, des lycéens installaient un espace d'information sur l'une des tables à droite de la cafète, où ils collaient une affiche et posaient des brochures. Le but, c'était de soutenir la cause sur laquelle ils informaient. Depuis que j'étais à Perkins, j'avais tout vu : des pétitions contre la faim dans le monde, jusqu'à une collecte d'argent en vue d'acheter une télé à écran plat pour le service de pédiatrie de l'hosto de la région. Chaque jour, il y avait une nouvelle cause qui avait besoin de notre aide et de notre attention. « C'EST MAINTENANT, ALORS SIGNEZ, SVP ! », « DONNEZ » ou « TENDEZ LA MAIN, C'EST LE MOINS QUE VOUS PUISSIEZ FAIRE ! ».

Je n'étais pas une sans-cœur. Moi aussi, je croyais à l'entraide et à la solidarité, mais après ce que j'avais vécu ces derniers mois, je n'arrivais pas à m'intéresser aux causes désespérées. De plus, ma mère m'avait trop bien appris à m'occuper de ma vie, et depuis que j'avais été débarquée chez Cora et à Perkins, je trouvais que c'était en effet la solution la plus futée. Mais quand même, chaque fois que je passais devant la table HELP et que je voyais la cause du jour : « Bientôt une marche pour lutter contre le sida », « Achetez un cookie pour soutenir les jeunes écrivains ! » ou « Sauvez les animaux ! », je me sentais dérangée par cette mendicité et encore plus par l'effet boomerang promis et garanti. Vous savez, la fameuse loi d'attraction : ce que vous donnez vous sera rendu au centuple, et blablabla. Personnellement, ça m'empêchait encore plus de donner.

Heather Wainwright, elle, était une vraie généreuse : toujours à la table HELP à défendre toutes les causes du monde. Je l'avais vue faire une conférence de pro sur le Tibet sous le joug des Chinois à des nanas au régime qui descendaient des smoothies, vendre des cupcakes pour faire avancer la recherche contre le cancer, demander des volontaires pour qu'ils nettoient la portion de l'autoroute sponsorisée par Perkins. Quelle que soit la cause, elle parlait toujours avec la même passion. Voilà pourquoi, à mon avis, toutes les rumeurs sur Ben et moi étaient complètement à côté de la plaque. Heather et moi on n'était pas pareilles, je n'étais pas le type de fille de Ben.

Mais si j'avais voulu, j'aurais pu me faire des amis avec les élèves qui me ressemblaient. La clique des défoncés de Perkins Day était moins déglinguée que celle de Jackson, néanmoins, comme à Jackson, on les reconnaissait de loin. Ils étaient toujours au fond de la cour, pas très loin du bâtiment des arts, dans un coin que tout le monde appelait le *Smokestack*, la Cheminée, parce que ça fumait sec. À Jackson, les babas cool et les artistes étaient deux groupes distincts, mais à Perkins, ils avaient fusionné. Peut-être parce qu'ils n'étaient pas beaucoup et que l'union fait la force, c'est bien connu. On voyait donc des nanas en robe vintage et bottes de combat, avec plein de tatouages et des cheveux de toutes les couleurs, au milieu de mecs en tee-shirt pourri rock'n'roll qui jouaient au footbag en claquettes. Ceux du *Smokestack* déjeunaient après tous les autres, parce qu'ils venaient des terrains de foot du bas, qui étaient assez loin des bâtiments principaux. On les voyait s'échanger discrètement leur collyre pour soulager leurs yeux trop rouges (à cause de trop de fumette), puis s'attaquer aux distributeurs comme des vengeurs de l'Apocalypse. C'était un comportement de défoncé si classique et tellement évident que je me posais des questions. Comment ça se faisait que l'administration ne les ait pas encore éjectés ?

Je n'aurais eu aucun mal à m'intégrer à leur bande, mais je n'en avais pas envie. Je déjeunais donc en tête à tête avec mon sandwich tous les midis. Peut-être parce que je savais que je ne resterais pas longtemps à Perkins. Ou plutôt, parce que j'avais une seconde chance de repartir de zéro. Même si je n'avais pas demandé à venir dans ce lycée, j'aurais été bête de ne pas essayer de mieux faire, surtout que glandouiller et fumer, on ne peut pas dire que ça m'avait réussi jusque-là.

Il y avait pourtant quelqu'un avec qui j'aurais pu me lier si j'avais insisté. Justement parce qu'elle avait encore moins envie que moi de se faire des amis.

Je commençais à bien cerner Olivia Davis, ma voisine de classe et aussi une ancienne de Jackson. Primo, elle était toujours pendue à son portable. Une vraie accro. Dès que ça sonnait, elle le dégainait plus vite que son ombre et appuyait sur les touches. Elle parlait entre chaque cours, pendant la pause déjeuner, où elle mangeait son sandwich maison, seule dans son coin comme moi. D'après le peu que j'entendais, elle causait surtout avec ses potes. Mais parfois, quand elle prenait une voix énervée du genre : cause toujours tu m'intéresses, c'est clair, elle avait ses parents au bout du fil. Les trois quarts du temps, elle parlait à toute vitesse du lycée, des fêtes et du stress, comme tous les autres de Perkins. La seule différence avec eux, c'est qu'elle semblait parler toute seule puisque je n'entendais pas les réponses.

J'avais vite percuté qu'Olivia n'aimait pas Perkins Day et elle ne se gênait pas pour le dire. J'avais moi aussi mon opinion sur les gens de ma classe et leur mentalité, mais je préférais m'écraser.

« Ouais, c'est ça, dit-elle un jour à mi-voix alors que Heather Wainwright analysait le symbolisme de la pauvreté dans *David Copperfield*. Comme si tu savais ce que c'est d'être pauvre avec une BMW et une baraque à plusieurs millions de dollars. »

« Ah oui, murmurait-elle lorsqu'un des musclés du fond comparait sa frustration, après avoir raté une culture des micro-organismes en cours de bio, avec les immenses tourments de Daniel Peggotty dans *David Copperfield*. Explique-nous combien tu souffres, mon gars, on est carrément scotchés à tes lèvres ! »

Parfois, elle ne disait rien, mais elle soupirait très fort, secouait la tête et levait les yeux au ciel comme si elle se retenait d'exploser. Les premiers temps, c'était marrant, mais ça m'a vite gonflée. Et justement, vendredi, elle faisait cette comédie en écoutant un élève qui essayait de définir ce qu'était un ouvrier, quand j'ai explosé :

— Mais enfin, qu'est-ce que tu fiches dans ce lycée si tu le détestes autant ?

Elle a tourné la tête lentement et m'a regardée comme si elle ne m'avait jamais vue.

— Pardon ?

— Franchement, c'est de l'argent jeté par les fenêtres parce que, Perkins, c'est hypercher.

Olivia a remué sur sa chaise, comme si cela l'aidait à comprendre pourquoi j'avais le culot de lui parler.

— Désolée, mais on se connaît ?

— Je te dis ce que je pense, pas la peine de le prendre sur ce ton.

Pendant ce temps, Mme Conyer expliquait la signification de l'expression *in statu quo ante*, qu'un personnage utilise, au chapitre 27 de *David Copperfield*. J'ai tourné les pages de mon cahier pour prendre des notes. Je savais qu'Olivia me fixait toujours. Au bout d'un moment, je l'ai regardée droit dans les yeux pour lui prouver qu'elle ne me faisait pas peur.

— Et toi, pourquoi tu es là ? me demanda-t-elle.

— Pas le choix.

— Moi non plus, si tu veux savoir !

Ça me suffisait, mais elle a continué :

— J'étais bien à Jackson, mais mon père a voulu m'inscrire à Perkins et il m'a forcée à demander une bourse. Meilleur enseignement, meilleurs profs, comme il disait. Et meilleurs camarades de classe. Voilà, tu es contente maintenant ?

— Jamais dit que je n'étais pas contente. C'est toi qui râles tout le temps. Pas moi.

Olivia a haussé les sourcils. J'ai compris qu'elle était surprise et que ça ne lui arrivait pas souvent.

— Tu t'appelles comment, déjà ?

— Ruby Cooper.

— Ah, dit-elle comme si cela expliquait tout.

À la fin du cours d'anglais, elle est passée devant moi pour sortir, portable déjà à l'oreille. Elle ne m'a pas parlé, mais on s'est regardées comme si on se reconnaissait.

Et maintenant, on était samedi matin, j'étais allongée sur mon lit. Soudain, j'ai entendu un horrible crash suivi par une série de bip-bip-bip déments dans le jardin. Je me levai et je courus à la fenêtre. Le trou s'était agrandi, l'argile rouge et la roche à nu faisaient un drôle de contraste avec le vert de la pelouse tout autour. Jamie était toujours dans le patio avec Roscoe. Mains dans les poches, il se balançait sur ses talons en regardant la pelleteuse faire son boulot de pelleteuse. J'avais du mal à me souvenir que le jardin était tout beau tout propre, douze heures plut tôt. Comme quoi il faut une minute à peine pour changer quelque chose et, en plus, vous faire oublier à quoi ça ressemblait, la minute d'avant.

Dans la cuisine, le bruit était carrément intenable. Les baies vibraient. Cora s'était habillée en vitesse et, les cheveux humides, avait rejoint Jamie dans le jardin. Il lui expliquait je ne sais quoi en faisant de grands gestes tandis qu'elle secouait la tête sans enthousiasme.

Je me suis servi un bol de céréales pour éviter une conférence de mon beau-frère sur les bienfaits d'un bon petit déjeuner, le meilleur moment de la journée, etc., puis j'ai pris le journal. J'allais m'asseoir lorsque j'entendis un bang, et je vis Roscoe passer par sa chatière.

Quand il m'a vue, il a dressé ses oreilles et a trottiné vers mes pieds qu'il a reniflés. Je l'ai enjambé pour me mettre à table, mais il m'a suivie, comme le jour du traumatisme des lasagnes. J'avais beau faire, ce chien m'aimait.

— Tu sais, m'avait expliqué Jamie hier pendant le dîner en voyant Roscoe me regarder avec ses yeux de chien, c'est étonnant, parce qu'il n'aime pas tout le monde.

— Je ne suis pas folle des chiens.

— Ça n'est pas seulement un chien. C'est Roscoe.

Super-consolation. Surtout maintenant où j'aurais voulu lire mon horoscope en paix. Difficile avec Roscoe assis sur mes pieds qui faisait sa toilette et se léchait le poil avec concentration.

— Arrête ! dis-je en lui donnant un petit coup de pied.

Il a levé la tête. L'un de ses grands yeux de chien pleurait : d'après ce qu'on m'avait dit, cet œil-là pleurait toujours. Au bout d'un moment, il s'est remis à se lécher.

— Tiens, tu es levée ? dit Cora qui entrait. Attends, laisse-moi deviner : tu ne pouvais plus dormir ?

— Plus ou moins.

Elle s'est versé une tasse de café et s'est approchée.

— Moi, je voulais une piscine..., dit-elle avec un soupir tandis qu'elle s'asseyait en caressant Roscoe au passage. Au moins, on aurait pu se baigner, nager...

Je levai les yeux sur elle, puis sur le jardin qui avait disparu en Chine par le trou.

— Une mare, c'est bien. Tu as des poissons.

Elle a soupiré.

— Typique... Il a réussi à t'attirer dans son camp.

J'ai haussé les épaules et tourné une page du journal.

— Je ne suis dans le camp de personne.

J'ai lu les programmes du ciné, puis Cora a bu quelques gorgées de café avant de reprendre :

— Bon. Je pense qu'il est temps de mettre certaines choses au point.

Au même moment, la pelleteuse s'est arrêtée de pelleter et tout est redevenu hyper-calme. Je repliai le journal et le repoussai.

— Vas-y.

Cora tripotait l'anse de sa tasse, très concentrée. Puis elle a levé les yeux sur moi, comme si c'était important de me dire les choses en face.

— Tu ne seras pas surprise si je te dis que la situation est inattendue pour toutes les deux. Il va nous falloir un peu de temps pour nous habituer.

J'avalai une autre cuillerée de céréales et je regardai Roscoe, maintenant allongé sur les pieds de Cora, museau sur les pattes de devant et pattes de derrière étalées comme celles d'une grenouille.

— C'est clair.

— Le plus important, me dit-elle en s'adossant à sa chaise, du moins pour Jamie et pour moi, c'est que tu prennes bien tes marques chez nous et au lycée. Retrouver un rythme de vie, c'est faire un premier pas vers la normalité.

— Je ne suis plus un bébé. Je n'ai pas besoin d'un programme sur mesure.

— Ce que j'essaie de te dire, c'est que nous allons étudier les problèmes un à un. J'imagine que ça n'ira pas sans mal... Cependant, je tiens à préciser que nous pouvons toujours tirer des leçons de nos expériences négatives.

Manquait plus que ça. J'étais peut-être toujours en pilotage automatique, option survie, mais son blabla me semblait affreusement gnangnan. Inspiré d'un bouquin genre : *Gérer votre ado en crise*. J'étais bien une ado. En crise ? Possible, ça restait à voir.

— Je pense aussi que nous devrions te faire consulter un psy, ajouta Cora. Tu vis une période de transition, et parler à un spécialiste pourrait...

— Non.

— Non ?

— Je n'ai pas besoin de parler. Je vais bien.

— Écoute, Ruby, je ne suis pas la seule à le penser. Shayna, du foyer d'accueil, affirme que si tu acceptais de parler de ta situation, tu en tirerais un immense bénéfice.

— Shayna du foyer d'accueil m'a vue pendant trente-six heures, donc elle ne me connaît pas. Et rester vissée le cul sur une chaise pour parler du passé ne changera rien. Inutile, je te dis.

Cora avala une nouvelle gorgée de café.

— Certaines personnes pensent qu'une thérapie fait du bien.

Certaines, pas toutes, pensai-je en la regardant boire.

— Moi, je ne veux pas que tu t'en fasses pour moi, dis-je. Surtout que tout ça, c'est du temporaire.

— Temporaire ? Que veux-tu dire ?

— J'aurai dix-huit ans en mai.

— Et alors ?

— Et alors je serai majeure et je pourrai vivre ma vie.

— Je vois... Parce que ta vie était belle jusque-là ?

— Écoute, tu devrais plutôt être contente, dis-je alors que la pelleteuse se remettait à pelleter, ce qui fit sursauter Roscoe. Tu devras me supporter seulement pendant sept mois. Après, je débarrasserai le plancher.

Pendant un moment, elle m'a regardée en papillonnant des yeux comme si elle n'en revenait pas.

— Mais pour aller où ? Retourner dans ce taudis ? À moins que tu ne te loues un appartement ? Avec quel argent ?

J'ai eu chaud au visage parce que je rougissais.

— Tu ne...

— Ou peut-être vas-tu retourner vivre avec maman, où qu'elle soit, continua-t-elle d'une voix forte, comme si elle jouait dans une tragédie. Parce qu'elle doit avoir une super-maison avec une jolie petite chambre d'amis qui n'attend que toi. C'est ça, ton plan ?

Dans le jardin, la pelleteuse faisait un boucan du tonnerre en creusant toujours plus profond.

— Tu ne sais rien de moi, Cora. Rien du tout.

— La faute à qui ?

J'ouvris la bouche, prête à répondre. Tout de suite les grands mots ! C'était trop facile ! Pourtant, c'est elle qui avait fichu le camp et qui n'était plus jamais revenue ! C'est aussi elle qui avait arrêté de téléphoner et de prendre de nos nouvelles. Une fois libre et loin, elle avait choisi d'oublier d'où elle venait et de nous rayer de sa mémoire. J'allais cracher le morceau, mais elle me fixait avec une telle méfiance que j'ai hésité à dire ma vérité que je connaissais par cœur.

Je me suis donc remise à manger.

— Ce que je veux dire, c'est que tu n'as pas besoin de chambarder toute ton existence et celle de Jamie à cause de moi. Continue ta vie. Ça n'est pas comme si j'étais un bébé qui te tombait tout à coup dans les pattes. Tu n'es pas obligée de t'occuper de moi ou de me surveiller.

Elle a fait une drôle de tête, tout à coup, et son regard est devenu distant. J'ai eu l'impression qu'elle reculait tout en restant assise en face de moi. Puis elle a baissé les yeux sur sa tasse de café et a toussoté.

— Bien sûr.

Elle a repoussé sa chaise, s'est levée et s'est approchée de la cafetière pour se verser une autre tasse. Dos toujours tourné, elle a repris :

— Au fait, tu vas avoir besoin de quelques vêtements.

— Pas la peine, ça ira, dis-je, baissant les yeux sur mon jean que j'avais passé à la machine deux fois en trois jours, et le tee-shirt délavé que j'avais porté le dernier jour à Jackson.

Cora prenait déjà son sac à main.

— J'ai un rendez-vous, ce matin, et Jamie doit rester à la maison, dit-elle en sortant quelques billets qu'elle me tendit. Mais toi, va au nouveau centre commercial. Passe par la coulée verte. Jamie t'expliquera.

— Tu n'as pas besoin de...

— Je t'en prie, Ruby.

Sa voix était épuisée.

— Prends cet argent et ne discute pas.

J'ai regardé l'argent, puis Cora.

— Bon, d'accord. Merci.

Elle a hoché la tête et elle est sortie de la cuisine, son sac sous le bras. Roscoe l'a suivie des yeux, puis il m'a observée pendant que je comptais les billets. Deux cents dollars en tout. Pas mal, j'ai pensé. Mais j'ai attendu que Cora soit montée pour les mettre dans ma poche.

Là-dessus, Jamie est entré avec sa tasse de café vide à la main.

— Bonjour ! lança-t-il, nageant manifestement dans une mare de bonheur.

Roscoe s'est levé pour le suivre comme son ombre pendant qu'il prenait un muffin.

— Alors, vous avez programmé votre journée shopping ? reprit Jamie. Et pour info, ça ne sera pas seulement un petit survol du centre commercial ! Cora a insisté pour que ça soit un vrai plan d'attaque !

— On ne va pas faire de shopping.

— Ah bon ?

Il se détourna, surpris.

— Je pensais que vous passeriez une journée entre filles avec déjeuner, papotage et tout ce qui s'ensuit.

Je haussai les épaules.

— Non, Cora a dit qu'elle avait un rendez-vous.

— Oh... Où est-elle ?

— En haut.

Il a hoché la tête et regardé une dernière fois la pelleteuse qui reculait en bipbipant, puis moi, avant de sortir de la cuisine et monter les escaliers. Roscoe qui l'avait suivi jusqu'à la porte de la cuisine s'est arrêté pour me regarder.

— File, lui dis-je. Ici, il n'y a rien à voir.

Évidemment, il n'a pas obéi. D'ailleurs, au moment où les voix de Jamie et de Cora se sont élevées (ils parlaient de moi, c'est sûr), il s'est rapproché avec les cling-cling de ses médailles, et s'est assis à mes pieds. Bizarre comme dans cette maison aussi grande il était difficile d'être seule.

Une heure et demie plus tard, les sous de Cora en poche, je sortis dans le jardin demander à Jamie où se trouvait le raccourci pour aller au centre commercial. Mon beau-frère était au fond, de l'autre côté du trou, maintenant très grand et très profond, de sa future mare. Il parlait avec un type.

J'ai d'abord cru que c'était l'un des ouvriers du chantier, mais lorsque je me suis approchée, j'ai vite compris que ce mec-là ne conduisait pas des pelleteuses pour gagner sa vie.

Il était grand avec des cheveux à moitié gris et bronzé comme une star de ciné. Il portait un jean délavé, des mocassins en cuir et un pull en cachemire, à mon avis très luxe, ainsi que des lunettes de soleil superchères accrochées à l'encolure de son pull. Tout en parlant avec Jamie, il jouait avec son trousseau de clés.

— ... je pensais que vous alliez creuser jusqu'en Chine ! dit l'homme. Ou que vous cherchiez du pétrole ?

— Non, c'est juste une mare.

— Sans blague, une mare ?

— Oui !

Jamie fourra les mains dans ses poches et regarda sa presque mare.

— Et en plus, qui respecte l'environnement en général et le quartier en particulier. Cent pour cent naturel !

— Cher ?

— Non, pas trop. Enfin, je veux dire, ça l'est au début, mais c'est un bon investissement. Avec le temps, ce bassin donnera de la valeur au jardin.

— En tout cas, si vous cherchez un investissement, passez me voir un de ces jours, pour que nous parlions au calme, reprit l'homme en se remettant à agiter ses clés dans tous les sens. J'ai deux-trois bricoles sur le feu qui pourraient vous intéresser. En fait, je...

— Tiens, c'est toi, Ruby ? coupa Jamie.

Il a posé sa main sur mon épaule et fait les présentations.

— Blake, je vous présente la petite sœur de Cora. Elle va habiter chez nous pendant quelque temps. Ruby, voici Blake Cross, le père de Ben.

— Ravi de te rencontrer, dit M. Cross en me tendant la main.

Poigne ferme et regard droit dans le vôtre. Tout à fait le genre de stratégie qu'on devait enseigner dans les écoles de commerce.

— Je tentais de convaincre ton beau-frère qu'il ferait mieux d'investir son argent dans une bonne idée plutôt que dans la terre. Tu n'es pas d'accord ?

— Heu... dis-je alors que Jamie me souriait avec sympathie. Je ne sais pas.

— Mais si, tu le sais ! Parce que c'est logique !

M. Cross se mit à rire et à agiter ses clés, tout en observant Jamie qui fixait la pelleteuse.

— Jamie ? Cora m'a dit que tu m'expliquerais le chemin pour aller au centre commercial.

— Le centre commercial ? Par la coulée verte, évidemment. En bas de la rue, sur ta droite. Tu prends après le portail en pierre de l'entrée.

— Tu ne peux pas la louper, enchaîna M. Cross. Il n'y a qu'à voir le monde qui emprunte cette coulée sans faire partie de la résidence.

— Voyons, Blake, objecta Jamie, cette voie est ouverte à tous.

— Dans ces conditions, je me demande pourquoi on l'a ouverte auprès d'une résidence protégée par un portail et un mur d'enceinte ! déclara M. Cross. Écoutez, je suis plutôt conciliant et j'ai les idées larges, mais si nous avons choisi d'habiter cet endroit, c'est pour une raison précise, n'est-ce pas ? Pour être entre gens de bonne compagnie. Ouvrez une brèche et, vous verrez, nous serons envahis par la plèbe !

— Pas forcément.

— À d'autres, Jamie ! Dites-moi plutôt combien vous avez payé la maison et le terrain ?

— Vous le savez bien, Blake, répondit Jamie qui semblait mal à l'aise. Ça n'est pas vraiment...

— Un million ou quelque chose d'approchant ? insista M. Cross.

Jamie soupira et tourna de nouveau les yeux sur la pelleteuse.

— À ce prix-là, vous êtes en droit d'exiger le must, la sécurité, des voisins partageant votre vision de la société, l'impression de vivre dans un lieu unique, ou...

— ... la possibilité de creuser une mare, dis-je tandis que la pelleteuse reculait en faisant bip-bip.

— Pardon ? demanda M. Cross qui mit sa main derrière son oreille.

— Non. Rien du tout, dis-je.

Jamie me regardait en souriant.

— Ravie de vous avoir rencontré.

M. Cross a hoché la tête, et s'est remis à parler à Jamie alors que je retraversais le jardin. Je me suis arrêtée devant le trou et j'ai regardé dedans. C'était profond, large, grand et différent de ce que j'avais imaginé, après les descriptions de Jamie. Mais il peut y avoir des changements entre un projet et sa réalisation. Le plus important, finalement, c'est que le résultat soit toujours différent.

Chapitre 5

Je ne sais pas si c'est à cause de ma discussion avec Cora, ou de la semaine délirante que je venais de passer, mais une fois que je suis arrivée près du centre commercial, je n'y suis pas entrée. J'ai continué, j'ai marché jusqu'à l'arrêt de bus. Après deux changements et quarante minutes, j'arrivais chez Marshall.

Marshall habitait Sandpiper Arms, un complexe de maisons mitoyennes qui se trouvait de l'autre côté de la forêt limitant aussi Jackson. Tout le monde connaissait, parce que les loyers n'étaient pas chers et que c'était meublé. Les maisons étaient peintes avec des couleurs pastel : rose pâle, bleu ciel et jaune soleil. Celle de Marshall était vert citron, ce que je trouvais sympa, sauf que bizarrement ça me donnait toujours envie de boire un Sprite.

Je frappai. Une fois. Deux. Rien. J'allais repartir quand la porte s'est ouverte. C'était Rogerson.

— Salut, lui dis-je.

Il a eu l'air surpris, puis il a passé la main dans ses épaisses dreadlocks et a cligné des yeux à cause du soleil.

— Marshall est là ?

— Dans sa piaule.

Il est reparti dans la sienne. Je ne connaissais pas bien Rogerson, je savais seulement qu'il nous fournissait en herbe et qu'il travaillait avec Marshall dans les cuisines du Sopas, un bouiboui mexicain du centre-ville. Cela dit, j'avais entendu pas mal de rumeurs sur lui : il aurait fait de la prison pour agression ou quelque chose de ce genre. Mais comme il ne parlait pas beaucoup et qu'il était généralement assez réservé, c'était peut-être n'importe quoi.

J'entrai. Je refermai la porte et j'ai attendu de mieux voir pour continuer. Marshall et Rogerson étaient comme ma mère : ils préféraient largement l'obscurité à la lumière du jour. Peut-être parce qu'ils travaillaient de nuit ? Ou parce qu'ils détestaient le matin ? J'ai pris le petit couloir. Ça puait la fumée et le fauve, là-dedans. Puis je suis passée devant la petite cuisine crade pleine de cartons à pizza et de cadavres de bouteilles de soda. Dans le salon, un type était allongé sur le canapé avec un oreiller sur la figure. Son tee-shirt était relevé sur son ventre blanc moche. La télévision marchait sans le son et montrait une émission sur la pêche au bar.

La porte de la chambre de Marshall était entrouverte. J'ai frappé quand même.

— Ouais ?

— C'est moi.

Il a toussé, alors je me suis dit que je pouvais entrer.

Marshall était à son bureau (un truc de récup qu'il avait monté tout seul), torse nu, et se roulait une cigarette. Il tournait le dos à la fenêtre grande ouverte baignée de soleil. À contre-jour, avec sa peau si claire pleine de taches de rousseur, il semblait entouré d'un cercle lumineux qui lui donnait l'air d'être un ange. Il était tellement maigre qu'on voyait ses côtes et ses clavicules. Mais j'ai toujours aimé ce genre-là.

— Tiens, la voilà, dit-il. Ça faisait un bail.

Je souris et m'assis sur son lit défait. Sa chambre n'était pas rangée, il y avait des vêtements, des chaussures, des magazines et tout un tas de bidules éparpillés partout. J'ai remarqué une boîte de chocolats toujours dans son emballage.

— C'est quoi ? Un cadeau de la Saint-Valentin ? Tu as une copine ?

Il a mis sa cigarette entre ses lèvres et j'ai regretté ma question aussi sec. Je me fichais bien qu'il ait une autre nana.

— On est en octobre.

— C'est peut-être un cadeau de la Saint-Valentin en retard, dis-je en haussant les épaules, indifférente.

— Non, ça vient de ma mère. Tu veux l'ouvrir ?

Non. Marshall s'est assis confortablement et a rejeté la fumée de sa clope.

— Alors ?

Nouveau haussement d'épaules.

— Alors rien. Je cherche Peyton. Tu ne l'aurais pas vue par hasard ?

— Pas dernièrement.

Dans la pièce d'à côté, j'entendis le téléphone, mais la sonnerie s'est arrêtée brusquement.

— J'ai pas mal bossé et je n'ai pas souvent été là,

expliqua Marshall. D'ailleurs, je ne vais pas tarder à filer. Je prends mon service à midi.

— Je vois.

Je ne bougeais pas. Je regardais tout autour de moi dans le silence qui tombait. Soudain je me suis sentie complètement idiote d'être venue ici, avec mon prétexte minable.

— Bon, moi aussi, je dois y aller. J'ai des trucs à faire.

— Ah ?

Il a posé ses coudes sur les genoux pour se rapprocher de moi.

— Comme quoi ?

— Des trucs, je te dis.

— Ah ouais ?

J'allais me lever mais il s'est rapproché pour m'en empêcher. Maintenant, ses genoux touchaient les miens.

— Shopping.

— Sans blague ? Une semaine à Perkins et tu es déjà une fashion victim ?

— Comment tu sais que je suis à Perkins ?

Marshall haussa les épaules et tout à coup il recula.

— Je l'ai entendu dire.

— Vraiment !

— Ouais.

Il m'a regardée au fond des yeux et a glissé ses mains sur ma taille, puis il a posé sa tête sur mes genoux. J'ai caressé ses cheveux. Il se détendait, on ne disait plus rien, mais c'était un silence plus agréable que tout à l'heure. Ça ne me gênait pas, parce que Marshall et moi, on n'avait jamais parlé. Cela aurait été trop risqué, on aurait eu trop à perdre. Maintenant dans ce silence, tout contre lui, j'avais l'impression de retrouver ma vie d'avant. C'était bon d'accepter un vrai contact, même si je savais que ça ne durerait pas.

C'est seulement plus tard, lorsque j'ai été sous sa couverture, à moitié endormie, que je suis revenue au présent. Marshall se préparait pour aller au boulot et il cherchait sa ceinture quand il a posé quelque chose de froid sur mon épaule. La clé de Cora sur sa chaîne en argent. Elle avait dû glisser de ma poche, tout à l'heure.

— Ne la perds pas, si tu veux rentrer chez toi, me dit-il, en laçant ses chaussures.

J'ai eu envie de lui dire que chez Cora, c'était pas chez moi, que je ne savais même pas ce que ça signifiait « chez moi ». Je savais aussi qu'il n'en avait rien à faire. De plus, il enfilait déjà le tee-shirt du restau où il travaillait et s'apprêtait à partir. Alors, moi aussi j'ai ramassé mes habits très vite, pour passer à autre chose comme lui. Je n'étais pas obligée de partir la première, mais je ne voulais surtout pas qu'il me laisse derrière lui.

Je n'avais jamais aimé faire du shopping, parce que le shopping, pas plus que la plongée sous-marine ou le polo, ça n'était dans mes moyens. Avant de travailler en binôme avec maman pour la dépanner, j'avais eu plein de petits boulots en ville. J'avais bossé dans une chaîne de restau infecte, rangé des shampoings et des serviettes en papier dans des drusgtores discount. J'avais toujours économisé le fric que je gagnais. Déjà à cette époque, je savais qu'un jour j'en aurais besoin pour des choses plus importantes qu'un petit pull en cachemire ou un rouge à lèvres. Le problème, c'est que depuis que maman s'était tirée, j'avais dépensé presque toutes mes économies pour vivre, et j'étais fauchée pile au moment où j'avais le plus besoin d'argent.

Je trouvais donc débile d'acheter des fringues, surtout avec deux cents dollars que j'avais gagnés sans lever le petit doigt. D'un autre côté, je ne pouvais pas non plus porter mes vieux vêtements jusqu'à ce qu'ils tombent en poussière. D'un troisième côté, Cora était déjà en pétard contre moi, et si jamais elle constatait que j'avais gardé son argent, elle l'aurait vraiment mauvaise et ça irait encore plus mal. Je me suis donc forcée à faire les boutiques et à fouiller dans les bacs des soldes, à moitié abrutie par la musique trop forte. Ça n'est pas avec deux cents dollars que j'allais devenir une nana hype de Perkins ! Même si je l'avais voulu, d'ailleurs.

Pendant que je galérais dans le centre commercial, j'ai un peu regardé comment les autres filles étaient habillées et, à la vérité, ça m'a fait doucement rigoler. Elles portaient des habits hyperchers, mais qui leur donnaient un look grunge : jeans à deux cents dollars avec des pièces partout et des franges en bas comme s'ils avaient traîné dans la poussière pendant mille ans. Des petits pulls en cachemire chicos noués à la taille, rien de tel pour les déglinguer. Des tee-shirts de luxe abîmés et délavés pour paraître plus vieux et portés cent mille fois. Mes vieilles affaires à la maison jaune auraient été parfaites. Enfin, sans les moisissures. Mais j'étais obligée d'acheter du neuf pas cher, et je vous jure qu'on voit la différence avec le neuf très cher. En clair, si on veut ressembler à rien, il faut dépenser un max de fric. Hallucinant comme philosophie.

Au bout d'une heure et demie, j'avais augmenté ma panoplie de lycéenne de deux jeans, un pull, un sweat à capuche et de tee-shirts cheap qui, chance, coûtaient entre cinq et vingt dollars. Mais ça m'a fait vraiment mal de voir l'argent s'évaporer pour des conneries. C'est sans doute pour cette raison que j'ai remarqué l'affichette « cherche vendeuse » sur une vitrine en cherchant la sortie du centre commercial. C'était comme une lumière dans ma nuit.

Je me suis approchée. C'était une minibijouterie, vide quand je suis entrée. La vendeuse venait juste de s'absenter parce que, sur le comptoir, il y avait un gobelet de smoothie taille XXL qui semblait sortir du frigo et un bâton d'encens dont la fumée montait en tourbillon vers le plafond vitré de l'atrium. Les bijoux était tout simples mais vraiment jolis. J'ai observé les rangées de boucles d'oreilles en argent et turquoise, les colliers de perles et les bagues de toutes les tailles dans leurs petites boîtes. J'en pris une qui avait un anneau assez épais et une pierre rouge, puis je la regardai de près en la tournant dans tous les sens devant la lumière.

— Hep ! Bougez pas ! J'arrive tout de suite !

Surprise, je sursautai et reposai la bague à sa place tandis que Harriet, la rouquine qui avait confié ses cartons à Ben, l'autre jour, surgissait avec une tasse de chez Jump Java à la main. Elle était essoufflée, mais ça ne l'empêchait pas de parler à toute vitesse.

— Désolée ! J'essaie de faire passer mon habitude de caféine..., s'exclama-t-elle en posant sa tasse à côté de son gobelet géant.

Elle a pris une énorme inspiration et a continué.

— ... en passant aux smoothies. C'est tout de même plus sain, non ? Mais bonjour les maux de tête ! Comme je me suis sentie soudain en mille morceaux, j'ai couru m'acheter un bon petit kawa. Mon poison préféré !

Elle prit une autre énorme inspiration.

— Maintenant, me voilà ! À ton service !

Je ne savais pas quoi dire. Elle me faisait peur parce qu'elle respirait comme si elle allait mourir. Elle devait avoir dans les trente ans, peut-être plus, je ne sais pas. Pourtant, avec ses taches de rousseur, son chignon explosé et son jean taille basse, sabots en cuir et tee-shirt avec l'inscription Namasté, c'était difficile de lui donner un âge.

— Dis donc, je te connais, toi ! dit-elle en posant le café pour pointer son index très intimidant sur ma poitrine.

Les bracelets à son bras glissèrent dans tous les sens et cliquetèrent.

— Tu as déjà acheté mes bijoux ?

— On ne se connaît pas, mais j'étais avec Ben, l'autre jour. Tu sais, quand il est venu prendre tes cartons.

Elle a claqué des doigts. Ses bracelets ont recliqueté.

— Eurêka ! J'y suis, le coup de Klaxon ! Eh bien, comme tu le vois, depuis, je suis revenue de ma frayeur !

Je souris et me remis à contempler ses bijoux.

— C'est toi qui les crées ?

— Oui ! Je fais tout toute seule. J'en bave parfois, mais je me débrouille.

Elle sauta sur son tabouret près du comptoir et reprit son café.

— Je viens de finir celles du second rang, avec les pierres rouges. Les gens pensent que les rouquins ne peuvent pas porter de rouge, mais ils se trompent ! Ça a été l'une des premières erreurs de ma vie ! Et dire que j'en ai été convaincue pendant des années ! Ça fait pitié, hein ?

Ah bon, elle avait repéré la bague que j'admirais, de loin ? Chapeau. Je fis « oui » en l'admirant de nouveau.

— J'adore ta chaîne, reprit-elle tout à coup.

Elle se baissa pour mieux regarder, mais je la pris dans ma main pour l'empêcher de voir.

— C'est rien. C'est juste une clé.

— Je sais.

Elle but une gorgée de café.

— Le contraste est très intéressant. Une clé en laiton sur une chaîne aussi délicate. On pourrait penser que ça ferait mastoc. Pas du tout. La combinaison est d'enfer.

Je me souvenais du jour où j'avais cherché une chaîne assez fine qui passe dans le petit trou de la clé de la maison, mais assez solide pour ne pas casser. J'avais été obligée de trouver une idée, parce que je n'arrêtais pas de la chercher dans mes poches ou au fond de mon sac à dos. Je voulais une solution avant tout pratique ; pourtant, maintenant que je me regardais dans l'un des miroirs, je comprenais ce que Harriet voulait dire : c'était pratique, d'accord, mais aussi joli et original.

— Dis, Harriet, c'est un café que tu es en train de

boire ? demanda soudain le barbu en sandales du kiosque à vitamines, juste à côté de celui de Harriet.

Harriet m'a fait les gros yeux.

— Non, pas du tout, c'est de la tisane, lui répondit-elle.

— Je suis sûr que tu mens.

— Moi, j'oserais te mentir ?

— Oui.

Elle soupira.

— Bon, d'accord, je bois du café. Mais du café bio issu du commerce équitable.

— On avait parié que tu laisserais tomber la caféine, tu me dois donc dix dollars.

— D'accord, ajoute-le à ce que je te dois déjà !

Puis elle m'a regardée et a ajouté :

— Merde, je perds tout le temps mes paris ! Le pire, c'est que ça ne m'empêche pas de continuer à parier !

Je ne savais pas quoi dire, j'ai donc de nouveau admiré les colliers avant de me jeter à l'eau.

— Heu... tu cherches toujours quelqu'un ?

— Non. Désolée.

Je regardai la petite affiche.

— Mais...

— Bon, d'accord, il est possible que je cherche une vendeuse.

Derrière elle, le type des vitamines a toussé comme un malade. Elle lui a jeté un regard par en dessous et a ajouté, l'air de se forcer :

— En réalité, je cherche bien quelqu'un.

— Parfait.

— Le problème, c'est que je n'ai pas beaucoup d'heures à proposer, reprit-elle très vite en prenant un plumeau pour épousseter ses bracelets. De plus, le salaire est assez irrégulier, parce que tu dois travailler selon mes besoins, qui varient incroyablement. Parfois, je pourrais avoir besoin de toi, parfois, non.

— Ça me va.

Elle a reposé son plumeau pour mieux m'observer.

— Je te préviens, c'est un travail extrêmement ennuyeux. Il faut rester assis tout le temps pendant que les gens passent et repassent. Solitude et confinement garantis !

— Pas du tout, intervint le type aux vitamines. Et heureusement, d'ailleurs !

— Je crois que je peux y arriver, dis-je alors qu'elle lui lançait un regard mortel.

— Comme je viens de te le dire, je fais tout toute seule et je me suffis à moi-même, reprit-elle. J'ai juste mis cette annonce pour... Eh bien, je n'en sais rien justement ! Parce que en fin de compte, je me débrouille bien toute seule !

Cette fois, le type des vitamines a toussé comme s'il allait cracher ses poumons.

— Tu veux un verre d'eau ? lui a demandé Harriet.

— Non. Ça va.

Ils se sont regardés, moi entre eux. C'est clair, il se passait quelque chose que je ne comprenais pas. Je trouvais que ma vie était déjà assez compliquée pour en rajouter, alors j'ai décidé de laisser tomber.

— Tant pis, merci quand même.

Je sortis du kiosque, avec mes sacs. Je m'éloignais lorsque j'entendis de nouveau une toux suivie par un très gros soupir.

— Tu as de l'expérience dans la vente ? me rappela Harriet.

Je me détournai.

— Au comptoir. Et à la caisse.

— Ton dernier job ?

— Livrer les bagages perdus pour une compagnie aérienne.

Elle allait me bombarder d'autres questions, mais en entendant ça, elle s'est arrêtée net et a ouvert de grands yeux.

— Sans blague ?

Elle avait vraiment l'air d'en douter. Et moi, je me demandais si je voulais travailler pour quelqu'un qui n'avait pas du tout envie de m'embaucher. Je n'ai pas eu le temps de réfléchir longtemps, parce qu'elle enchaînait déjà.

— Écoute, je vais être honnête avec toi. Je ne délègue pas facilement. Alors nous deux, ça ne marchera peut-être pas.

— D'accord.

Je la sentais toujours hésiter.

— Bon sang ! explosa tout à coup Monsieur Vitamine, tu vas lui dire oui, oui ou non ?

— C'est bon, je te prends à l'essai !

Harriet a levé les mains en l'air, comme si elle avait perdu un autre pari, et un sacré gros, celui-là.

— Ça marche pour moi, lui répondis-je.

Monsieur Vitamine me sourit, mais Harriet semblait avoir le moral dans les chaussettes lorsqu'elle m'a tendu la main.

— Harriet.

— Ruby.

Et voilà comment j'ai été embauchée.

Harriet n'avait pas menti. C'était une maniaque perfectionniste qui avait besoin de tout contrôler. Je l'ai vite compris pendant les deux heures suivantes, lorsqu'elle m'a expliqué la boutique et la gestion de la caisse en long, en large et en travers. C'est seulement après ces explications ultraprécises, un questionnaire serré pour vérifier si j'avais tout retenu, et après m'avoir collée pendant que je servais quatre clients qu'elle s'est décidée à me laisser seule, le temps d'aller s'acheter un café.

— Je ne suis pas loin ! précisa-t-elle en montrant son poste de ravitaillement, le Jump Java, à une centaine de mètres de là. Si tu cries « à l'aide », je t'entendrai !

— Je ne crierai pas !

Elle n'a pas eu l'air de me croire, et elle s'est éloignée en se retournant deux fois et plus, mais à partir de deux j'avais arrêté de compter. J'ai enfin pu souffler après ces deux heures de formation accélérée et j'ai essayé de me souvenir de tout ce qu'elle m'avait appris. Je dépoussiérais les présentoirs lorsque Monsieur Vitamine s'est approché.

— Alors ? Prête à démissionner ?

— Elle est un peu excessive... Comment font les autres employés ?

— En réalité, elle n'en a pas et elle n'en a jamais eu. Tu es la première.

Ah, je comprenais mieux maintenant.

— Vraiment ?

Il acquiesça, d'un air très solennel.

— Harriet a toujours eu besoin d'aide et elle vient de faire un grand pas en t'embauchant.

Il a sorti un flacon de comprimés de sa poche.

— Moi, c'est Reggie. Tu veux un complexe vitamines B ?

— Moi, c'est Ruby. Et... hum, non merci.

— Comme tu veux.

Puis il s'est interrompu et a repris :

— Yo, Ben, mon gars ! Ces suppléments nutritifs à base de cartilage de requin t'ont fait du bien ? Ils ont déjà changé ta vie ?

Ben se dirigeait vers nous, un carton dans les bras.

— Non, pas encore, répondit-il en tapant sa main contre celle de Reggie. Mais je viens juste de commencer.

— Alors continue, surtout ! dit Reggie. Tous les jours, deux fois par jour. Tes douleurs vont disparaître. C'est un produit miracle !

Ben a hoché la tête, puis il m'a vue.

— Salut.

— Salut.

— Elle bosse pour Harriet, lui dit Reggie en lui donnant un gros coup de coude pas discret.

— Pas possible ! s'exclama Ben, incrédule. Harriet a embauché une vendeuse !

— Je ne vois pas ce qu'il y a de si étonnant ? dis-je. Après tout, elle en cherche une, puisqu'elle a mis une annonce.

— Tu parles, ça fait six mois qu'elle est là ! s'exclama Ben qui posait son carton sur le tabouret derrière moi.

— Tu ne t'imagines pas le nombre de personnes qui ont postulé ! ajouta Reggie. Mais Harriet trouvait toujours des raisons pour refuser de les embaucher. Trop guilleret, coupe de cheveux impossible, allergie éventuelle à l'encens...

— Pourtant Harriet t'a embauché ? demandai-je à Ben.

— Seulement contrainte et forcée ! répondit-il tandis qu'il sortait des papiers de son carton. En fait, c'est grâce à mon père. Il lui a fait la totale ! Et en plus, un tarif préférentiel. Mais attention, Harriet nous autorise seulement à faire ses expéditions !

— Et c'est pourquoi je trouve incroyable qu'elle t'ait embauchée, enchaîna Reggie avant d'avaler un comprimé de ses vitamines B.

— Je te crois ! Je n'en reviens pas, moi non plus ! s'exclama Ben. C'est peut-être parce que tu es rousse comme elle ?

— Avec Harriet, tout est possible ! déclara Reggie. À moins qu'elle n'ait fini par comprendre qu'elle frôlait la dépression nerveuse ? Tu as vu le nombre de cafés qu'elle boit chaque jour ?

— Je pensais qu'elle se désintoxiquait en buvant des jus de fruits ? dis-je. Vous n'aviez pas fait un pari, tous les deux ?

— Tu parles, c'est foutu. Avec tous les paris qu'elle a perdus, elle me doit environ un millier de dollars !

— Qu'est-ce qui vous prend, les gars ? s'exclama Harriet qui revenait avec un gobelet XXL rempli à ras bord de café. Je viens d'embaucher une vendeuse et vous la distrayez déjà ?

— Je lui offrais juste des vitamines B, expliqua Reggie. Je me suis dit qu'elle allait en avoir besoin.

— Ha ha, je suis morte de rire, grommela Harriet en prenant le papier que Ben lui tendait.

— Tu sais, dit Ben pendant qu'elle le lisait, c'est bien que tu aies enfin reconnu que tu avais besoin d'une employée ! C'est le premier pas vers la guérison !

— Je suis chef d'une petite entreprise, c'est donc normal de bosser comme un âne. Demande donc à ton père ce qu'il en pense !

— J'aimerais, mais justement, je ne le vois jamais : il travaille tout le temps ! rétorqua Ben en rigolant.

Elle lui a jeté un regard sombre puis elle a pris un stylo pour signer en bas de son papier et le lui a rendu.

— Tu veux que je te fasse un chèque aujourd'hui ou tu peux m'envoyer la facture ?

— On peut te l'envoyer, dit Ben qui pliait le papier et le mettait dans sa poche. Mais tu sais que mon père fait sa pub pour son nouveau moyen de paiement automatique.

— C'est quoi ?

— On t'envoie une facture et on fait un prélèvement automatique sur ton compte. En clair, tu donnes une autorisation de prélèvement. Si tu veux, j'ai les formulaires dans la voiture. Je te jure que ça va drôlement te simplifier la vie !

— Non, répondit Harriet avec un frisson d'horreur. Je suis déjà bien assez inquiète de te confier mon courrier et mes colis.

Ben me fit un clin d'œil.

— Bon, mais penses-y quand même. Tu as besoin d'autre chose ?

— De rien pour le moment, répliqua Harriet avec un gros soupir. Mon Dieu, je dois expliquer encore tant de choses à Ruby... Comment organiser les présentoirs, lui dire les heures d'ouverture et de fermeture, ranger les stocks par ordre alphabétique, par tailles et par types de pierre.

— Ça n'est pas insurmontable, dit Ben.

— Sans compter, poursuivit Harriet sans l'écouter, le changement, à chaque fin de semaine, du numéro de code du cadenas du coffre. Je dois aussi lui expliquer qu'il faut diversifier les bâtonnets d'encens afin que nous ne soyons jamais à cours d'un parfum en particulier. Et surtout, je dois lui expliquer mon plan d'urgence.

— Ton quoi ? intervint Reggie.

— Mon plan d'action ! répéta Harriet.

Reggie, sidéré, en resta muet.

— Quoi ? s'exclama Harriet. Tu n'as pas un plan d'urgence en cas d'attaque terroriste dans le centre commercial ? Ou de tornade ? Tu ne sais pas ce que tu dois faire s'il te faut évacuer les lieux rapidement ?

Reggie fit « non ». Il avait l'air d'halluciner.

— Ça t'arrive de dormir la nuit ? lui demanda-t-il en secouant la tête.

— Non. Pourquoi ?

Ben s'approcha de moi.

— Bon courage, me chuchota-t-il à l'oreille. Tu vas en avoir besoin...

Puis il est parti en agitant la main. Je me préparai à entendre le plan d'évacuation d'urgence de Harriet, mais elle a bu une gorgée de café et changé de sujet.

— Alors comme ça, Ben, c'est ton pote ? demanda-t-elle.

— Un voisin, c'est tout.

Elle a levé les sourcils.

— On a fait connaissance la semaine dernière. On va au lycée ensemble, le matin.

— Ah.

Elle a posé sa tasse.

— Il est très sympa. On n'arrête pas de se chercher, tous les deux, mais je l'aime bien.

Je sais, j'aurais dû en rajouter une couche, lui dire : « Oh ouais, trop sympa, je l'aime bien, moi aussi. » Mais je savais que Harriet comprendrait mon silence parce qu'elle se la jouait aussi perso dans sa vie professionnelle que moi dans ma vie privée. La vérité, si Ben n'avait pas décidé de devenir mon ami, ça n'est pas moi qui aurais fait le premier pas. Seulement voilà, maintenant c'était trop tard. Si je n'avais pas voulu fuguer le jour de mon arrivée chez Cora et si j'avais été au lycée en bus, on serait toujours de simples voisins, bonjour bonsoir, c'est tout. Ben avait créé un lien. Nous n'étions plus des inconnus, mais pas encore des amis. Nous étions entre les deux. Et pour moi, c'était déjà trop.

Lorsque je rentrai chez Cora, plus tard dans la soirée, il y avait des voitures partout devant la maison et des gens qui entraient. Il y avait aussi de la lumière sur le perron et le long de l'allée qui conduisait à la porte. Lorsque je m'approchai, je vis un monde fou dans la cuisine et j'entendis de la musique dans le jardin.

Je ne voulais pas me faire voir, j'ai donc attendu que la voie soit libre pour entrer à mon tour. Après, chargée de mes sacs de courses, je suis montée en vitesse et, une fois en haut, je me suis arrêtée pour regarder en bas. La cuisine était bondée, les baies vitrées étaient ouvertes et les invités allaient et venaient entre le jardin et la cuisine. Il y avait des plats sur le comptoir. Ça sentait bon comme tout et ça m'a rappelé que je n'avais pas mangé, à midi. Je repérai des boissons et des glaçons, dans le patio. Je compris que ça n'était pas une fête improvisée et décidée à la dernière minute. Oui et alors ? Ça ne voulait rien dire. Je n'avais pas non plus été programmée dans la vie de Cora et de Jamie.

Soudain, j'entendis des voix sur ma droite. Je me penchai et je remarquai que la porte de la chambre de Cora était ouverte. À l'intérieur, deux nanas devant la salle de bains me tournaient le dos. La première était une petite blonde en jean et sweat avec une queue-de-cheval, la seconde, une grande brune en robe noire. Elle tenait dans la main un verre de vin rouge.

— C'est une loi universelle..., dit la blonde. Dès que tu arrêtes d'y penser, ça arrive !

— Tu parles d'une consolation, Denise ! répondit la brune. (Elle secoua la tête et avala une gorgée de vin.) À t'entendre, on dirait que c'est sa faute !

— Mais pas du tout ! protesta Denise. Ce que j'essaie de t'expliquer, c'est que nous avons tout le temps ! J'ai l'impression que c'était hier, lorsque nous avions du retard et que nous étions soulagées de voir enfin arriver nos règles ! Tu te souviens ?

— Le plus étonnant, c'est que tu fais tout comme il faut, dit la brune en s'adressant à une troisième personne que je ne voyais pas. Tu surveilles ton cycle, tu prends ta température tous les matins, etc. Dans ces conditions, je comprends ta frustration. Mais dis-toi aussi que tu viens à peine de commencer le processus, si je puis m'exprimer en ces termes, et tu sais, il existe de nombreux moyens pour tomber enceinte, de nos jours.

Je reculai, gênée de mon indiscrétion. Au même moment, les deux femmes s'écartèrent et je vis ma sœur sortir de sa salle de bains, en hochant la tête tristement et en s'essuyant les yeux. J'ai eu si peur qu'elle me voie que je me suis plaquée contre le mur, le souffle court. Je venais de comprendre : Cora voulait un bébé ! Depuis qu'elle nous avait quittées, maman et moi, elle avait décroché un diplôme de droit, un bon boulot et un mec, et maintenant, elle voulait un bébé.

J'entendais toujours Cora et ses amies parler. Bientôt, leurs voix se rapprochèrent. Zut, elles sortaient de la chambre. J'ai aussitôt décollé mon dos du mur et fis comme si je venais de monter les escaliers. Je faillis rentrer dans la blonde.

— Oh ! Tu m'as fait une de ces peurs ! s'exclama-t-elle en posant les mains sur son cœur. Je ne t'avais pas vue !

Cora m'observait comme si elle se demandait ce que j'avais entendu. Ses yeux étaient rouges, et pourtant, elle venait de se remettre une grosse couche de mascara.

— C'est Ruby, dit-elle simplement. Ma sœur. Ruby, je te présente Denise et Charlotte.

— Salut.

Denise et Charlotte m'ont fixée avec une telle curiosité que je me suis demandé ce que Cora leur avait raconté sur moi.

— Ravie de faire ta connaissance, dit Denise avec un grand sourire. La ressemblance est spectaculaire !

Charlotte a levé les yeux au ciel.

— Excuse Denise, me dit-elle, elle se sent toujours obligée de dire quelque chose, même si c'est débile.

— Comment ça, débile ? coupa Denise.

— Tu vois bien que Cora et Ruby ne se ressemblent pas du tout !

Denise m'examina de nouveau.

— Pour la couleur des cheveux, je suis d'accord. Et pour le teint aussi. Mais il y a quelque chose dans le visage et autour des yeux. Tu ne vois pas ?

— Non ! répliqua Charlotte.

Elle but son vin et ajouta :

— Sans vouloir vexer Cora, bien entendu.

— Pas de problème. Faites un tour au buffet, les filles, dit ma sœur en les dirigeant vers l'escalier. Jamie a acheté tellement de viande qu'il pourrait faire des brochettes pour toute une armée. Allez manger pendant que c'est chaud.

— Tu viens, Cora ? demanda Charlotte.

Denise descendait déjà. Sa queue-de-cheval se balançait joyeusement dans son dos.

— Je vous rejoins dans une minute.

Charlotte et Denise sont descendues dans la cuisine en se chamaillant.

— Elles étaient avec moi, à l'université, m'expliqua Cora. La première semaine, je pensais qu'elles se détestaient, en réalité elles s'adorent. Elles sont inséparables depuis l'âge de cinq ans !

— Ah.

Dans la cuisine, Charlotte et Denise faisaient des petits coucous à droite, à gauche.

— Tu sais ce qu'on dit : les contraires s'attirent, reprit Cora.

Oui. Pendant un moment, on a regardé la fête, en bas, sans se parler. Je voyais Jamie dans le jardin. Derrière lui, c'était incroyablement sombre : c'était le trou de la future mare.

— Alors ? demanda Cora. Tu as passé une bonne après-midi ?

— Pas mal.

Elle attendait des détails, j'ai donc fait un effort pour continuer.

— J'ai acheté des trucs. Et j'ai aussi trouvé un petit boulot.

— Un petit boulot ?

— Oui, au kiosque à bijoux du centre commercial.

— Écoute, Ruby, je ne sais pas si c'est une bonne idée...

Elle a croisé les bras et s'est appuyée contre la rampe d'escalier.

— Je pense que tu devrais plutôt te concentrer sur le lycée.

— Je travaillerai seulement quinze heures par semaine. Et puis, j'ai l'habitude des petits boulots.

— Je n'en doute pas, mais Perkins Day est un établissement plus rigoureux et plus exigeant que Jackson. J'ai jeté un œil sur tes bulletins scolaires. Si tu veux entrer en fac, tu dois avoir deux priorités : avoir de meilleures notes et constituer des dossiers de candidature.

Moi, aller à l'université ?

— Je peux avoir un boulot et bien travailler en classe.

— Ce n'est pas la peine de prendre un job d'appoint, Ruby, c'est tout. (Cora a secoué la tête.) Quand j'étais au lycée, je travaillais trente-quatre heures par semaine parce que je n'avais pas le choix. Toi, tu l'as.

— Mais je ne vais pas travailler trente heures par semaine, peut-être dix à tout casser.

Elle m'a regardée comme si je faisais exprès de ne pas comprendre.

— Écoute, Ruby, nous voulons t'éviter de prendre un job, alors ne complique pas la situation pour prouver je ne sais quoi !

J'allais lui répondre que je ne lui avais rien demandé, et surtout pas de s'occuper de mon avenir ou d'en faire son histoire perso. J'avais presque dix-huit ans et j'étais capable d'évaluer ce que je pouvais ou ne pouvais pas faire. Et ce n'était pas parce qu'elle était revenue dans ma vie depuis moins d'une semaine qu'elle devait se prendre pour ma mère ou mon ange gardien, même si les services sociaux l'avaient décidé.

Je prenais mon élan pour lui sortir ses quatre vérités quand j'ai croisé son regard encore rougi par les larmes, et je me suis tue. On avait eu toutes les deux une longue journée, ça suffisait pour aujourd'hui.

— Comme tu veux, dis-je. On en reparlera plus tard, d'accord ?

Cora parut surprise que je lâche prise si vite, même si je n'avais pas dit mon dernier mot.

— D'accord.

Elle a ravalé sa salive et regardé la fête en bas.

— Si tu n'as pas encore mangé, tu trouveras de quoi, dans la cuisine. Désolée de ne pas t'avoir prévenue que nous organisions une fête ce soir, mais c'est un peu la panique à bord en ce moment.

— C'est bon.

— Je dois redescendre... Ne tarde pas trop à nous rejoindre, dit-elle lentement.

Je l'ai suivie des yeux. À mi-chemin dans les escaliers, elle s'est retournée et j'ai vu qu'elle se demandait toujours pourquoi j'avais accepté de lui obéir sans discuter. Je ne pouvais pas lui dire que j'avais entendu ses copines parler. Après tout, ça n'était pas mes affaires. Tandis que j'allais dans ma chambre, je ne cessais de penser à la prétendue ressemblance que sa copine Denise avait vue entre nous. Peut-être que ma sœur et moi, on partageait finalement plus qu'on ne le pensait ? Nous attendions et espérions toutes les deux quelque chose qu'on ne pouvait contrôler. Je voulais être seule, pas elle. C'était très bizarre. On désirait toutes les deux quelque chose de très fort mais de complètement opposé, mais c'était déjà ça.

— ... tout ce que je peux te dire, c'est que l'acupuncture, ça marche du feu de Dieu. Hein ? Ah non, non, ça ne fait pas mal du tout... Si, si, je te le jure !

— ... et voilà. Je viens de le décider : plus de *blind date*. Plus jamais, tu m'entends. Et tant pis s'il est médecin !

— ... seulement 48 000 km et la garantie d'origine. C'est donné ! Franchement.

Je passais entre les invités depuis une vingtaine de minutes en souriant à des gens qui me souriaient. Je me servis une deuxième assiette de brochettes, Coleslaw et salade de pommes de terre. Les amis de Jamie et de Cora semblaient assez sympas, mais j'étais contente de ne pas être obligée de parler.

— Roscoe ? entendis-je soudain.

C'était Jamie. Il était dans le jardin, de l'autre côté de la future mare, et il regardait dans la nuit comme s'il cherchait à la rendre transparente. Je m'approchai et remarquai que le trou se remplissait d'eau grâce à un tuyau d'arrosage. Dans la nuit, la presque mare semblait encore plus grande qu'en plein jour, et je me demandais si elle était un peu ou très profonde. J'avais en tout cas l'impression qu'elle allait jusqu'au centre de la Terre.

— Qu'est-ce qui se passe ? demandai-je à Jamie.

— Roscoe a disparu... Typique. Il déteste la foule. Ça n'a rien à voir avec le détecteur de fumée, mais ça n'en reste pas moins un problème.

Je regardai dans la nuit, puis, lentement, dans la mare.

— Il sait nager, au moins ?

Jamie ouvrit de grands yeux.

— Merde ! Je n'y avais pas pensé...

— Je suis sûre qu'il n'est pas tombé dedans, dis-je aussitôt, embêtée de le voir aussi inquiet.

J'aurais mieux fait de me taire.

— Je pense plutôt..., continuai-je.

Au même moment, on entendit des aboiements aigus qui venaient de la barrière.

— Alléluia ! dit Jamie en se retournant. Roscoe ! Viens, mon petit gars !

Il y eut d'autres aboiements, mais toujours pas de Roscoe.

— C'est bizarre, on dirait qu'on l'enlève, déclara Jamie. Bon, je vais aller voir.

— Laisse, j'y vais.

— Sûre ?

— Oui. Retourne auprès de tes amis.

Il me sourit.

— D'accord. Merci.

Je posai mon assiette au pied d'un arbre tandis qu'il s'éloignait. Derrière moi, c'était la fête ; devant, c'était la nuit et le silence. Je me suis jetée dedans jusqu'à ce que je sois au fond du jardin très noir et très silencieux. Il y a huit jours à peine, je courais dans cette direction-là pour tailler la route. Maintenant, c'était pour ramener ce stupide clébard qui m'avait empêchée de me tirer.

— Roscoe ! appelai-je.

Je me penchai sous un arbre, son feuillage me ratissa le crâne.

— Roscoe ?

Pas de réponse. J'attendis que mes yeux s'habituent au noir, puis je regardai vers la maison de Cora. De là où j'étais, la mare semblait immense et je voyais les lumières du patio qui dansaient sur la surface de l'eau. Tout à coup, j'entendis un aboiement. Plutôt, un petit jappement qui faisait pitié.

— Roscoe ?

J'avais l'impression de jouer à cache-cache. Je continuai d'avancer vers la barrière en appelant. Soudain, j'entendis gratter, de l'autre côté.

— Roscoe !

Il n'arrêtait plus d'aboyer, maintenant. Je posai ma main sur la barrière et la longeai jusqu'à la porte. Là, je vis un trou trop petit pour moi, mais assez grand pour Roscoe.

Je m'accroupis et je vis M. Cross, mains sur les hanches, au bord de la piscine, qui regardait tout autour de lui.

— Je sais que tu es là, sale cabot ! Je sais que c'est toi qui as fouillé dans les poubelles et tout dégueulassé ! cria-t-il. Montre-toi !

Oh là, c'était chaud ! Roscoe se cachait derrière un pot. M. Cross ne l'avait pas encore vu et il continuait de chercher.

— Tu finiras bien par sortir de ta cachette, reprit-il en se penchant pour regarder sous une chaise longue, et là, je te jure que tu le regretteras !

Roscoe jappa. M. Cross a fait demi-tour et l'a repéré.

— Sors de là, sale bête !

Mais Roscoe n'était pas fou. Il a détalé vers la barrière, pile poil dans ma direction. M. Cross s'est jeté sur lui et a essayé de l'attraper. D'abord, il l'a loupé et finalement il a réussi à le soulever par l'une de ses pattes de derrière.

— Pas si vite ! dit-il alors que Roscoe se débattait et que ses médailles cliquetaient de plus en plus fort.

M. Cross a ensuite mis sa main autour de son cou.

— Toi et moi, on a...

— Roscoe !

J'avais crié si fort que j'en étais surprise, mais M. Cross, lui, a eu la peur de sa vie. Il a lâché Roscoe qui a filé. J'ai croisé le regard de M. Cross tandis que Roscoe courait dans ma direction, passait par le trou dans la barrière, puis entre mes jambes.

— Tiens, salut, me dit-il de sa voix de voisin sympa. Il y a une fête chez vous, ce soir ?

Je n'ai pas répondu. J'ai reculé pour mettre un max de distance entre nous.

— Ce chien fouine dans nos ordures, lança-t-il comme s'il était obligé de se justifier. Jamie et moi, on en a déjà parlé. C'est très ennuyeux.

Je ne savais pas quoi dire, je n'ai rien répondu. Je suis restée raide comme un piquet et muette comme une carpe. Tout ce que je savais, c'est qu'il avait voulu tordre le cou à Roscoe, et la vérité : j'avais pas aimé.

— Dis seulement à Cora et à Jamie de mieux le surveiller, conclut M. Cross.

Il m'a fait son sourire de star.

— Les bonnes barrières font les bons voisins !

J'ai fait « oui » et j'ai fermé la porte de la barrière. M. Cross est resté au bord de la piscine, mains dans les poches, me souriant toujours de son sourire ultra-blanc. Les reflets de l'eau passaient sur son visage comme des ombres de spectre.

Je revins vers la maison en essayant de comprendre ce qui s'était passé et pourquoi ça m'avait remué à ce point. Je n'avais toujours pas trouvé lorsque je rejoignis Roscoe qui reniflait l'herbe au bord de la mare. Je l'ai soulevé dans mes bras et nous sommes rentrés.

On arrivait près du patio lorsque j'ai entendu de la musique. De la guitare, d'abord, puis un autre instrument, mais je ne sais pas lequel. L'air qu'ils jouaient était joli.

— C'est un vieux classique..., dit quelqu'un par-dessus la guitare.

J'ai reposé Roscoe et je me suis approchée des invités, tous groupés autour des musiciens. J'ai essayé de voir : rien à faire, il y avait trop de monde. Mais soudain, le type en veste de cuir qui me bouchait la vue a bougé, et j'ai vu Jamie. C'est lui qui venait de parler. Il était assis sur une chaise de la cuisine et jouait de la guitare, avec une canette de bière à ses pieds. Un type avec un banjo était à côté de lui et secouait la tête en rythme. Tous deux jouaient *Misty Mountain Hop* de Led Zeppelin. Jamie avait une belle voix et il jouait trop bien. Mon beau-frère continuait de me surprendre. Il avait une carrière d'enfer, il adorait les mares et il jouait de la guitare comme un dieu. Si j'avais fugué, le soir de mon arrivée, je ne l'aurais jamais découvert.

— Alors ? Tu t'amuses bien ?

Je me détournai et reconnus Denise, l'amie de Cora.

— Oui. C'est une belle fête.

— Les soirées de Jamie et de Cora sont toujours très réussies, renchérit-elle en buvant sa bière. Normal, quand on est sociable, on accumule les amis.

— C'est vrai, Jamie a un don pour attirer les gens.

— Ah mais non, je te parle de Cora ! reprit-elle alors que la chanson s'achevait et que tout le monde applaudissait. Cela dit, Jamie aussi a du charisme, tu as raison.

— Cora ?

Denise parut surprise.

— Ben oui, Cora... Enfin, tu le sais bien, c'est tout de même ta sœur ! C'est une vraie mère poule ! Tu la mets dans une pièce remplie d'inconnus, et dix minutes plus tard, moins même, elle connaît tout le monde !

— Vraiment ?

— Oui ! Elle sait communiquer. Elle a de l'empathie... Sans Cora, je n'aurais jamais survécu à ma dernière rupture. Ni à toutes mes autres ruptures, d'ailleurs.

Là-dessus, Denise a bu une autre gorgée de sa bière, puis elle a fait signe à un type avec une casquette de base-ball qui passait.

— Je ne la connais pas si bien, dis-je enfin. C'est parce qu'on s'est perdues de vue.

— Oui, je suis au courant.

Puis elle ajouta rapidement :

— Elle nous parlait beaucoup de toi, à la fac.

— Ah bon ?

— Oh, oui ! Tout le temps ! Elle...

— Denise ! cria une voix.

Elle s'est retournée.

— Je veux que tu me donnes ton numéro de téléphone, tu me l'as promis ! cria le type qui venait de l'appeler.

— OK. J'arrive !

Elle m'a adressé un sourire pour s'excuser.

— Je reviens tout de suite.

Dommage qu'elle n'ait pas fini sa phrase... Un peu pensive après ce qu'elle m'avait raconté, j'ai cherché Cora et je l'ai trouvée devant la cuisine avec Charlotte. Elle souriait : elle semblait avoir retrouvé son moral. Quand elle a rejeté ses cheveux en arrière, elle a eu l'air plus jeune. Elle portait un petit pull doux et tenait un verre de vin. C'est drôle, j'avais cru que tout le monde était venu pour Jamie, mais non, c'était pour ma sœur. Elle avait donc tellement changé pendant toutes ces années ? Je me souvins de ce que maman répétait : « Elle a sa vie... » Justement, c'était sa vie que je voyais en direct, maintenant. Comment c'était de repartir de zéro, d'oublier le monde d'où on venait et de lâcher son passé comme une chaussette qui pue ? Mais peut-être que tourner la page, ç'avait été facile pour elle ?

Facile pour moi... Tout à coup, je me suis revue, une semaine plus tôt, rentrant à la maison jaune toute noire après ma nuit de boulot. Combien de fois avais-je pensé à mon ancien lycée, à ma maison et à ma vie d'avant depuis que j'habitais chez Cora ? Pas des masses. Pendant des années, j'avais été super en colère contre Cora parce qu'elle m'avait oubliée, parce qu'elle avait effacé de sa mémoire toute la vie qu'on avait passée ensemble, et je faisais exactement pareil. Et au fait, où était donc ma mère ? C'était si facile d'oublier les gens qu'on aimait lorsqu'on s'éloignait d'eux ?

Je me suis sentie fatiguée, soudain. Dépassée. D'un seul coup, les changements de la semaine dernière me retombaient sur la tronche. Je suis rentrée dans la maison et je suis montée dans ma chambre. J'étais contente d'avoir mon coin, même si c'était du temporaire, comme le reste.

Il faut juste que je dorme..., me dis-je en enlevant mes chaussures pour me laisser tomber sur mon lit. J'ai fermé les yeux et j'ai essayé de ne plus entendre la musique et de me fondre dans la nuit jusqu'à demain matin.

Je me suis réveillée brusquement. Je ne savais pas si j'avais dormi une minute, une heure ou mille ans. J'avais soif, j'avais des fourmis dans le bras parce que j'avais dormi dessus. Je me suis étirée. J'aurais bien aimé revenir au rêve que j'étais en train de faire. Je l'avais déjà oublié, j'avais seulement gardé l'impression d'être bien, là où j'étais. Je sais, on est toujours léger et heureux dans les mondes parallèles inaccessibles, avec leurs soleils qui ressemblent à des espoirs. J'ai fermé les yeux pour essayer de retourner là-bas, lorsque j'entendis des rires et des applaudissements dehors. La fête n'était pas encore finie.

Lorsque je sortis sur le balcon, je vis qu'il ne restait qu'une vingtaine de personnes. Le joueur de banjo était parti et Jamie jouait tout seul, avec les autres qui parlaient autour de lui.

— Il se fait tard, dit Charlotte qui avait passé un pull sur sa petite robe noire.

Elle a étouffé un bâillement.

— J'en connais qui doivent se lever tôt demain...

— Voyons, c'est dimanche ! protesta Denise, à côté d'elle. Tout le monde fait la grasse matinée, le dimanche.

— Allez, une dernière chanson, dit Jamie.

Il regarda vers quelqu'un que je ne pouvais pas voir, de mon balcon, et ajouta :

— Qu'est-ce que tu en penses ? Une chanson ?

— Vas-y ! lui répondit Denise.

Jamie sourit et se remit à jouer. Il faisait froid et je rentrais dans ma chambre en bâillant, prête à me recoucher, quand j'ai cru reconnaître ce qu'il jouait. C'était comme si cette musique ouvrait une porte tout au fond de moi et qu'une chanson que je croyais à moi seule en sortait.

— *I am an old woman named after my mother*[1]...

La voix était nette et jolie. Je la reconnaissais, pourtant je ne l'avais jamais entendue. Elle m'en rappelait une autre moins belle et beaucoup plus éraillée.

— *My old man is another child that's grown old*[2]...

C'est Cora qui chantait *Angels from Montgomery*, que nous avions écoutée si souvent, lorsqu'on était petites. C'était cette chanson-là qui me faisait penser le plus

1. « Je suis une vieille femme qui a le même prénom que sa mère. » In *Angels From Montgomery.*

2. « Mon homme est aussi un enfant qui est devenu vieux. » In *Angels From Montgomery.*

à maman. J'ai songé au sentiment bizarre qui m'avait envahie, tout à l'heure, lorsque j'avais imaginé que toutes les deux, on avait oublié notre vie d'avant. Mais se la rappeler, c'était aussi l'angoisse, parce que cet air et ces paroles ouvraient toutes les portes de ma mémoire. Les souvenirs en coulaient comme des torrents et inondaient ma tête. Cora et moi en chemise de nuit. Cora qui me prenait par la main. Moi qui écoutais sa respiration calme et rassurante dans la nuit de notre chambre. Je ne pouvais plus retenir les images...

J'ai senti une énorme boule monter, se coincer dans ma gorge, et battre fort comme un cœur au bord de la crise cardiaque. Puis j'ai pleuré, mais je ne savais pas sur qui je pleurais. Cora ? Maman ? Ou juste sur moi ?

Chapitre 6

Gervais Miller était l'être le plus désagréable de tout le système solaire, mais je ne pouvais pas le prouver scientifiquement et c'était dommage.

D'abord, il y avait sa voix. Nasale et aussi désagréable que celle d'un robot. Tous les matins, j'entendais cette voix me critiquer. « Tes cheveux sont emmêlés », disait-il lorsque je n'avais pas eu le temps de me les sécher. Ou quand j'avais enfilé un tee-shirt propre tout juste sorti du sèche-linge, il déclarait : « Tu pues les lingettes adoucissantes. » Alors que je faisais celle qui n'entendait rien et que je révisais mes cours, il débitait des commentaires non-stop sur mon intelligence, enfin, mon manque absolu d'intelligence. « Intro aux mathématiques ? Tu es retardée ou quoi ? » ou encore « C'est un B que je vois sur ta copie ? ». C'était comme ça tous les matins tous les jours de la semaine.

J'avais envie de lui casser la figure. Impossible, évidemment. Pour deux raisons. D'abord, parce que c'était juste un affreux gamin qui ressemblait à un troll. Ensuite, j'aurais pu me faire extrêmement mal en collant mon poing dans son appareil dentaire et son casque (le fait que j'en sois arrivée là aurait dû m'inquiéter. Même pas).

Les fois où j'étais à bout, je me retournais et je lui lançais mon fameux regard mortel. En général, ça le calmait direct. Il ne bougeait plus et se la fermait jusqu'à notre arrivée au lycée et même le lendemain. Mais c'était pour mieux attaquer le surlendemain.

Les jours où je n'avais pas la haine contre Gervais, j'avais de la sympathie pour lui. Ça devait être vachement dur d'être à la fois un génie haut comme une cacahouète et le bébé du lycée. Quand je le croisais dans les couloirs, il était toujours seul, son sac à dos sur les épaules, tête en avant, façon bélier prêt à vous coller un coup de boule.

Gervais avait la mentalité d'un gosse de sept ans malgré sa super-intelligence de vieux savant. Alors, merci pour Ben et moi, il adorait roter et prouter, comme tous les gamins de son âge.

Passer dix minutes chaque matin avec Gervais, c'était du bonheur à la louche. En gros, nous savions toujours ce qu'il avait mangé au petit déj'. On avait beau être en novembre, je laissais toujours la vitre de ma portière baissée. Ben aussi.

Le lundi, après la fête de Cora, lorsque je montai dans la voiture à 7 h 30, je remarquai quelque chose d'inhabituel, mais quoi ? Puis j'ai constaté, avec un bon temps de retard, que la banquette arrière était vide.

— Où est Gervais ?

— Chez le médecin, me dit Ben.

Magnifique. Je m'installai, toute contente. Ben dut sentir mon soulagement, car il reprit :

— Tu sais, il n'est pas aussi terrible que tu le penses.

— Tu plaisantes ?

— Tout ce que je veux dire, c'est qu'il faut le découvrir pour l'apprécier.

— Par pitié. Il est atroce.

— Tu exagères.

— Pour commencer, il pue ! dis-je le pouce en l'air.

Puis je levai l'index et j'ajoutai :

— Et il est grossier. Il rote si fort qu'il pourrait réveiller un mort. Et je te jure que s'il continue à faire une remarque sur mes livres ou sur mes cours, je...

J'arrêtai parce que Ben me regardait comme si j'étais devenue folle. Là-dessus, on a pris la route en silence.

— C'est dommage que tu le détestes à ce point, reprit-il au bout d'un moment. Parce que lui, il t'aime bien.

Ben voyons.

— Il a pourtant dit que j'étais grosse l'autre jour. Tu l'as entendu comme moi.

— Il n'a pas dit que tu étais grosse, il a dit que tu étais ronde.

— C'est quoi, la différence ?

— Tu oublies que Gervais n'a que douze ans.

— Je te jure que je ne l'oublie jamais.

— De plus, les garçons de douze ans ne sont pas vraiment des gentlemen avec les filles.

— « Gentleman avec les filles » ? Et puis quoi encore ?

Ben changea de file et s'arrêta à un feu.

— Et moi je te dis qu'il te taquine, parce qu'il t'aime bien, prononça-t-il lentement comme si j'étais une débile mentale.

— Non, Gervais ne m'aime pas bien.

— Peu importe. Gervais ne parlait jamais à Heather quand on faisait la route ensemble, dit-il tandis que le feu passait au vert.

— Ah ?

— Non. Pas un mot. Il restait sur sa banquette arrière, sans péter et sans commentaire.

— Charmant.

— En effet. Ce que j'essaie de t'expliquer, c'est qu'il veut peut-être se faire des amis, mais qu'il s'y prend mal, enchaîna Ben alors qu'il ralentissait au feu rouge. Alors il te dit des vacheries. Que tu pues, ou que tu es ronde. C'est ce que font tous les gosses.

Ça m'a tuée. J'ai préféré regarder par la vitre de ma portière.

— Et pourquoi Gervais aurait-il envie de devenir mon ami ?

— Pourquoi pas ?

— Parce que je ne suis pas très amicale.

— Ah bon ?

— Quoi ? Tu penses que je le suis ?

— Je ne dirais pas que tu es inamicale.

— Moi, si.

— Intéressant.

Le feu passa au vert, nous repartîmes.

— Intéressant ? Pourquoi ? demandai-je.

Il haussa les épaules et changea de file.

— Parce que je ne te vois pas du tout comme ça. D'accord, tu es réservée. Sur tes gardes, c'est sûr, mais pas désagréable.

— Peut-être parce que tu me connais mal.

— Peut-être, mais les gens pas aimables, ça se repère tout de suite. Exactement comme les gens qui ne se lavent pas. Ça frappe illico. De plus, c'est impossible à cacher.

Ah bon, pensai-je pendant qu'il s'approchait d'un autre feu.

— Lorsqu'on s'est vus pour la première fois, l'autre soir... tu as tout de suite pensé que j'étais amicale et tout ? demandai-je.

— En tout cas, je n'ai pas compris que tu ne l'étais pas.

— Pourtant, je n'ai pas été sympa avec toi.

— Tu voulais te barrer, tu n'as pas pu, tu étais en colère. Je ne l'ai pas pris personnellement.

— Mais je ne t'ai pas non plus remercié de m'avoir sauvé la mise, avec Jamie.

— Et alors ?

— Alors j'aurais dû. Ou j'aurais dû être plus sympa avec toi, le lendemain.

Ben mit son clignotant.

— Pas grave.

— Si. Écoute, tu n'as pas besoin d'être gentil avec tout le monde, tu sais.

— Pourtant, je suis gentil. Avec tout le monde, tout le temps. C'est compulsif chez moi.

C'est clair. C'était la première chose que j'avais remarquée chez lui, le soir de ma fugue, parce qu'un gentil, ça se voit tout de suite. Je me dis que je pouvais peut-être lui parler un peu plus de moi, mais il a mis la radio, comme tous les matins. L'animatrice, une certaine Annabelle, a donné les prévisions météo et les températures de la journée. Puis elle a diffusé une chanson entraînante avec un *beat* rapide. Ben a monté le son et on a roulé en silence jusqu'au lycée.

En arrivant, on a remonté le parking ensemble, puis je suis allée vers mon casier pendant qu'il se dirigeait vers sa salle de cours. J'ai pris quelques bouquins, j'en ai remis d'autres dans mon casier et je l'ai refermé. Après, j'ai remonté mon sac sur mon épaule et j'ai vu, à travers la pelouse, Ben qui marchait toujours. En le voyant, Jake Bristol a levé la main pour le saluer tandis que deux autres lui faisaient signe. J'étais à la bourre, j'avais un tas de choses en tête, mais j'ai regardé Ben rire et entrer. Les autres l'ont suivi en riant eux aussi.

— Bien, un peu de sérieux, maintenant, dit Mme Conyer en frappant dans ses mains. Vous avez un quart d'heure. Allez-y, posez vos questions !

Tout le monde s'est levé et s'est déplacé avec son cahier dans la salle. Après avoir bossé à fond sur *David Copperfield* (dix fiches personnages et deux dissertes), tout ce que je voulais, c'était qu'on me fiche la paix. Mais Conyer voulait que nous commencions son fameux projet de « définition orale », et on devait demander aux autres comment ils définissaient le mot qu'on avait tiré au sort. Tant mieux, finalement, parce que j'avais besoin d'aide, vu ma définition perso de la famille.

Cela faisait à présent deux semaines que je vivais chez Cora, et je commençais à prendre le rythme. Ça n'était pas parfait-parfait, mais ça roulait. J'avais fini par me dire que fuguer, c'était un mauvais plan pour le moment, alors j'avais défait mon sac et rangé le trois fois rien que je possédais dans mon dressing et mes tiroirs. Mais le reste de la maison restait encore un territoire inconnu dont je me méfiais. Ainsi, dès que je rentrais du lycée, je montais dans ma chambre pour poser mon sac à dos, ou quand je faisais une lessive, je restais plantée près du sèche-linge jusqu'à ce que mes vêtements soient secs. Après, je les pliais et je montais les ranger. C'était tellement grand, ici, qu'on pouvait perdre facilement ses affaires.

C'était bizarre de vivre dans une si grande baraque après la toute petite maison jaune. Au lieu d'avoir un seul paquet de pâtes pour la semaine et de racler le fond de ses poches pour trouver quatre sous et faire trois courses, j'avais accès à un garde-manger rempli comme en temps de guerre et à un frigo bourré à craquer de toute la bouffe possible et imaginable se conservant obligatoirement au frais. Et en plus de ça, j'avais l'argent de poche que Jamie me filait toutes les deux secondes. Vingt dollars pour le déjeuner, encore quarante au cas où j'aurais besoin de je ne sais trop quoi pour le lycée. Les autres auraient peut-être accepté sans poser de questions, mais je me méfiais parce que je ne savais pas ce que Jamie allait me demander en retour. Au début, j'avais donc refusé. Puis Jamie a insisté, il a gagné, j'ai perdu et j'ai accepté son fric, mais sans le dépenser. Ça me soulageait de le planquer. Il faut toujours être prévoyant dans la vie. On ne sait jamais ce qui peut arriver.

Cora aussi a fait des efforts sympas. Après de longues discussions, et avec, je le précise, l'appui de Jamie, elle a accepté que je travaille chez Harriet au moins jusqu'aux vacances de Noël. À partir de là, on « reconsidérerait la question » et on « évaluerait l'impact d'un petit boulot sur la courbe de mes notes et de mon assiduité scolaire ». En échange de quoi j'ai accepté une séance chez un psy, ce qui ne me faisait pas sauter de joie, je le dis tout net. Mais comme j'avais besoin du fric que je gagnais chez Harriet, j'ai dit oui au psy. Et quand Cora et moi, on s'est serré la main par-dessus la table de la cuisine, j'ai été surprise parce qu'elle avait une poigne sacrément ferme malgré ses petites mains.

Je pensais aussi beaucoup à maman. Plus qu'au moment de sa fugue, ce qui était vraiment étrange. C'était comme si j'avais mis le temps à comprendre qu'elle me manquait, du moins, à accepter l'idée qu'elle me manquait. Parfois, la nuit, je rêvais d'elle et je me réveillais tout à coup, certaine qu'elle venait de passer dans ma chambre. J'aurais même pu jurer que je sentais son parfum ou la fumée de ses cigarettes. D'autres fois, lorsque je dormais à moitié, j'étais sûre qu'elle était assise sur mon lit et qu'elle me caressait les cheveux. C'était un geste qu'elle faisait souvent tard dans la nuit ou très tôt le matin, quand j'étais petite. À l'époque, ça me gonflait. J'aurais cent fois préféré qu'elle aille dormir et me fiche la paix. Mais maintenant, même si ma moitié réveillée et consciente me disait que ma moitié endormie rêvait de toutes ses forces, je ne bougeais pas d'un centimètre parce que je ne voulais surtout pas que ça s'arrête.

Quand je me réveillais tout à fait, j'essayais de retenir son image au fond de ma tête, mais elle s'enfuyait toujours très vite. Au bout du compte, je me souvenais seulement de son visage, la dernière fois que je l'avais vue. C'était le jour avant sa fugue. Je rentrais du lycée et je l'avais vue seule, et levée pour une fois. À ce moment-là, comme tout dérapait, j'avais été certaine de la voir avec les yeux bouffis, sa tête quand elle avait picolé, qu'elle était triste et énervée. Mais non. Elle avait seulement eu l'air surpris de me voir. J'avais eu l'impression qu'elle avait oublié que j'existais et qu'elle était très étonnée que je sois rentrée à la maison. Comme si c'était moi qui allais partir et que je ne le savais pas encore.

Dans la journée, j'étais plus réaliste et je me demandais si elle était en Floride ou toujours avec son Warner à la noix. Surtout, j'aurais aimé savoir si elle avait essayé de téléphoner à la maison jaune, si elle avait au moins fait l'effort de savoir où j'étais. Je ne savais pas si je voulais lui parler ou la voir, je ne savais même pas si j'avais envie de la revoir un jour. Mais quand même, c'était important qu'elle se bouge pour moi, même si je n'avais pas envie qu'elle me retrouve.

La famille, c'est quoi ? avais-je écrit sur mon cahier lors de mon premier cours d'anglais à Perkins. Dessous, j'avais recopié la définition du dico : « Ensemble de relations, surt. parents et enfants. » C'est tout.

Sept mots, dont une abréviation. Si la famille, ça n'avait été que sept mots, ça m'aurait simplifié la vie.

Comme Mme Conyer nous encourageait à nous mettre au travail, je me suis tournée vers Olivia. Après tout, c'était logique que je m'adresse à ma voisine de classe. Mais Olivia, raide vissée sur sa chaise, faisait une sale tête. Ses yeux étaient rouges, elle serrait un mouchoir en papier dans son poing et portait son éternel bomber de Jackson comme si elle avait voulu disparaître à l'intérieur.

— Ne demandez pas seulement ce que votre mot signifie littéralement, mais ce qu'il signifie pour la personne que vous interrogez, reprit Conyer. N'ayez pas peur d'exprimer votre opinion personnelle.

Olivia ne semblait pas être dans un bon jour, alors j'ai tourné la tête du côté de Heather Wainwright, mon autre voisine, qui cherchait aussi quelqu'un à questionner, mais je ne le sentis pas non plus.

— Bon, on y va, oui ou non ?

C'était Olivia qui venait de parler, tout en regardant toujours droit devant elle. Je fixai son mouchoir en papier avec insistance et elle en fit aussitôt une petite boule pour le cacher.

— Qu'est-ce que la famille pour toi ?

Elle soupira et s'essuya le nez. Ça commençait mal.

— Tu ne connaîtrais pas Micah Sullivan par hasard ? demanda-t-elle tout à coup.

— Qui ?

— Micah Sullivan. En terminale. Dans l'équipe de football. Toujours avec Rob Dufresne.

C'est seulement lorsque j'entendis le dernier nom que je compris qu'elle parlait de notre ancien lycée. Rob Dufresne était avec moi en biologie, en seconde.

— Micah... ?

Je réfléchis. J'avais presque oublié les élèves de ma classe, à Jackson. Tous leurs visages se confondaient.

— Il est grand ?

— Non, aboya-t-elle.

Excuse-moi d'essayer de te rendre service.

— Bon, d'accord, il n'est pas petit non plus, reprit-elle.

— Il conduit un van bleu ?

Son regard est soudain devenu très attentif.

— Oui..., dit-elle lentement. C'est lui.

— Alors je le connais.

— Tu l'as déjà vu avec une fille, je veux dire, au lycée ?

Je réfléchis encore. Mais je ne voyais que Rob Dufresne prêt à tomber dans les pommes, le jour où on avait disséqué les grenouilles.

— Non, en fait, je ne me rappelle pas... Mais comme tu me le disais l'autre jour, Jackson, c'est grand.

Olivia a réfléchi et repris :

— Tu ne l'as jamais vu avec une joueuse de hockey, une blondasse avec un tatouage en bas du dos, une Minda ou Marcy, quelque chose dans ce goût-là ?

J'ai fait « non ». Olivia a eu l'air méfiant, puis elle s'est remise à regarder le mur en s'emmitouflant dans sa veste comme si elle allait mourir de froid.

— La famille, déclama-t-elle soudain, ce sont des gens qui vivent avec toi, mais avec qui tu n'as pas choisi de vivre. À l'opposé des gens que tu choisis.

J'écrivis tout en pensant à Micah et à sa joueuse de hockey.

— C'est tout ?

— Nan. Tu es liée avec ta famille par le sang, continua-t-elle d'une voix sans expression. Les gens d'une même famille ont donc beaucoup de choses en commun. Maladies, gènes, cheveux et couleur d'yeux. Ils sortent tous du même moule, en quelque sorte. Si tu as un problème, il peut venir de loin et tu peux en avoir hérité.

Je continuai d'écrire.

— Tu es scotchée à ta famille pour la vie, et réciproquement. C'est pour cette raison que les membres de ta famille sont toujours présents et au premier rang pendant les baptêmes et les enterrements. Ce sont les seuls qui sont là et qui le resteront du début à la fin de ta vie. Que tu le veuilles ou non.

Que tu le veuilles ou non... Voilà, j'avais fini d'écrire. Je regardai ma page moins blanche que tout à l'heure. C'était maigre, mais c'était un début.

— À ton tour, maintenant, lui dis-je.

Au même instant, ça a sonné, et ce fut le raffut habituel de chaises, sacs à dos et conversations. J'ai cru comprendre que Mme Conyer nous demandait d'avoir au moins quatre définitions de notre mot pour demain, mais je n'en fus pas sûre, il y avait trop de bruit. Olivia avait déjà sorti son portable et appuyait sur une touche « raccourci ». Pendant que je rangeais mon cahier, je la vis fourrer son mouchoir en papier dans sa poche, lisser ses nattes et se lever.

— C'est Melissa, lui dis-je tandis qu'elle s'éloignait.

Elle s'est figée, puis elle a tourné les yeux vers moi en abaissant son portable qu'elle avait déjà contre son oreille.

— Hein ?

— La blondasse avec le tatouage sur les reins. Elle s'appelle Melissa West, continuai-je en prenant mon sac. Elle est en première. C'est un thon. Et elle joue au football, pas au hockey.

Les autres passaient en bousculant tout le monde, mais Olivia restait immobile. Elle n'a même pas remarqué Heather Wainwright qui la regardait avec curiosité en sortant.

— Melissa West, répéta-t-elle.

— Oui.

— Merci.

— Pas de quoi.

Puis elle a de nouveau plaqué son portable à l'oreille et s'est éloignée en traînant les pieds.

À la fin des cours, Jamie m'attendait. Bras croisés, appuyé contre la voiture garée juste devant l'entrée principale. Dès que je le vis, j'ai pilé net et j'ai laissé passer les autres élèves. Je devenais peut-être parano, mais la dernière fois qu'on était venu me chercher au lycée sans prévenir, ça n'avait pas été pour m'annoncer que j'avais gagné au loto.

J'ai eu peur. J'ai passé en revue ce que j'avais pu faire de mal pour que Cora et Jamie aient envie de m'éjecter de chez eux, mais la vérité, c'est que je n'ai rien trouvé. Tout ce que je faisais depuis que j'habitais dans leur maison, c'était d'aller au lycée, de travailler au centre commercial et de faire mes devoirs. Je n'étais jamais sortie faire la fête, le vendredi ou le samedi soir. Mais après ce récapitulatif, j'avais toujours la frousse. Par réflexe ? D'instinct ? Je n'en sais rien, mais je n'arrivais pas à décoller. Jamie m'a repérée une fois que les élèves ont été moins nombreux.

— Ruby !

Il a agité la main. Moi aussi. Puis j'ai serré mon sac plus fort à mon épaule et je l'ai rejoint.

— Tu travailles chez Harriet, aujourd'hui ? me demanda-t-il.

— Non.

— Génial, il faut absolument que je te parle !

Il m'a ouvert la portière. Je me suis assise et j'ai essayé de bien respirer pendant qu'il montait de l'autre côté. Bizarrement, il n'a pas démarré. Alors j'ai pigé. Il allait me dire que je devais partir. Évidemment.

Il suffisait que je me tienne à carreau pour que Jamie et Cora décident que Ruby, ras le bol, casse-toi. Le pire, dans tout cela, c'est que je n'en avais pas envie.

— Le fait est..., commença Jamie

J'entendais mal. Mon cœur faisait bong-bong jusque dans mes oreilles.

— Eh bien, voilà, il s'agit de l'université...

Université ? C'était aussi inattendu que s'il avait dit « Minnesota » ou « poulet grillé ».

— Université..., répétai-je.

— Oui, tu es en terminale, reprit-il alors que je me demandais si je devais être soulagée ou toujours angoissée. Bien que tu n'aies pas fait un très bon semestre, et je précise que ça n'est pas ta faute, tu as passé l'examen d'admission à l'université, le SAT, en décembre dernier, et tes notes n'étaient pas mauvaises. Je viens juste de passer au bureau des conseillers d'orientation de Perkins. Certes, nous sommes déjà en novembre, mais ils pensent que si nous nous démenons, nous serons dans les délais pour déposer des dossiers de candidature dans différentes universités.

— Tu es allé au bureau d'orientation ?

— Oui.

Je devais avoir l'air surpris, parce qu'il a ajouté :

— Je sais. C'est plutôt le boulot de Cora, mais elle plaide pendant toute la semaine. De plus, nous avons décidé que peut-être...

Il n'a pas achevé. Je l'ai relancé.

— Vous avez décidé que peut-être... ?

Jamie a eu l'air vraiment gêné.

— ... que c'était mieux que je m'en occupe. Cora a été un peu raide, concernant ton job chez Harriet et cette histoire de psy... Disons qu'elle en a marre de jouer le rôle du méchant.

Je me suis tout de suite représenté Cora dans le rôle du bandit moustachu des dessins animés, qui attachait sa victime sur un rail de chemin de fer.

— Écoute, Jamie, les études, ça ne fait pas partie de mes plans.

— Pourquoi ?

J'aurais dû pouvoir lui répondre, mais c'était la première fois qu'on me parlait de la fac. En général, les filles comme moi s'arrêtaient après le lycée. Enfin, si elles réussissaient à aller jusque-là.

J'ai bidouillé une explication.

— C'est juste que ça n'a jamais été ma priorité...

— Mais il n'est pas trop tard, tu sais.

— Je pense que si.

— Et si ça n'était pas le cas ? Écoute-moi bien, Ruby, c'est ton choix pour le moment, mais la fin de l'année scolaire est encore loin... Et il peut se passer beaucoup de choses qui peuvent te faire changer d'avis, d'ici là.

Je ne répondis pas. Le parking était presque vide, à présent, à l'exception de deux filles assises sur le muret avec leurs crosses de hockey et leurs sacs.

— Je vais te faire une proposition, reprit Jamie. Remplis des dossiers de candidature afin de garder toutes tes chances. Et à la fin de l'année scolaire, tu décideras. À ce moment-là, au moins, tu auras le choix.

— Tu crois vraiment que je vais être acceptée dans une université ? Tu rêves.

— J'ai vu ton dossier scolaire. Tu n'es pas mauvaise.

— Mais je ne suis pas Einstein !

— Moi non plus. Et confidence pour confidence : je n'envisageais pas non plus de faire des études. Après le lycée, je voulais m'installer à New York, jouer de la guitare dans les cafés et enregistrer un disque.

— Tu l'as fait ?

— Non. Mes parents ont refusé catégoriquement. Je devais aller à l'université, que ça me plaise ou non. Alors je suis allé en fac, en me disant que je me carapaterais dès que possible. Mais mon premier cours, c'était un cours de codage informatique.

— Et la suite, on la connaît...

— Oui, la suite, c'est ma vie maintenant.

Je lâchai mon sac et le posai entre mes pieds. J'aimais bien Jamie. Tellement, même, que j'aurais voulu être honnête avec lui et lui dire la vérité, c'est-à-dire que la seule idée de remplir un dossier de candidature à l'université me fichait une trouille himalayesque. C'était en contradiction totale avec mon rêve d'être libre à cent pour cent. OK, j'avais décidé de rester chez Jamie et Cora aussi longtemps qu'il le fallait, mais uniquement parce que je n'avais pas d'autre choix. Et si j'allais à l'université, avec son soutien et celui de Cora, j'aurais une grosse dette financière et morale envers eux, alors que mon seul désir, c'était de ne dépendre de rien ni de personne.

Mais je ne pouvais pas lui dire la vérité.

— J'imagine que tu ne regrettes pas de ne pas être allé à New York, et tout ça, dis-je seulement.

Jamie laissa retomber sa tête sur l'appuie-tête.

— Parfois, si. Comme aujourd'hui, par exemple, lorsque je dois me débrouiller avec cette nouvelle campagne de pub, ce qui me rend dingue. Ou quand tout le monde au bureau rouspète et que j'ai l'impression que ma tête va exploser. Mais c'est par moments. De plus, si je n'étais pas allé en fac, je n'aurais jamais rencontré ta sœur. Et c'est quelque chose qui aurait changé le cours de mon destin !

— C'est vrai. Au fait, comment vous vous êtes rencontrés ?

— Tu vois Cora dans le rôle du méchant ?

Il a ri.

— On ne peut pas dire que ça a bien commencé, elle et moi !

J'étais intriguée.

— Pourquoi ?

— Parce qu'elle m'a carrément hurlé dessus, lors de notre première rencontre.

Je fronçai les sourcils.

— Elle te dira qu'elle a seulement été directe, mais elle m'a vraiment traité de tous les noms.

— Pour quelle raison ?

— Parce que je jouais de la guitare sur les marches de la résidence universitaire. Et tu sais que Cora déteste qu'on l'empêche de dormir.

Je ne le savais pas, mais ça ne m'a pas empêchée de faire un grand « oui » de la tête.

— La rentrée universitaire avait eu lieu une semaine plus tôt. J'étais en première année de fac, c'était l'été indien et je jouais de la guitare par une belle nuit, lorsqu'elle a ouvert sa fenêtre et m'a insulté.

— Sérieux ?

— Oh oui ! Elle était enragée ! Elle m'a dit que c'était indécent et grossier d'empêcher les gens de dormir en faisant un boucan pareil. Texto ! Du boucan ! Alors que, moi, je pensais être un grand artiste !

Il se remit à rire et hocha la tête, amusé par son souvenir.

— Tu l'as plutôt bien pris, je trouve, dis-je.

— Oui, mais ça n'a bardé que la première fois. Je ne la connaissais pas encore.

Je ne répondis pas. Je jouais avec la lanière de mon sac à dos.

— Ce que j'essaie de t'expliquer, c'est que la vie n'est pas toujours parfaite..., reprit-il. Il y a parfois des débuts chaotiques et des regrets, ce qui est tout à fait normal. Lorsque tu as des regrets parce que tu as eu le choix mais que tu as laissé passer ta chance en connaissance de cause, alors là, c'est dommage.

Sur leur muret, les deux filles avec leurs crosses de hockey parlaient et riaient fort.

— Par exemple, ne pas faire des dossiers de candidature à l'université quand j'en avais la possibilité et ensuite m'en bouffer les doigts ?

Il sourit.

— Par exemple, oui. Bon, on ne peut pas dire que je fais dans la dentelle... On fait un deal ?

— Je ne veux pas faire de deal, j'accepte ta proposition, point.

— Puisque tu as accepté, tu seras récompensée.

— Par la chance que tu me donnes d'entrer en fac, je sais. C'est une occasion que je n'aurais jamais eue, sinon.

— Pas seulement.

— Alors quoi ?

— Tu verras bien ! dit-il en démarrant.

— Un poisson ? dis-je. C'est vrai ?

— Mais oui ! Que veux-tu de plus ?

S'il savait... Je n'ai pas répondu et je me suis intéressée à l'aquarium rempli de carpes Koï blanches qui nageaient comme des petites folles. Il y avait de nombreux autres aquariums remplis de poissons aux noms inconnus dans le magasin d'aquariophilie Donovan Landscaping : Comet, Shubunkin, Gambusie et d'autres carpes Koï de couleur différente, certaines unies, d'autres avec des taches noires et rouges.

— Je vais essayer de trouver un vendeur pour tester l'eau de la mare, sa température, son PH, son taux d'oxygène et sa dureté, etc., dit-il en sortant un sachet en plastique rempli d'eau de sa poche. Tu prends ton temps pour choisir, d'accord ? Prends-en un bon !

Un bon ? Comme si je pouvais savoir si un poisson était solide rien qu'en le regardant. Je n'avais jamais eu de poisson, ni de chien ou de chat, d'ailleurs, mais je savais qu'un poisson pouvait crever, même dans un aquarium propre et bien entretenu. Alors qui sait ce qui pouvait lui arriver dans une mare ouverte aux quatre vents ?

— Tu veux que je t'aide à choisir ?

J'allais refuser, mais j'ai été trop surprise de voir Heather Wainwright derrière moi. Elle était en jean et portait un tee-shirt Donovan Landscaping, ainsi qu'un pull noué à la taille. Quand elle m'a reconnue, elle a été aussi étonnée que moi.

— Tiens, salut. Tu t'appelles Ruby, c'est ça ?

— Oui. Je regarde seulement.

— Les poissons, c'est cool.

Elle s'approcha de l'aquarium et plongea la main dedans. Les poissons encerclèrent aussitôt ses doigts.

— Ils deviennent fous quand ils pensent que tu vas leur donner à manger. Ils sont comme des chiens affamés !

— Ah.

Elle a retiré sa main et l'a essuyée sur son jean. Franchement, j'étais sidérée qu'elle bosse ici. Je l'aurais mieux imaginée dans une boutique de fringues du centre commercial. Mais c'était moi qui travaillais au centre commercial. La vie est bizarre...

— Les poissons rouges ne sont pas aussi agressifs, mais les Koï sont vachement plus jolies, alors c'est un bon compromis.

— Mon beau-frère vient juste de faire creuser une mare dans son jardin, expliquai-je alors qu'elle se penchait et ajustait une valve de l'autre côté de l'aquarium. C'est son obsession.

— Les mares, c'est top. Elle est grande ?

— Assez, oui.

Je regardai vers les serres, en direction desquelles Jamie s'était éloigné.

— Il va bientôt revenir. En attendant, je suis censée choisir un poisson.

— Un seul ?

— Oui, ce sera mon poisson perso.

Elle se mit à rire. Je n'aurais jamais cru que je rigolerais devant un aquarium avec Heather Wainwright ! D'un autre côté, je n'étais pas non plus censée être là, ni avec qui que ce soit. Cela dit, ces derniers temps, quand j'essayais de me situer, je n'y arrivais pas. Avant, c'était facile : j'étais à Jackson ou dans ma chambre de la maison jaune. J'avais perdu cette vie, mais je ne m'étais pas encore habituée à la nouvelle.

J'avais l'impression de flotter, bloquée dans les airs au milieu de nulle part.

— Alors comme ça, tu es amie avec Ben, me dit Heather au bout d'un moment en réajustant de nouveau la valve.

Voilà, voilà. Tout le lycée l'avait remarqué, c'est bien ce qu'il me semblait. Donc Heather aussi. Logique.

— On est seulement voisins, expliquai-je. Ma sœur habite juste derrière chez lui.

Heather poussa une mèche derrière son oreille.

— Tu sais qu'on sortait ensemble ?

— Ah ?

— Oui. On a rompu au début de l'automne. C'était le scoop de l'année...

Elle a soupiré et de nouveau plongé sa main dans l'eau.

— ... jusqu'à ce que Rachel Webster tombe enceinte. Triste nouvelle, mais au moins, on a cessé de parler de Ben et de moi pendant un bon moment.

— Le problème, c'est que Perkins Day, c'est petit.

— Je ne te le fais pas dire.

Elle a essuyé sa main sur son jean une fois de plus et a levé les yeux sur moi.

— Et... comment il va ?

— Qui ? Ben ?

Elle a fait « oui ».

— Je ne sais pas. Bien, je crois. Comme je viens de te le dire, on n'est pas non plus proches, lui et moi.

Elle a réfléchi pendant que nous regardions les poissons aller et venir.

— Je vois. Ben a une personnalité plus complexe qu'on ne le croit, répondit-elle enfin.

Ça n'est pas ce que j'avais voulu dire. Pour moi, c'était le contraire : Ben, on lisait en lui comme dans un livre ouvert, parce que c'était un vrai gentil. Mais je n'ai pas osé le lui dire, parce que je ne le sentais pas, tout à coup.

— En tout cas, je suis contente que vous soyez amis, continua Heather. Ben, c'est quelqu'un de bien.

Étonnant. Je n'avais jamais entendu une ex-petite amie parler de son ex avec tant de générosité. Mais attention, Heather, c'était la reine de la générosité. La preuve, elle passait les trois quarts de son temps aux tables HELP. Et le gentil Ben ne pouvait tomber amoureux que d'une fille généreuse. C'était mathématique.

— Ben a plein d'amis, dis-je. Alors un de plus ou de moins, ça ne fait pas de différence.

Heather m'observa longuement.

— Peut-être. Mais on ne sait jamais...

Quel message elle essayait de faire passer ? Au même instant, je sentis une main sur mon épaule. C'était Jamie.

— L'eau de la mare est parfaite. Et toi, tu as trouvé le poisson parfait ?

— Comment tu choisis ? demandai-je à Heather.

— Je me fie à mon instinct. Choisis sans réfléchir.

Jamie hocha la tête, approbateur.

— Vas-y. Laisse le poisson parler à ton cœur...

— Ou alors, prends celui qui sautera de l'épuisette : le choix se fera tout seul, ajouta Heather.

À la fin, ce fut un mélange des deux : j'ai montré un poisson à Heather qui a plongé l'épuisette et hop ! je me suis retrouvée avec une petite carpe Koï blanche qui semblait complètement terrorisée et tournait à toute vitesse dans son sachet en plastique. Jamie a choisi des Comets et des Shubunkins, puis d'autres carpes Koï, mais pas des blanches, pour ne pas les confondre avec la mienne.

— Comment vas-tu appeler ta carpe ? me demanda-t-il alors que Heather remplissait d'oxygène les deux tiers restants du sachet.

— Je vais attendre de voir si elle survit.

— Évidemment qu'elle survivra ! affirma Jamie.

Heather porta nos sacs à la voiture où elle les rangea dans des cartons sur la banquette arrière.

— Vous devez les acclimater progressivement, nous expliqua-t-elle tandis que les poissons ne cessaient de tourner en rond dans leurs sacs d'eau et d'oxygène. Pour commencer, il faut placer les sacs dans la mare pendant un bon quart d'heure, le temps que la température de l'eau du sac soit identique à celle du bassin. Ensuite, ouvrez les sacs et ajoutez-y de l'eau du bassin, puis attendez encore un quart d'heure. Enfin, vous pouvez les relâcher dans la mare.

— Si je comprends bien, il faut y aller tout en douceur ? dit Jamie.

— Exactement. Pour les poissons, c'est toujours un gros choc de quitter l'aquarium, expliqua Heather en refermant la portière. Mais en général, les carpes Koï le surmontent bien. Surtout, méfiez-vous des hérons et des oiseaux aquatiques ! Ils peuvent faire de gros dégâts.

— Merci pour ton aide, lui dit Jamie qui se glissait derrière le volant.

— Pas de problème. À demain au lycée, Ruby.

— Oui, à demain.

— C'est une amie ? demanda Jamie en faisant marche arrière.

— Pas vraiment. On a juste quelques cours ensemble.

On n'a plus parlé jusqu'à la maison. La circulation était infernale, on s'est tapé tous les feux rouges. Comme mon poisson était seul dans son petit sac, je l'avais gardé sur les genoux et je le sentais nager dans tous les sens. C'est un gros choc de quitter l'aquarium, avait dit Heather tout à l'heure. Je levai mon sac devant mes yeux et je le regardai bien. Impossible de savoir si ma petite carpe Koï allait survivre plus d'une nuit ou plus d'une semaine.

Quand nous sommes arrivés chez Cora, nous sommes allés au bord de la mare. Je me suis accroupie à côté de Jamie et j'ai plongé mon sac dedans, puis j'ai attendu un quart d'heure avant d'ouvrir le sachet et d'y laisser entrer un peu d'eau. Exactement comme Heather l'avait expliqué. Lorsque j'ai relâché ma carpe Koï dans la mare, il faisait presque nuit, mais j'ai bien vu nager mon poisson : il était si blanc qu'il était presque lumineux. J'ai cru qu'il allait hésiter ou faire demi-tour, mais il a nagé encore plus vite pour enfin disparaître dans les profondeurs sombres de l'eau.

Quand Jamie m'a appelée pour me dire que j'avais de la visite, j'ai cru que j'hallucinais.

Cinq heures moins le quart au réveil. On était mardi. Un bête mardi. J'ai regardé vers chez Ben, par la fenêtre. Les lumières dans la piscine étaient éteintes. C'était lui, ma visite ? Non, Jamie l'aurait dit.

— J'arrive !

Je me suis levée et j'ai pris le couloir.

— Mais qui...

Au même instant, j'ai vu Peyton qui caressait Roscoe, et Jamie à côté d'elle. Elle a levé les yeux et m'a souri.

— Salut ! lança-t-elle avec son exubérance habituelle. Tu vois, je t'ai trouvée !

J'aurais dû être contente de la revoir, parce que Peyton, c'était ma pote, pas comme Heather ou Ben, mais étrangement, je me sentais mal comme tout. Peyton, je ne l'avais jamais invitée dans la maison jaune. Je lui disais que ça dérangerait ma mère qui dormait ou que ça n'était pas le moment. Je l'avais toujours joué très perso. Et voilà maintenant que Peyton s'incrustait chez Cora.

— Salut, dis-je en descendant. Que se passe-t-il ?

— Tu es surprise, hein ? dit-elle en rigolant. Tu n'arrives pas à croire que j'aie réussi à te retrouver !

Jamie souriait, je me suis donc forcée à sourire, même lorsque j'ai remarqué deux détails énormissimes : primo, Peyton puait la fumée, secundo, ses yeux étaient rouges comme ceux d'un régiment de lapins albinos et son mascara avait coulé. La pauvre, elle n'avait jamais bien su utiliser le collyre pour planquer ses yeux rouges parce qu'elle avait fumé trop d'herbe. Et cette fois, c'était pire que d'habitude. Même si elle était toujours impec avec ses couettes basses, ses jeans, son polo rouge avec une pomme et un petit pull doudou noué autour de la taille, elle n'arrivait jamais à cacher qu'elle était défoncée, même en faisant un max d'efforts.

— Comment m'as-tu retrouvée ? lui demandai-je.

— Eh bien voilà, répondit-elle en faisant des gestes pour mieux s'expliquer. Tu m'avais dit que tu habitais Wildflower Ridge, alors...

— Ah bon, je te l'avais dit ?

— Voui. Bon, ben, alors je me suis dit que Wildflower Ridge, c'était moins grand que Manhattan, hein ? Mais quand je suis arrivée, j'ai vu que c'était grand grave.

Je regardai Jamie qui suivait le récit de Peyton en souriant sans comprendre. Enfin, je l'espérais.

— J'ai tourné en rond et je me suis paumée, continua Peyton. Je faisais demi-tour, quand, tout à coup, j'ai vu un mec trop mignon qui promenait un chien. Alors j'ai baissé la vitre de ma portière et je lui ai demandé s'il te connaissait.

Je devinais la suite.

— Et il te connaissait ! s'exclama-t-elle en battant joyeusement des mains. Et il m'a montré la bonne direction. Un mec vraiment trop mignon. Qui s'appelle...

— Ben.

— Oui ! cria-t-elle.

Elle rit de nouveau, trop fort, et je sentis encore plus la fumée cette fois. Quand je pense au temps que j'avais passé à lui répéter de sucer des pastilles à la menthe, ça faisait pitié.

— Et me voilà ! Ça a marché finalement !

— C'est clair, répondis-je alors que j'entendais la porte entre la cuisine et le garage s'ouvrir et se refermer.

— Coucou, c'est moi ! lança Cora.

Roscoe a dressé ses oreilles et trotté vers elle.

— Il y a quelqu'un ?

— On est là ! répondit Jamie.

Cora nous rejoignit, élégante dans son tailleur, et avec le courrier du jour.

— C'est l'amie de Ruby, Peyton, continua Jamie. Peyton, c'est Cora.

— Vous êtes la grande sœur de Ruby ! s'exclama Peyton. Cool !

Cora l'observa rapidement mais très attentivement, puis elle lui a tendu la main.

— Ravie de faire ta connaissance, Peyton.

— Moi aussi, répliqua Peyton qui serrait sa main de toutes ses forces. Vraiment ravie.

Ma sœur souriait poliment. Son expression avait changé, juste assez pour que je comprenne qu'elle avait vu et senti ce qui avait échappé à Jamie. Elle était comme la mère de Peyton : rien ne lui échappait.

— Eh bien, il est temps de penser au dîner, dit Cora.

— En effet, dit Jamie. Peyton, veux-tu rester dîner avec nous ?

— Oh, eh bien..., commença Peyton.

— Elle peut pas, coupai-je. Je vais lui montrer la maison, si ça ne vous ennuie pas.

— Pas de problème ! répondit Jamie.

Cora observait toujours Peyton avec attention tandis que je lui faisais signe de me suivre à la cuisine.

— Surtout, montre-lui la mare ! ajouta Jamie.

— La mare ? demanda Peyton alors que je l'attirais déjà sur la terrasse et fermais la baie.

J'attendis que nous soyons assez loin de la maison pour parler.

— Qu'est-ce qui te prend ? Tu es complètement malade ?

Elle m'a regardée d'un air bête.

— Quoi ?

— Peyton ! Tu es miraud ou quoi ? Ma sœur, elle a tout vu tout compris !

— Mais non ! dit-elle en agitant la main. J'ai mis du collyre !

J'ai levé les yeux au ciel, mais je n'ai pas fait de commentaire. Pas la peine.

— Tu n'aurais jamais dû venir.

Elle a eu l'air vexé, puis elle a fait la grimace.

— Et toi, tu aurais dû me rappeler ! Tu avais dit que tu le ferais, tu ne l'as pas fait ! Tu te souviens ?

À présent, Cora et Jamie nous regardaient de la cuisine.

— Je suis en train de me poser, tu comprends ça ? continuai-je.

Peyton m'a tourné le dos et s'est approchée de la mare. Avec ses couettes, de profil, je lui aurais donné douze ans à tout casser.

— Écoute, c'est compliqué...

— Eh bien, pour moi aussi, figure-toi ! dit-elle en observant la mare.

Je me suis approchée. Il faisait trop sombre pour bien la voir, mais on entendait la pompe et la cascade.

— Il s'est passé plein de choses depuis que tu es partie, Ruby.

J'ai regardé derrière moi. Jamie était parti. Pas Cora. Elle nous observait toujours.

— Quoi ?

Peyton m'a jeté un regard rapide et a haussé les épaules.

— Je voulais juste te parler, c'est tout.

— Mais me parler de quoi ?

Elle a inspiré, expiré comme si elle manquait d'air, tandis que Roscoe passait par la chatière et trottinait vers nous.

— De rien du tout, dit-elle en fixant de nouveau la mare. Tu me manques, voilà. On se voyait tous les jours et puis plus rien. C'est dur.

— Je sais. Et je te jure que j'aimerais que tout redevienne comme avant. Mais c'est impossible. C'est ma vie, maintenant. Au moins pour un petit moment...

Peyton avait l'air de réfléchir. Puis elle s'est retournée et a observé la maison.

— C'est différent, ici...

— Oui.

Pour finir, Peyton est restée à peine une heure, juste le temps que je lui montre la maison, qu'elle me raconte les dernières rumeurs de Jackson et refuse deux fois l'invitation de Jamie à rester dîner. Mon beau-frère semblait tellement content que j'aie une vraie amie qu'il se serait mis à genoux pour la supplier de rester, mais je vous jure que Cora voyait les choses autrement, comme je l'ai découvert plus tard. Je pliais mes vêtements dans ma chambre lorsqu'elle est entrée.

— Et si tu me parlais de Peyton.

Je me suis concentrée sur une paire de chaussettes.

— Rien à dire.

— Vous êtes amies depuis longtemps ?

— Un an ou deux. Pourquoi ?

— Comme ça.

Elle s'est appuyée contre la porte et m'a regardée prendre mon jean.

— C'est juste qu'elle me semble un peu brouillon. Dispersée... Pas du tout ton genre.

Elle ne connaissait pas mon genre. Mais je n'ai rien dit, j'ai continué de plier mes affaires.

— À l'avenir, toutefois, j'aimerais que tu nous préviennes quand tu auras de la visite.

Comme si tout Jackson allait débarquer ici ! Et que soudain, ça lui pose un vrai problème.

— Je ne savais même pas qu'elle venait, d'accord ? J'avais oublié qu'elle savait où j'habitais.

— Préviens-nous la prochaine fois, c'est tout.

La prochaine fois à la saint-glinglin.

— Pas de problème.

Je continuais de ranger, en attendant qu'elle en rajoute. Pose des questions. Fasse des insinuations. Me cherche. Je n'avais rien fait, je n'avais pas envie de me disputer. Enfin, Cora est repartie dans sa chambre. Un peu plus tard, je l'entendis me souhaiter « bonne nuit », et je lui souhaitai aussi une bonne nuit. Deux petits mots gentils comme deux mains tendues hésitant à se rejoindre au-dessus du vide.

Chapitre 7

En général, je travaillais pour Harriet de trois heures et demie à sept heures pendant qu'elle était censée déjeuner (tardivement, on le voit) et faire quelques courses. En réalité, Harriet ne décollait jamais de son kiosque : elle tournait en rond, son sac à la main et prête à partir.

— Je suis désolée, disait-elle en arrangeant une vitrine que j'avais déjà rangée deux fois, c'est juste que... que j'ai mes habitudes de rangement, tu comprends, hein ?

Je ne faisais que ça. Harriet avait commencé de zéro, après les Beaux-Arts, et elle avait eu un mal fou à monter son affaire. Elle s'était battue, elle avait parfois été obligée de faire des compromis avec ses principes artistiques, et elle avait même frôlé la faillite. Elle se battait comme si elle avait été seule contre le monde entier. C'est pourquoi elle avait du mal à se faire à l'idée que nous étions deux, maintenant. Enfin, c'était mon interprétation.

Mais son perfectionnisme maniaque me gonflait : elle me suivait partout, vérifiait mes moindres gestes, recommençait ce que je venais de terminer, ou faisait carrément tout à ma place. Moi, pendant ce temps, je me tournais les pouces en me demandant cent fois par seconde pourquoi elle m'avait embauchée. Un jour que j'avais passé mon temps à dépoussiérer pendant quatre heures, je lui avais posé la question.

— Tu veux la vérité ?

— Oui !

— Parce que je suis submergée de boulot ! Mes commandes affluent, je suis en retard dans ma compta et je suis morte de fatigue. Sans la caféine, je crois que je serais déjà morte.

— Alors laisse-moi t'aider !

— Je te jure que j'essaie !

Elle but une gorgée de son précieux café.

— Mais c'est difficile... J'ai toujours voulu me débrouiller seule. De cette façon, je suis responsable de A à Z, du positif comme du négatif. Et si je délègue, j'ai peur que...

J'attendis qu'elle termine. Comme elle se taisait, j'ai achevé sa pensée pour elle :

— Tu as peur de tout perdre, c'est ça ?

Elle a ouvert de grands yeux.

— Oui ! C'est exactement cela ! Mais comment le sais-tu !

Plutôt mourir que de lui expliquer que j'étais comme elle.

— L'intuition.

— Ma bijouterie, c'est tout ce que j'ai jamais possédé, tu comprends ? Je suis morte de peur à l'idée qu'il arrive une catastrophe.

— Mais ça n'est pas parce que tu acceptes de l'aide que tu perds le contrôle de la situation, dis-je tandis qu'elle buvait une nouvelle gorgée de café.

Un conseil que j'aurais dû suivre, me dis-je. Mais lorsque je repensai à ces dernières semaines, à mon installation chez Cora et à mon deal avec Jamie pour la fac, je me rendis compte que c'était peut-être déjà fait.

Harriet était tellement obsédée par sa bijouterie que sa vie perso était à mon avis égale à un double zéro. La journée elle bossait comme une malade dans sa miniboutique et la nuit elle créait des bijoux chez elle. C'était peut-être le but de sa vie ? Possible, mais j'en connaissais au moins un qui aurait bien voulu que ça change. Reggie, de Vitamin Me/Vitaminez-Moi.

Quand Reggie partait déjeuner, il passait toujours voir si elle avait besoin d'un petit truc à grignoter. Et s'il n'avait pas de client, il venait faire la causette. Lorsque Harriet se plaignait d'être complètement crevée, il lui offrait aussitôt son fameux complexe vitamines B. Si elle éternuait, il accourait avec de l'échinacée. Le jour où il lui a apporté une tisane et du ginkgo biloba parce qu'elle se plaignait de perdre la mémoire, elle s'est sincèrement étonnée.

— Ce Reggie, il est si gentil avec moi... Je ne sais pas pourquoi il s'en fait autant ?

— Parce qu'il est amoureux.

Elle a relevé la tête, surprise.

— Quoi ?

— Il est amoureux de toi.

Ça se voyait comme le nez au milieu de la figure.

— Tu le sais bien, enfin !

— Reggie ? demanda-t-elle, l'air si étonné que je compris qu'elle n'avait rien remarqué. Mais non, on est juste amis !

— Il t'a donné du ginkgo biloba pour soigner ta mémoire. Les amis ne font pas ça.

— Bien sûr que si !

— Harriet, puisque je te dis qu'il est amoureux de toi !

— Eh bien, tu dis n'importe quoi. Nous sommes de bons amis et l'idée que..., dit-elle, continuant à feuilleter ses factures.

Tout à coup, elle s'est tue, m'a regardée, puis a regardé Reggie qui conseillait une cliente.

— Oh mon Dieu, tu penses vraiment que...

— Oui, je pense que... ! répondis-je en baissant les yeux sur le ginkgo biloba qu'il avait posé sur le comptoir avec un petit mot où il avait dessiné un smiley tout content.

— Mais c'est ridicule ! dit-elle, toute rouge.

— Pourquoi ? Moi je le trouve sympa.

— Je n'ai pas le temps ! dit-elle en buvant une gorgée de café.

Puis elle a fixé le ginkgo biloba comme si c'était une bombe à retardement.

— Et en plus, c'est bientôt Noël, ajouta-t-elle. La période la plus folle de l'année !

— Je ne vois pas le rapport.

Elle a secoué la tête.

— C'est impossible, c'est tout.

— Pourquoi ?

— Parce que ça ne marchera jamais ! lâcha-t-elle tandis qu'elle ouvrait le tiroir-caisse pour y ranger la recette. Je dois me concentrer sur ma boutique ! Tout le reste, c'est de la distraction.

J'allais lui dire qu'elle se trompait. Qu'elle pouvait toujours essayer de se rapprocher de Reggie et voir où ça les mènerait. Mais je décidai de respecter son opinion, même si je n'étais pas d'accord. Après tout, moi aussi, j'avais décidé de ne dépendre de rien ni de personne. Cela dit, depuis ces derniers temps, c'était devenu assez difficile.

La preuve, quelques jours plus tôt. Nous étions dans la cuisine, Cora et moi ; je pensais à ma vie et à mes plans quand je me suis retrouvée emberlificotée dans les projets de Noël de Jamie.

— Attends, Jamie, c'est quoi encore, ça ? demanda Cora en voyant une chemise en jean sur la table.

— C'est pour notre carte de Noël ! s'exclama-t-il.

Il sortit une chemise en jean identique de son sac de courses et me la tendit.

— Souviens-toi, je t'ai dit que je voulais faire une photo de nous, cette année !

— Et tu veux que l'on porte des chemises en jean identiques sur la photo ? demanda Cora alors qu'il en sortait une troisième qu'il plaquait contre son torse. Tu n'es pas sérieux, j'espère ?

— Mais si ! déclara Jamie. Ça va être génial ! Oh, et attends ! Tu n'as pas vu le plus beau !

Il sortit en courant. Cora et moi, on se regardait.

— Il veut qu'on porte les mêmes chemises sur la photo qui servira pour les cartes de vœux ? demandai-je.

— Pas de panique.

Mais elle était complètement paniquée.

— Du moins, pas pour le moment, reprit-elle.

— Regardez-moi ça ! s'écria Jamie qui revenait. Pour Roscoe !

Il sortit une chemise en jean taille chien, avec un nœud pap rouge, de derrière son dos et nous la montra fièrement. J'aurais dû me réjouir de ne pas voir de nœud pap sur la mienne, mais j'étais trop horrifiée pour positiver.

— Écoute, Jamie, reprit Cora pendant qu'il attrapait Roscoe qui roupillait sous la table pour lui mettre, je me demande comment, sa belle chemise. Je suis à cent pour cent pour les cartes de vœux personnalisées, mais tu penses vraiment que nous devons être tous les quatre habillés pareil ?

La voix étouffée de Jamie nous parvint de dessous la table.

— Dans ma famille, on porte toujours les mêmes vêtements sur nos cartes de Noël personnalisées ! Tous les ans, maman nous tricotait des pulls de la même couleur pour l'occasion. Après, on posait devant les escaliers ou devant la cheminée, ça dépendait, pour faire la photo. Je perpétue la tradition, tout simplement !

— Par pitié, fais quelque chose, soufflai-je à Cora.

Elle a fait un grand « oui » de la tête.

— Tu sais, je me demande si une simple photo ne suffirait pas, dit-elle lorsque Jamie émergea enfin en tenant Roscoe, qui semblait de mauvais poil et mordillait déjà le nœud pap. Ou seulement une photo avec Roscoe ?

Jamie a pâli comme si elle venait de lui annoncer la fin du monde.

— Tu ne veux pas une carte avec nous tous ?

— Eh bien...

Elle a tourné les yeux sur moi.

— C'est que nous, enfin Ruby et moi, n'avons pas l'habitude... C'était différent, chez nous, tu comprends ?

La phrase de l'année. J'avais quelques souvenirs des Noëls familiaux, mais quand mon père était parti, il avait emporté l'esprit de Noël de maman avec lui. Après ça, j'avais vite appris à redouter les fêtes de fin d'année. Il y avait trop d'alcool, pas assez d'argent, et comme en plus c'était les vacances scolaires, j'étais condamnée à rester nuit et jour avec maman. En janvier, j'émergeais de ce cauchemar en disant « ouf ! ».

— Il y a une raison pour laquelle je veux faire les choses en grand, reprit Jamie qui observait Roscoe.

Il avait bavé et mordillé son nœud papillon, et s'attaquait à une manche de sa chemise en jean.

— Laquelle ?

— Toi, Cora. Et Ruby. Parce que vous avez manqué tant de Noëls, toutes les deux...

Je fixai Cora et lui envoyai un message télépathique pour qu'elle dise non, mais elle regardait Jamie avec des yeux comme ceux de Roscoe. Merde, elle faiblissait.

— Tu as raison..., dit-elle enfin, alors que Roscoe recrachait un morceau de son nœud papillon.

— Quoi ? dis-je.

— Ce sera amusant, me dit-elle. De plus, le bleu te va au teint.

Quelle consolation. Et voilà, une semaine plus tard, je posais au bord de la mare, Roscoe sur mes genoux, tandis que Jamie bidouillait le pied et le mode retardateur de son appareil photo. Cora à côté de moi me lançait sans cesse des regards d'excuse que je refusais de voir.

— Essaie de comprendre, chuchota-t-elle tandis que Roscoe me léchait le visage. Jamie est comme ça. Il a toujours voulu me donner ce que je n'ai pas eu : la maison, la sécurité et cette vie-là... C'est adorable...

— Attention ! s'exclama Jamie en courant rejoindre Cora. Un, deux...

À trois, on entendit un premier déclic de l'appareil photo, puis un second. Plus jamais ! ai-je pensé quand je nous ai vus sur les photos, développées et empilées à côté de leurs enveloppes. Dessus, on lisait : « Les Hunter vous souhaitent un joyeux Noël ! » On aurait pu croire que j'en faisais partie, avec ma chemise en jean bleue.

Je n'avais pas été la seule qui avait été obligée de sortir de ses petites habitudes. Olivia aussi. Une semaine plus tard, j'étais devant mon casier lorsque j'ai senti quelqu'un derrière moi. Je me suis retournée, certaine que c'était Ben, le seul à qui je parlais dans ce lycée, mais surprise, surprise, c'était Olivia Davis.

— Tu avais raison, dit-elle.

Pas bonjour, ni comment tu vas. Mais au moins, elle me parlait sans avoir son portable à l'oreille. C'était un vrai progrès.

— Raison à propos de quoi ?

Elle s'est mordillé la lèvre, a regardé sur le côté pendant que des joueurs de foot passaient en parlant fort.

— Elle s'appelle Melissa. La nana qui sort avec mon petit ami.

Je refermai lentement la porte de mon casier.

— Ah oui. Je vois.

— Cela durait depuis des semaines, mais personne ne m'a rien dit, continua-t-elle d'un air écœuré. Tous les amis que j'ai là-bas, les gens avec qui je parle tout le temps... pas un n'a craché le morceau. Incroyable. Je suis dégoûtée.

Je ne savais pas quoi dire.

— Désolée. C'est gonflant.

Olivia a haussé les épaules. Elle évitait toujours de me regarder.

— C'est bon. Il vaut mieux savoir, après tout.

— C'est vrai.

— De plus, dit-elle d'un ton de Premier ministre, je voulais te dire merci. Pour l'info.

— Pas de problème.

J'entendis son téléphone sonner dans sa poche. Je connaissais sa sonnerie par cœur à force de l'entendre cent fois par jour. Elle a pris son portable, a consulté l'écran mais elle n'a pas décroché.

— Je n'aime pas être redevable, alors dis-moi ce que je peux faire pour toi. Comme ça on sera à égalité.

— Tu ne me dois rien, répondis-je tandis que son portable sonnait toujours. Je t'ai juste donné un nom.

— Si. Ça compte.

Elle a enfin pris sa communication et a plaqué l'appareil contre l'oreille.

— Attends une seconde, dit-elle à son interlocuteur.

Puis elle m'a regardée.

— N'oublie pas quand même, conclut-elle.

Je fis « oui », puis elle s'est éloignée, déjà concentrée sur sa conversation. Alors comme ça, Olivia Davis n'aimait pas les dettes. Ça tombait bien, moi non plus. D'ailleurs, je n'aimais pas les gens, à moins qu'ils ne me donnent une raison de penser le contraire. Enfin, c'était ma façon de voir les choses, à présent. Depuis quelque temps, en effet, je commençais à penser que ça n'était pas seulement ma vie qui avait changé.

Plus tard dans la même semaine, Ben et moi on sortait de la voiture, tandis que Gervais traçait déjà comme un malade vers le lycée, et on se dirigeait vers le lycée. Maintenant, on n'attirait plus trop l'attention, lui et moi. J'imagine que les gens potinaient sur une autre Rachel Webster. Cela dit, les autres nous regardaient toujours comme si on tombait de la lune.

— J'ai proposé à Harriet de s'offrir les services de Destress pour ranger sa maison, m'annonça Ben. Si tu voyais le bordel chez elle ! Il y a des journaux, du courrier et du linge partout ! Des piles et des piles de linge !

— Chez Harriet ? Vraiment ? Pourtant, elle est hyperorganisée, dans son travail ?

— C'est différent, c'est son travail. Ce que je veux dire...

— Ben !

Il a tourné la tête vers un type en blouson de cuir et lunettes de soleil qui était appuyé contre un van rouge.

— Salut, Robbie. Un problème ?

— C'est toi qui me le demandes ? Le coach m'a appris que tu quittais l'équipe de natation pour de bon ? Tu pouvais pourtant compter sur une bourse d'études universitaire, mon gars. Alors explique-moi pourquoi tu laisses tomber ?

— Trop occupé. Tu sais ce que c'est..., répliqua Ben en remontant la lanière de son sac sur l'épaule.

— D'accord, mais quand même ! On a besoin de toi ! Où est passé ton esprit d'équipe, mon vieux ?

Je n'ai pas entendu la réponse de Ben parce que je continuais d'avancer. De toute façon, ça ne me regardait pas. J'arrivais sur la pelouse lorsque je regardai derrière moi et vis Ben qui me rejoignait.

Tout de suite après, j'ai aperçu Olivia qui m'attendait près de mon casier avec son air de me dire qu'elle avait une dette envers moi, qu'elle voulait être réglo et me la payer dans la minute si possible. C'était étrange de penser qu'une nana que je ne connaissais pas me devait un service. Le plus bizarre, toutefois, ça a été de faire quelque chose que je n'avais pas envie de faire, d'en être consciente mais d'aller jusqu'au bout. Par exemple, ralentir le pas, mine de rien, afin de laisser le temps à Ben essoufflé de me rattraper, pour continuer et finir le trajet avec lui.

La photo montrait un groupe devant une maison. Elle devait dater des années soixante-dix, vu le style : pattes et chemises à imprimés psychédéliques pour les hommes, petites robes à fleurettes et cheveux très longs pour les femmes. Les premiers rangs étaient bien ordonnés, mais au fond, c'était n'importe quoi. Devant, il y avait des enfants accroupis, ou assis en tailleur. Un petit garçon tirait la langue et deux fillettes avaient des fleurs dans les cheveux. Au centre, on voyait une jeune fille en robe blanche assise et entourée par deux femmes plus âgées.

En tout, il devait bien y avoir, allez, une cinquantaine de personnes, dont certaines se ressemblaient et d'autres pas du tout. Les unes fixaient l'objectif avec des sourires scotchés sur le visage et les autres rigolaient, regardaient ailleurs ou tournaient la tête sans faire gaffe au photographe. Le pauvre, je l'imaginais renoncer à faire un vrai beau cliché et espérer que la chance serait avec lui.

J'avais trouvé cette photo sur la table de la cuisine et je l'avais examinée pendant que je prenais mon petit déjeuner. Lorsque Jamie descendit à son tour, environ vingt minutes plus tard, je l'observais toujours au lieu de lire le journal et mon horoscope.

— Ah, tu as trouvé ma pub ! dit-il en prenant la cafetière. Alors, qu'est-ce que tu en penses ?

— C'est une pub ? Pour quoi ?

— En fait, c'est l'un des supports qui vont me servir de pub. La pub, la voilà, dit-il en farfouillant dans des papiers sur la table.

Il me tendit un paquet de photos. Dessus, il y avait un double de celle que je venais de regarder, mais avec une inscription en majuscules et caractères gras qui disait : « Ça, c'est la famille. » Dessous, il y avait une autre photo prise le même jour. On y voyait un groupe de vingt personnes sur la zone d'en-but d'un terrain de foot américain. Ils étaient tous en tee-shirt et en jean, les uns bras dessus, bras dessous, les autres, mains levées. Ils semblaient fêter quelque chose. « Ça, ce sont les amis », disait la légende de cette photo-là. Et enfin, j'en ai vu une troisième : un écran d'ordinateur avec des centaines de petits visages souriants. C'était un montage fait avec les visages des deux autres photos. Dessous, je lus : « Ça, c'est le lien : UMe. »

— Je t'explique le concept, reprit Jamie qui se penchait par-dessus mon épaule. Nous vivons une époque où l'individualisme est roi. Nos téléphones portables, nos messageries en sont la preuve ; cependant, nous utilisons ces outils, les champions de l'individualisme, pour communiquer, et contacter nos amis, notre famille, etc. Ils font partie de la communauté que nous formons et dont nous dépendons. UMe contribue à nous mettre tous en relation.

— Ouah !

— Nous avons versé des milliers de dollars à une agence de pub, nous avons aussi passé des heures en réunions interminables, en discussions et en brainstormings, avec des idées de génie toutes les trois secondes, et tout ce que tu dis, c'est « Ouah ! » ? dit-il en prenant la boîte de céréales entre nous.

— Tu aurais préféré qu'elle te dise « C'est nul » ? intervint Cora en entrant, Roscoe derrière elle.

— Ta sœur déteste ma nouvelle campagne, m'expliqua Jamie.

— Je n'ai jamais dit cela ! objecta Cora qui ouvrait le réfrigérateur pour y prendre des gaufres tandis que Roscoe s'approchait de moi en reniflant le carrelage. Je me suis simplement mise à la place de ta famille, qui va bientôt se voir représentée telle qu'elle était en 1976 dans tous les magazines et Abribus du pays !

Je regardai la photo, puis Jamie.

— C'est ta famille ?

— Oui.

— Et encore, ils ne sont pas tous dessus ! ajouta Cora en glissant des gaufres dans le grille-pain. C'est incroyable ! Ça n'est pas une famille, c'est une véritable tribu !

— C'est parce que ma grand-mère a eu six enfants, précisa Jamie.

— Ah.

— Tu aurais dû voir ça lorsque nous nous sommes mariés ! reprit Cora. J'ai eu l'impression de me noyer à mon propre mariage. Imagine un peu, je ne connaissais pas un chat !

Il y a eu un moment de flottement avant que la gêne nous tombe dessus comme une enclume. Jamie a levé les yeux sur moi, mais je fixais ma cuillère de céréales sans cesser de mâchonner ce que j'avais dans la bouche, tandis que Cora rouge comme une tomate se concentrait terriblement sur le grille-pain. Ç'aurait été plus facile d'attaquer franchement et de tout déballer. Dire que Cora avait coupé les ponts. Que maman et moi, on n'avait jamais su qu'elle se mariait, donc qu'on n'avait pas été invitées. Mais Jamie, Cora et moi, nous sommes restés très silencieux et très immobiles, jusqu'à ce que le détecteur de fumée se déclenche et déplombe l'ambiance.

— Merde ! s'exclama Jamie en bondissant alors que le bip-bip de l'alarme nous cassait les oreilles.

Je regardai aussitôt Roscoe dont les oreilles s'étaient aplaties sur la tête.

— Qu'est-ce qui brûle ? demandai-je.

— Cet imbécile de grille-pain ! répondit Cora qui l'ouvrit et agita la main devant. Il fait toujours ça. Roscoe, du calme, mon bonhomme, ce n'est rien !

Trop tard. Roscoe sortait déjà de la cuisine à toute vitesse. Inexplicablement, il ne paniquait pas seulement quand le four faisait bip-bip, mais dès que le moindre appareil dans la cuisine bip-bipait. Le détecteur de fumée restait néanmoins son pire déclencheur de stress. Roscoe avait dû filer dans le dressing de ma salle de bains, sa planque préférée, et il tremblait sans doute au milieu de mes chaussures en attendant que le danger soit passé.

Jamie a réussi à presser sur le bouton du détecteur de fumée avec le balai, et ça s'est arrêté de biper. Il est revenu à table, tandis que Cora se laissait tomber sur sa chaise avec sa gaufre qu'elle mordilla à contre-cœur.

— Il est temps de consulter un thérapeute..., dit-elle au bout d'un moment.

— Pas question de mettre Roscoe sous antidépresseurs ! objecta Jamie.

Il prit le journal et parcourut la première page.

— Et je me fiche de savoir que le teckel de Denise est calmé pour de bon, maintenant !

— D'abord, Lola est un bichon maltais, pas un teckel, corrigea Cora, et il y a d'autres moyens que les antidépresseurs pour soigner une phobie. Peut-être pouvons-nous apprendre des gestes simples pour l'aider à la surmonter ?

— Nous devons surtout cesser de le rassurer lorsqu'il réagit aux stimulations auditives par la panique, déclara Jamie. Souviens-toi de ce que nous avons lu dans les livres sur le comportement de l'animal. Il peut entre autres interpréter nos paroles apaisantes et nos caresses comme des signaux d'alerte qui justifient sa peur.

— Tu préfères que l'on reste sans agir et qu'il continue à être traumatisé ?

— Bien sûr que non !

Cora posa sa gaufre et passa sa serviette sur ses lèvres.

— Il doit bien exister un moyen pour déterminer l'origine et le sens de sa peur, et en même temps...

— Cora ! Roscoe est un chien, pas un enfant, l'interrompit Jamie. Il ne s'agit pas d'un problème d'estime de soi. C'est pavlovien, d'accord ?

Cora le regarda sans répondre. Tout à coup, elle s'est levée avec son assiette qu'elle a posée brusquement dans l'évier et elle est sortie.

Jamie a soupiré et passé la main sur son visage pendant que je reprenais la photo de famille. De nouveau, j'observai attentivement les visages des femmes à côté de la jeune fille, qui fixaient l'objectif : les souriants, les sérieux, les solennels pleins de gentillesse. En face de moi, Jamie contemplait la mare à travers la baie.

— Moi, j'aime bien ta pub, dis-je enfin. C'est cool.

— Merci, répondit-il d'une voix distraite.

— Toi, tu es sur la photo ?

Il y jeta un coup d'œil en se levant.

— Non. Je suis né quelques années plus tard. Mais la jeune fille en robe blanche, au milieu, c'est ma mère. C'était le jour de son mariage.

Là-dessus, il est sorti de la cuisine et j'ai continué de regarder la photo, la mariée au milieu. Elle avait l'air heureuse avec toute sa famille autour d'elle. Je n'arrivais pas à m'imaginer ce que c'était de faire partie d'une tribu pareille, d'avoir des cousins, des oncles et des tantes, et pas seulement des parents, des frères et des sœurs... Est-ce qu'on se sentait perdu dans cette foule ? Protégé ? En tout cas, j'étais sûre d'une chose : on ne devait jamais se sentir seul.

Un quart d'heure plus tard, j'attendais dans l'entrée que Ben passe, lorsque le téléphone a sonné. J'ai décroché.

— Allô, Cora ?

— Non, c'est...
— Ah, Ruby ! Bonjour !
C'était une voix de femme toute contente.
— C'est Denise, l'amie de Cora. On s'est vues à la fête, tu te souviens ?
— Ah oui. Bonjour.
Je tournai la tête vers Cora qui descendait, sa sacoche à la main.
— Alors ? Ça va, la vie ? me demanda Denise. Et en classe, ça roule ? Ça ne doit pas être facile de commencer dans un autre lycée. Mais Cora dit que ce n'est pas la première fois que tu changes d'école. Personnellement, j'ai toujours vécu dans la même ville. Tu me diras, ce n'est pas mieux parce que...
— Je te passe Cora, dis-je en tendant le téléphone à ma sœur.
— Allô ? fit Cora. Oh, salut. Oui. À neuf heures.
Elle a repoussé une mèche derrière son oreille.
— D'accord, pas de problème.
Je m'approchai de la fenêtre près de la porte pour guetter Ben. En général il était à l'heure, et quand il était en retard, c'était le plus souvent à cause de Gervais qui avait des pannes de réveil et que sa mère traînait jusqu'à la voiture.
— Non, non, ça va, dit Cora qui s'était éloignée. Seulement un peu tendue. Je te téléphone plus tard, d'accord ? Merci de t'en être souvenue. Oui. Bye.
Elle a raccroché et j'ai tourné les yeux sur elle.
— Écoute, à propos de tout à l'heure, quand j'ai parlé de mon mariage... Je ne voulais pas te mettre mal à l'aise, dit-elle tout à coup.
— C'est bon, lui dis-je alors que le téléphone se remettait à sonner.

Cora a décroché.

— Charlotte ? Oui, bonjour. Tu peux me rappeler plus tard, s'il te plaît ? Je suis en train de... Non, non, à neuf heures. Oui, j'espère...

Elle s'interrompit, secoua la tête et continua :

— Je sais. Positiver... Je te raconterai. D'accord. Bye.

Elle a raccroché, soupiré, s'est s'assise sur la dernière marche et a posé le combiné à côté d'elle. Quand elle a vu que je la fixais toujours, elle a enchaîné :

— J'ai rendez-vous chez le médecin, ce matin.

— Oh... Tout va bien ?

— Je ne sais pas..., répondit-elle.

Puis elle a ajouté très vite :

— Enfin si, je vais bien, je ne suis pas malade.

Je fis « oui ». J'étais trop étonnée pour parler.

— C'est juste que...

Elle a bien lissé sa jupe des deux mains.

— Le problème, c'est que nous essayons d'avoir un bébé depuis déjà pas mal de temps, et je ne suis toujours pas enceinte. Alors nous avons décidé de consulter un spécialiste.

— Oh, répétai-je.

— Mais tout va bien, précisa-t-elle très vite. De nombreux couples ont ce genre de problème. Je voulais seulement que tu le saches, au cas où tu serais obligée de prendre un message du secrétariat du médecin. Je ne veux pas que tu te fasses du souci.

Je hochai la tête et me remis à regarder par la fenêtre. Si seulement Ben pouvait arriver maintenant, ce serait génial. Mais évidemment, il se faisait attendre. Crétin de Gervais. Soudain, j'entendis Cora pousser un autre soupir.

— Comme je le disais, en ce qui concerne le mariage... Je ne voulais pas que tu aies l'impression...

— C'est bon, je te dis.

— ... que j'étais encore en colère.

Je n'ai pas compris tout de suite. C'est comme si les mots de la phrase avaient dégringolé entre nous et que je devais les ramasser à la petite cuillère, puis les recoller dans l'ordre pour comprendre leur sens.

— En colère ? Mais pourquoi ?

— Parce que maman et toi vous n'êtes pas venues...

Nouveau gros soupir.

— Écoute, Ruby, ça n'est pas la peine d'en reparler, c'est du passé. Mais ce matin, lorsque j'ai évoqué ma solitude, le jour de mon mariage, tu as eu l'air mal et j'ai compris que tu te sentais très gênée. J'ai donc pensé que ce serait bien d'en parler. Je te le répète, je ne suis plus en colère.

— Tu ne nous as pas invitées à ton mariage.

Ce fut à son tour de paraître surprise.

— Mais si, je vous ai invitées, répondit-elle d'une voix lente.

— Alors l'invitation a dû se perdre, parce que...

— Je l'ai remise à maman en main propre, Ruby.

— Non.

J'ai avalé ma salive.

— Non. Tu...

J'ai buté. Je n'ai pas pu continuer et j'ai repris mon souffle.

— Tu n'as pas revu maman depuis des années.

— C'est faux, dit-elle sans s'énerver, avec simplicité. Je lui ai donné l'invitation en personne, sur son lieu de travail de l'époque. Je voulais que vous soyez présentes à mon mariage, toutes les deux.

Les voitures passaient devant la maison, Ben n'allait sûrement plus tarder, je devais filer, mais je ne pouvais pas bouger. J'étais plaquée contre la vitre de la porte, j'avais le souffle coupé.

— Non, tu as disparu, dis-je. Tu es partie étudier à l'université et on n'a plus jamais eu de tes nouvelles.

Elle a baissé les yeux sur sa jupe.

— C'est faux, dit-elle de nouveau de cette voix trop calme.

— C'est vrai.

Ma voix était de plus en plus incertaine. En même temps, je voulais, ou plutôt, je devais être sûre à deux cents pour cent.

— Et si tu avais essayé de nous contacter...

— Mais j'ai essayé ! Tu ne peux pas imaginer le temps que j'ai passé à vous pister, c'est...

Phrase suspendue, respiration aussi. Dans le silence, j'entendis et je vis une BMW rouge passer devant la maison, puis un minivan bleu. Sans doute des gens normaux avec une vie normale.

— Attends... Tu n'es pas au courant ? reprit-elle au bout d'un moment. Tu dois forcément l'être... Ça n'est pas possible qu'elle...

— Il faut que j'y aille, dis-je, en ouvrant.

Je l'entendis se lever et s'approcher de moi.

— Ruby, regarde-moi !

Mais je ne bougeai pas d'un millimètre. Je sentais l'air froid qui passait par la porte entrouverte.

— Mon seul désir, c'était de te retrouver, continua Cora. Te tirer de là. Ce fut mon but pendant toutes mes années à l'université et après...

Je vis Ben arriver. Timing parfaitissime.

— Tu as déménagé pour habiter dans ta résidence universitaire, je m'en souviens très bien, dis-je en me retournant. Puis tu n'es plus jamais revenue. Tu n'as pas appelé, tu n'as pas écrit et tu n'es jamais passée nous voir pour les fêtes de fin d'année !

— C'est vraiment ce que tu penses ?

— C'est ce que je sais.

— Tu te trompes, Ruby. Réfléchis un peu. Pense à vos déménagements incessants, à toutes ces maisons où vous avez emménagé. Aux différentes écoles que tu as fréquentées. As-tu aussi pensé aux boulots qu'elle n'a jamais gardés, au téléphone rarement raccroché, et en plus jamais à son vrai nom ? Tu ne t'es jamais demandé pourquoi elle donnait de fausses adresses à l'administration scolaire ? Tu crois que c'était un hasard ? As-tu un peu idée de tous les obstacles qu'elle a semés sur son passage pour m'empêcher de te retrouver ?

— Tu n'as même pas essayé ! criai-je.

Ma voix craquait, tremblait et remplissait le vide entre nous.

— Si, répondit Cora.

Dehors j'entendis un coup de Klaxon. Ben s'impatientait.

— Pendant des années j'ai essayé. Même quand elle m'a demandé d'arrêter, parce que tu ne voulais plus entendre parler de moi. Même lorsque tu as ignoré mes messages et mes lettres...

Ma gorge était sèche. J'ai eu mal quand j'ai essayé d'avaler.

— Mais je me suis obstinée, continua Cora. Je voulais que tu viennes à mon mariage. Elle m'avait juré qu'elle te donnerait l'invitation, qu'elle te laisserait le choix de venir ou non. Quand je l'ai menacée d'aller devant la justice pour obtenir le droit de te voir, ce qu'elle ne voulait surtout pas, tu penses ! elle a promis. Tu m'entends, Ruby, elle a promis ! Mais elle a été incapable de tenir sa promesse. Elle a de nouveau déménagé. Elle avait si peur de se retrouver seule sans toi qu'elle a préféré couper les ponts avec moi. Jusqu'à cette année, lorsqu'elle a compris que tu allais avoir dix-huit ans et que tu serais bientôt libre de tes actes. Alors qu'est-ce qu'elle a fait, dis-le-moi ?

— Arrête !

— Elle t'a abandonnée ! Dans cette baraque infecte ! Avant que toi, tu ne l'abandonnes !

Je sentis un cri, ou peut-être un sanglot dans ma gorge, je ne sais pas, mais je l'ai ravalé. J'avais des larmes plein mes yeux. Je m'en voulais de chialer et de montrer que j'étais une faible.

— Tu dis n'importe quoi !

— Non, je dis la vérité.

Maintenant sa voix était douce et triste. Comme si elle avait de la peine pour moi, et ça, je ne pouvais pas le supporter.

— Voilà toute l'histoire, Ruby. J'ai essayé...

Ben klaxonna de nouveau, plus fort et plus longuement.

— Il faut que j'y aille, dis-je en ouvrant tout grand la porte.

— Attends, dit Cora, ne...

Mais je claquai la porte et je courus. Je ne voulais plus parler. Je voulais qu'on me fiche la paix. Être seule au calme pour réfléchir et comprendre.

Pendant toutes ces années, je n'avais jamais pu compter sur grand-chose, sauf sur mon histoire, l'histoire de ma famille. C'était de l'acquis. Du fixe. Et soudain, je ne savais plus. Dans ma vie, je n'avais que ma mère et ma sœur, je me méfiais des deux et pourtant j'étais maintenant obligée de croire l'une contre l'autre. C'était atroce, comment j'allais faire ?

J'entendis la porte d'entrée se rouvrir derrière moi.

— Ruby ! appela Cora. Attends ! Tu ne peux pas partir comme ça !

Faux ! Partir, fuir, c'était simple. C'est tout le reste qui était difficile.

Je venais de claquer la portière et de mettre ma ceinture de sécurité quand le troll s'y est mis, lui aussi.

— Qu'est-ce que tu as aujourd'hui ? Tu as vu ta tronche ?

J'ignorai Gervais et je fixai la route.

— C'est bon. Allons-y, dis-je parce que je sentais Ben inquiet.

Il a hésité, puis il a démarré.

Pour commencer, j'ai essayé de mieux respirer. Tout est faux, archifaux ! ne cessais-je de penser. En même temps, je revoyais ma vie avec maman. Les déménagements, les nouvelles écoles et les papiers que l'on bidouillait (fausse adresse et faux numéro de téléphone) pour arnaquer les proprios et les gens à qui on devait du fric. Il y avait aussi le téléphone, toujours décroché, le carton d'invitation pour la remise des diplômes de Cora, qu'on avait reçu automatiquement, comme me l'avait expliqué maman. *Juste toi et moi, baby. Juste toi et moi...*

J'avalai ma salive en fixant la pub sur le bus devant nous : « Festival de la salade ! » J'essayais de me concentrer sur ces quatre mots lorsque j'entendis un burp ! dégoûtant dans mon dos.

— Gervais, dit Ben en faisant coulisser la vitre de sa portière. De quoi venons-nous de parler avec ta mère pendant près d'une demi-heure ?

— Aucune idée ! dit Gervais en rigolant.

— Alors je vais te rafraîchir la mémoire, dit Ben. Roter, prouter et faire des remarques désagréables, c'est fini.

— Sinon quoi ?

Ben s'arrêta à un feu et se tourna vers Gervais. J'étais dans un état second, presque troisième, mais j'ai senti l'odeur de propre et d'eau chlorée de son sweat-shirt USWIM[1].

— Sinon, lui dit-il d'une voix qui ne lui ressemblait pas parce qu'elle était sévère et froide, tu feras la route avec les McClellan.

— Plutôt crever ! hurla Gervais. Les petits McClellan sont en primaire. Je dois marcher, pour aller de leur école au lycée !

— Tu n'as qu'à te lever plus tôt.

— Je ne me lèverai pas plus tôt, piailla Gervais. C'est toujours trop tôt !

— Alors arrête de nous casser les pieds ! lui dit Ben qui se détourna au moment où le feu passait au vert.

Quelques minutes plus tard, je sentis de nouveau le regard de Ben. Il devait attendre que je lui dise merci : il avait parlé des burps et prouts de Gervais avec Mme Miller, ce matin, parce que je lui avais dit que le Gervais, j'allais le fracasser. Mais tout à coup ça m'a gonflée que tout le monde veuille se démener pour

1. USWIM, ou *You swim*, « Tu nages ».

moi. Je n'avais rien demandé à personne. Si les gens avaient envie de me faire plaisir, c'était leur problème, pas le mien à la fin !

Quand on est arrivés au lycée, pour la première fois, j'ai battu Gervais : j'ai ouvert la portière avant que Ben se gare. Et j'étais déjà loin lorsqu'il m'a rappelée.

— Ruby ! Attends !

J'ai continué de marcher rapidement, presque en courant. Quand je suis arrivée sur la pelouse, ça n'avait pas encore sonné. Il y avait du monde partout, dans tous les sens. J'ai vu la porte des toilettes des filles et j'ai foncé dedans.

Des nanas vérifiaient leur maquillage dans la glace des lavabos ou parlaient dans leur portable. Je suis entrée dans les premières toilettes, de toute façon elles étaient toutes libres, et je me suis enfermée à l'intérieur. Après, je me suis appuyée contre la porte et j'ai fermé les yeux.

Pendant dix ans, j'avais pensé que je ne reverrais plus jamais Cora. Je l'avais détestée de m'avoir abandonnée et oubliée. Et si je m'étais trompée ? Et si c'était ma mère qui l'avait empêchée de revenir et de m'approcher ? Si c'était vrai, pourquoi avait-elle fait une chose pareille ?

« Elle t'a abandonnée », m'avait dit Cora tout à l'heure. C'était ces quatre mots-là que j'entendais le mieux, maintenant. Une petite voix bien nette qui n'arrêtait pas de me les brailler dans les oreilles. Je refusais de comprendre, je ne voulais pas que Cora ait raison. D'un autre côté, je n'avais pas le choix, parce que son raisonnement était archilogique. Ma mère avait été abandonnée par son mari, puis par l'aînée de ses filles, et comme elle en avait marre d'être plaquée, elle avait calculé son coup pour ne plus l'être. Et le pire : je la comprenais. Après tout, moi aussi j'avais prévu de me barrer à ma majorité.

Là-dessus, j'ai entendu sonner. Les nanas occupées à se maquiller sont sorties, tout le monde est rentré en classe et des portes ont claqué. Après, silence. Les couloirs étaient vides, j'entendais seulement le claquement du drapeau dans la cour, par les fenêtres entrouvertes.

Quand je fus certaine d'être seule, je sortis des toilettes et je m'approchai des lavabos, puis je laissai tomber mon sac. Je me suis vue dans la glace. Gervais avait eu raison : j'avais vraiment une sale tête. Mon visage était rouge et gonflé. J'ai pris ma clé dans ma main et je l'ai serrée de toutes mes forces.

Au même instant, j'ai entendu une voix par les fenêtres.

— Je te l'avais bien dit qu'il me fallait une autorisation signée ! Parce que ce lycée, c'est pire qu'une prison ! Bouge pas, tiens bon, j'arrive le plus vite possible !

Je regardai dehors : Olivia courait vers le parking, portable plaqué à l'oreille. Dès que je la vis sortir ses clés, j'ai pris mon sac et je suis allée dans le couloir.

Je la rattrapai juste au moment où elle rempochait son portable.

— Olivia ! Où vas-tu ?

Lorsqu'elle m'a reconnue, elle a eu une expression, comment dire... méfiante. Je la comprenais, j'avais une tête pas possible et j'étais essoufflée d'avoir couru.

— Je dois passer prendre ma cousine, répondit-elle. Pourquoi ?

Je m'approchai en reprenant mon souffle.

— Tu pourrais me déposer quelque part ?
— Où ?
— N'importe où.
Elle a levé les sourcils.
— Je vais à Jackson, et après, chez moi. Nulle part ailleurs. Je dois être de retour pour la troisième heure de cours.
— Parfait !
— Tu as une autorisation de sortie ?
— Non.
— Et tu veux que je te fasse quitter le lycée quand même ? Tu sais que je risque la peau de mes fesses si je le fais ?
— Oui.
Elle a secoué la tête, catégorique.
— Nous serons à égalité ! insistai-je. Après, tu ne me devras plus rien.
— C'est plus que je ne te dois.
Elle m'observait, j'attendais. Elle avait raison, c'était une idée de fou. Mais j'étais fatiguée d'être raisonnable. Fatiguée de tout.
— Bon, d'accord, dit-elle finalement. En tout cas, pas ici. Va m'attendre devant le Quick Zip.
— D'accord, répondis-je en mettant mon sac à dos à l'épaule. À tout de suite.

Chapitre 8

Dix minutes plus tard, je m'asseyais dans la voiture d'Olivia. Un truc a aussitôt roulé sous mes pieds. C'était un pot à pop-corn comme ceux qu'on vend dans les cinémas. Il y en avait quatre autres sous les sièges.

— C'est parce que je bosse au multiplexe Vista Ten, m'expliqua Olivia en faisant marche arrière. Je suis payée des cacahuètes, mais j'ai tout le pop-corn que je veux, gratos.

Ce qui expliquait aussi l'odeur de beurre fondu dans sa voiture.

Olivia a pris la nationale, puis la direction de l'autoroute. J'avais tellement roulé dans les voitures nickel-luxe pleines de gadget, ces dernières semaines, que j'avais oublié à quoi ressemblait une voiture « normale ». La Toyota d'Olivia était complètement pourrie, le tissu des sièges était usé et plein de taches, et une boule de cristal à facettes était pendue au rétroviseur intérieur. Ça me rappelait la Subaru de ma mère. Ça m'a fait mal d'y penser, j'ai donc essayé de me concentrer sur l'autoroute qu'on apercevait déjà.

— Alors ? C'est quoi le problème ? me demanda Olivia alors que l'on roulait dans un boucan effroyable, à cause de son pot d'échappement.

— Le problème avec qui ?

— Avec toi.

— Il n'y a pas de problème.

Je m'assis bien confortablement et posai mes pieds sur le tableau de bord. Mais elle m'a fait les gros yeux et je les ai retirés tout de suite.

— Alors tu as décidé de sécher, comme ça, pour des prunes ?

— Plus ou moins.

Nous nous rapprochions, nous n'étions plus très loin de la prochaine sortie. Celle de Jackson.

— Tu sais, me dit-elle, tu ne peux pas aller et venir comme tu veux, même à Jackson. Ils ne sont pas aussi rigides qu'à Perkins, mais tu vas quand même te faire jeter.

— Je ne vais pas à Jackson.

Cinq minutes plus tard, on arrivait au sommet de la colline. De là, je vis Jackson, immense comme une mégapole avec des caravanes derrière le lycée, et je me sentis tout à coup mieux. Ça faisait du bien de revoir ce bon vieux lycée après des semaines à Perkins. Olivia s'est garée non loin d'une rangée de bancs en plastique en mauvais état. Une fille noire, assez costaude avec des cheveux courts et des lunettes, était assise sur le dernier. Dès qu'elle nous a vues, elle s'est levée lentement et s'est approchée en traînant les pieds.

— Je te l'avais bien dit ! s'exclama Olivia en descendant sa vitre. Tu aurais dû m'écouter ! C'était débile de courir deux kilomètres !

— C'est pas parce que j'ai couru, grommela la fille en ouvrant la portière arrière pour monter avec précaution. C'est parce que j'ai chopé la grippe, je crois.

— Tous les bouquins conseillent de commencer lentement ! continua Olivia. Mais non, pas toi. Il a fallu que tu sprintes le premier jour !

— La ferme, et file-moi plutôt de l'Advil, d'accord ?

Olivia a levé les yeux au ciel, puis elle a sorti les comprimés de la boîte à gants et elle les lui a tendus en levant le bras.

— Je te présente Laney, me dit-elle. Elle est convaincue qu'elle peut courir un marathon.

— C'est un marathon de cinq kilomètres et j'ai besoin que tu me soutiennes, pas que tu me casses, fit remarquer Laney.

— Mais je te soutiens ! reprit Olivia. Tellement, même, que je suis la seule à te dire que c'est une idée débile et que tu pourrais te faire mal.

Laney avala deux Advil et referma le flacon.

— La douleur, ça fait partie de l'entraînement, dit-elle. C'est pour cette raison qu'on dit que c'est de l'endurance.

— Tu ne connais rien à l'endurance ! riposta Olivia.

Elle m'a expliqué la suite.

— Figure-toi que, l'autre jour, Laney a vu cette folle dans une pub, tu sais, Kiki Sparks, le gourou des sportives et coach particulier. Elle parlait de chenilles qui deviennent papillons, blablabla, du potentiel que nous avons pour nous métamorphoser et de la nécessité d'avoir des objectifs fitness. Depuis, Laney se prend pour Lance Armstrong.

— N'importe quoi ! Lance Armstrong est cycliste ! précisa Laney qui faisait des grimaces en essayant de mieux s'installer.

Olivia a lancé un humpf. Puis elle a fait demi-tour et a mis son clignotant pour tourner à gauche.

— Cela t'ennuierait de prendre à droite ? dis-je. C'est tout près.

— Mais il n'y a rien là-bas ! Seulement le bois !

— Ça te prendra une minute, même pas.

Olivia regarda Laney dans le rétroviseur, puis elle a tourné lentement et est repartie direction les collines. Après des rangées de parking, on s'est retrouvées au milieu de nulle part, en pleine campagne. Après un petit kilomètre, je lui ai demandé de ralentir. On arrivait dans la clairière.

— Voilà. C'est bon, lui dis-je. Merci.

Il y avait deux voitures. Aaron, l'ex de Peyton, était assis sur un capot, en train de fumer. C'était un mec genre nounours avec une tête de bébé, qui essayait de se donner un air plus vache et plus mec en s'habillant en noir.

Le regard d'Olivia est passé de lui à moi.

— Tu veux que je te laisse ici ?

— Oui.

— Comment tu vas rentrer ? demanda-t-elle, sceptique.

— T'inquiète, je me débrouillerai.

Je sortis de la voiture avec mon sac. Comme elle semblait toujours hésiter, j'ajoutai :

— C'est bon, ne te bile pas.

— Je ne vois pas pourquoi je me bilerais, je ne te connais même pas.

Mais elle ne m'a pas quittée des yeux pendant que Laney descendait lentement de son siège arrière pour monter devant.

— Je peux te reconduire chez toi, si tu veux, me rappela Olivia tandis que Laney refermait sa portière. De toute façon, à cause de Laney, je vais manquer la troisième heure de cours.

— Non, ça ira. À plus au lycée, d'acc ?

Elle a hoché la tête, l'air pas convaincu. J'ai tapé sur le capot pour lui dire « bye » et je me suis approchée d'Aaron. Il s'est redressé dès qu'il m'a reconnue.

— Ruby ! Enfin de retour ! Bienvenue à la maison !

— Merci ! dis-je tandis que je me perchais à côté de lui sur le capot.

Olivia n'avait pas bougé, elle me regardait toujours. Puis tout à coup, elle a fait marche arrière et demi-tour dans une série de petits teuf-teuf. La boule de cristal à facettes a accroché un rayon de lumière et brillé comme un grand soleil pendant un quart de seconde.

— Si tu savais comme je suis contente d'être là ! dis-je à Aaron.

En réalité, j'étais venue voir Peyton : elle n'avait pas cours de 9 heures à 10 heures et séchait de 10 heures à 11 heures pour traîner dans la clairière. Mais Aaron, qui avait un emploi du temps très élastique depuis qu'il avait été expulsé de Jackson, m'annonça qu'il ne l'avait pas encore vue. J'ai donc décidé d'attendre. Deux heures plus tard, j'étais toujours là. Et dans quel état !

— Hé, Ruby ?

Je sentis un petit coup sur mon pied, puis un autre plus fort. J'ouvris les yeux : Aaron fumait un pétard dont le bout rougeoyait et grésillait. J'essayai de me concentrer, mais c'était trop flou, ça tanguait.

— Je vais bien, déclarai-je.

— Ouais. Que tu dis, dit-il d'une voix sans expression tout en tirant une taffe de son joint.

Le noir de sa chemise et de son jean faisait ressortir la blancheur de son visage. On aurait dit la pleine lune à minuit.

Je m'allongeai pour être mieux. Ma tête a aussitôt heurté quelque chose de dur. J'ai regardé derrière moi, j'ai vu des jantes en métal et senti une odeur de caoutchouc chaud. J'étais dans l'herbe avec les arbres partout autour. Si je levais les yeux, je voyais le ciel tout bleu au-dessus de ma tête. J'étais toujours dans la clairière, mais par terre.

À la vérité, j'étais bourrée. Aaron et moi, on avait descendu une bouteille de vodka un peu après mon arrivée. Il l'avait sortie de sa poche avec des minibriques de jus d'orange qu'il avait piquées à la cafète, au petit déj'. On avait donc fait des vodka-orange dans un gobelet vide. Après, on avait trinqué sur le siège avant de sa voiture en écoutant la radio. Puis on avait recommencé jusqu'à ce qu'on soit à cours de jus d'orange. À ce moment-là, on avait continué à la vodka pure que je descendais comme de la flotte.

— La vache, depuis quand tu es une alcoolo, Cooper ? me dit-il en s'essuyant la bouche tandis qu'il me repassait la bouteille.

Le vent s'était mis à souffler et les cimes des arbres valsaient. Tout était proche et loin à la fois. Une synchro parfaite.

— Depuis toujours. C'est héréditaire, je me suis souvenue avoir répondu.

Maintenant, Aaron tirait une autre taffe. Son pétard a grésillé. Je sentais ma tête lourde, pas claire du tout, quand il m'a ensuite soufflé sa fumée en pleine figure. J'ai fermé les yeux et j'ai essayé de devenir la fumée. Tout ce que je voulais, c'était oublier ce que j'avais entendu sur ma mère ce matin. En picolant et en chantant les chansons qui passaient à la radio avec Aaron, j'avais réussi à ne vivre que le présent, mais maintenant, tout revenait comme la marée montante.

— Hé, toi, laisse-moi tirer une taffe ! dis-je en me forçant à ouvrir les yeux et à tourner la tête vers lui.

Aaron m'a tendu le joint. Je l'ai pris, mais mes doigts ont dérapé et je l'ai laissé tomber dans l'herbe où il a disparu.

— Merde.

J'ai cherché jusqu'à ce que je sente quelque chose me brûler sous mes doigts. J'ai repris le pétard, je me suis concentrée pour bien viser et tirer une bonne grosse taffe.

La fumée était épaisse, elle a envahi mes poumons. Je me suis redressée, puis je me suis bien assise, en appuyant la tête sur l'aile de la voiture derrière moi. C'était trop bon. Je flottais dans le lointain. Mes soucis se retiraient comme la vague sur la plage, laissant le sable bien lisse, bien propre sur son passage. Soudain, je me suis revue marcher dans ces mêmes bois. C'était un souvenir récent et je me sentais aussi heureuse que ce jour-là. Légère et cool avec ma vie devant moi. Je n'étais pas seule, j'étais avec Marshall.

Marshall.

J'ouvris les yeux et je regardai ma montre jusqu'à ce que je la distingue bien. Voilà ce qu'il me fallait maintenant : un peu d'intimité, même si c'était trois fois trois secondes. Sandpiper Arms, c'était à deux minutes à travers le bois. On l'avait fait un million de fois.

— Où tu vas ? me demanda Aaron d'une voix épaisse alors que je me levais et trébuchais avant de reprendre mon équilibre. On reste pas ensemble ?

— Bouge pas, je reviens.

J'ai pris le sentier. Lorsque je suis arrivée devant chez Marshall, au bas de ses escaliers, j'avais les idées plus claires, même si je transpirais pas mal après ma traversée de la forêt et si je commençais à avoir salement mal à la tête. J'ai arrangé mes cheveux, j'ai essayé de me rendre plus présentable et j'ai frappé fort. C'est Rogerson qui m'a ouvert.

— Salut.

Ma voix était lente, et coulait comme de l'eau.

— Marshall, il est là ?

Rogerson a jeté un œil derrière lui.

— Je sais pas.

— C'est bon. S'il est pas là, je vais l'attendre dans sa chambre.

Rogerson m'a observée pendant un bon moment. En attendant, j'avais le tournis. Il s'est enfin écarté et m'a laissée entrer.

J'ai pris le couloir vers le salon. L'appart était sombre comme d'habitude.

— Tu sais, il ne va pas rentrer avant un bon moment, me dit Rogerson d'une voix inexpressive.

Au point où j'en étais, je m'en fichais. Mon seul désir, c'était tomber sur son lit, m'enrouler dans ses draps, dormir et m'arrêter de vivre. Oublier ce qui était arrivé depuis ce matin. Je voulais juste être au calme dans un endroit que je connaissais.

Quand j'ai ouvert la porte de sa chambre, j'ai d'abord vu la boîte de chez Whitman, et tout de suite après Peyton qui tenait un chocolat. Je l'ai fixée, transformée en statue, tandis qu'elle l'approchait de la bouche de Marshall allongé à côté d'elle, mains croisées sur le torse, et le mettait dans sa bouche ouverte. C'était un geste tout bête et rapide, mais c'était un vrai geste intime à cause des lèvres de Marshall qui se refermaient sur les doigts de Peyton comme sur une gourmandise, à cause du petit rire de Peyton toute rouge et de sa façon de retirer sa main. Ça m'a rendue encore plus malade. Peu après, Marshall a tourné la tête et m'a vue.

Il n'a pas été surpris, gêné ou triste. Il s'en fichait. Ça se voyait comme le nez au milieu de sa figure.

— Oh merde, fit Peyton. Écoute, Ruby, je suis...

— Oh mon Dieu..., dis-je en reculant.

J'ai plaqué ma main sur ma bouche, j'ai reculé et je me suis cognée au mur, puis je suis sortie en courant. J'entendis Peyton qui m'appelait. Qu'elle m'appelle cent ans, ça m'était égal ! J'étais déjà dehors et j'agrippais la rampe pour descendre les marches sans me casser la figure.

— Ruby ! Attends !

Peyton hurlait en me coursant. J'entendais ses pas dans les escaliers.

— Je t'en supplie ! Laisse-moi t'expliquer !

— Expliquer ? dis-je en me retournant. Comment veux-tu m'expliquer ça ?

Elle s'est arrêtée, a posé la main sur son cœur pour reprendre son souffle.

— J'ai essayé de te le dire... quand je suis passée chez toi, l'autre soir. Mais c'était si difficile, et puis tu disais que, de toute façon, ta vie avait changé, alors...

Soudain, j'ai eu un déclic. J'ai revu Peyton dans l'entrée avec Roscoe et Jamie, puis j'ai revu Marshall qui me rendait ma clé, la dernière fois que je l'avais vu. « Tu m'avais dit que tu habitais Wildflower Ridge », avait affirmé Peyton. J'avais été sûre que je ne lui avais rien dit. Maintenant, je comprenais : c'est Marshall qui avait parlé.

— C'est pour cette raison que tu es venue ? lui demandai-je. Pour me dire que tu couchais avec mon mec ?

— Tu n'as jamais dit que Marshall était ton mec ! s'écria-t-elle en pointant son index sur moi. Jamais ! Tu disais seulement que tu avais un deal avec lui. Moi, tout ce que j'ai pensé, c'est que ce serait sympa de te dire la vérité !

— T'as pas besoin d'être sympa avec moi !

J'ai vu soudain Rogerson en haut des escaliers. Il nous regardait. Ça l'énervait de nous voir nous disputer devant chez lui.

— Pas besoin... Évidemment ! Tu n'as jamais besoin de rien. Ni d'un petit ami ni d'une amie. Tu as toujours été très claire là-dessus. Et finalement, tu n'as personne. Tu devrais être contente, non ? Alors je me demande bien pourquoi tu es surprise qu'on te lâche !

Je ne répondis pas, je la regardai bêtement. Ma tête tournait, ma bouche était sèche. Tout ce que j'avais voulu, c'était me réfugier dans un endroit que je connaissais, où j'aurais été toute seule et bien, mais ça aussi, ç'avait été impossible.

Mon ancienne vie m'avait échappé, la nouvelle n'arrêtait pas de bouger, de devenir je ne sais quoi, influencée par l'ancienne. Je ne réussissais pas à trouver des appuis, je ne pouvais pas compter sur qui que ce soit. Il n'y avait plus rien. Il n'y avait personne. Et pourquoi étais-je surprise ?

Je m'éloignai, je repris le sentier, mais lorsque je revins dans le bois, j'ai eu du mal à avancer. Je n'arrêtais pas de me prendre les pieds dans les racines, et les branches me griffaient. J'étais tellement fatiguée. De cette journée et de ma vie. Le souvenir de ce matin revenait : le visage de Cora, la boule de cristal à facettes de la voiture d'Olivia qui étincelait dans le soleil, l'appart' sombre de Marshall et Rogerson, où j'avais été si sûre de trouver un refuge.

Je trébuchai de nouveau et je reprenais mon équilibre quand, tout à coup, je me suis laissée tomber sur les genoux, sur les coudes puis à plat ventre dans les feuilles. Je voyais la clairière, juste devant moi, et Aaron qui me regardait avancer, mais c'était trop bon d'être seule tout à coup. Je suis donc restée par terre, avec le ciel qui tournoyait comme un oiseau au-dessus de ma tête. J'ai tenté de me concentrer sur la vague que je voyais si bien, tout à l'heure. C'était une vague bleue assez grosse pour m'engloutir et qui lessivait tout sur son passage. Je ne sais pas si c'était un vœu qui se réalisait, je ne sais pas non plus si je rêvais, mais cette vague est devenue réelle. Comme une présence. Quelqu'un qui s'approchait, mettait ses bras autour de moi et me relevait. C'est à ce moment-là que j'ai senti une odeur de propre, de très pur avec un peu de chlore. L'odeur de l'eau.

Lorsque j'ouvris les yeux, je vis d'abord Roscoe. Il était assis sur le siège à côté de moi, juste en face du volant. Il regardait devant lui et haletait. Alors que j'essayais de comprendre où j'étais, j'ai senti son haleine de chien et ça m'a donné envie de vomir. Merde, manquait plus que ça..., pensai-je en me redressant et en cherchant la poignée de la portière. Au même instant, j'ai vu entre mes pieds un sac en papier du Double Burger. Je l'avais à peine approché de ma bouche que j'ai vomi du chaud, du brûlant et du dégueulasse que j'ai senti bourdonner jusque dans mes oreilles.

Mes mains tremblaient de fièvre lorsque j'ai reposé le sac par terre et mon cœur battait horriblement. J'étais glacée, pourtant je portais un sweat USWIM que j'avais déjà vu quelque part, mais où ? Puis j'ai regardé par la portière et j'ai remarqué qu'on était garés devant un pressing et un magasin de vidéos. Comment j'avais atterri là ? Tout ce que je reconnaissais, c'était Roscoe et le déo Destress Sans Stress pendu au rétroviseur. Le reste, c'était la quatrième dimension.

Puis ma réalité s'est reformée tandis que tous les petits éléments connus s'ajustaient. J'ai baissé les yeux sur le sweat et j'ai senti son odeur d'eau de piscine, faible mais si familière. L'odeur de Ben.

Soudain, Roscoe a poussé un jappement que j'ai trouvé monstrueusement bruyant. Il a plaqué son museau sur la vitre de la portière conducteur et l'a griffée pendant que sa queue remuait joyeusement. Je me demandais si j'allais de nouveau dégobiller quand j'ai entendu un pop ! et j'ai senti de l'air frais qui venait du coffre.

Roscoe a sauté sur la banquette arrière, toutes médailles cliquetantes. J'ai mis un temps fou à me retourner à cause de mon cœur qui battait trop fort. Puis j'ai réussi à me concentrer assez pour voir Ben qui mettait le linge du pressing dans le coffre.

— Tu es consciente ! Ouf ! me dit-il.

Comment ça, « ouf » ? pensai-je alors qu'il refermait le coffre (aïe ! ma tête) avant d'ouvrir la portière et de se mettre au volant. En démarrant, il a regardé le sac en papier à mes pieds.

— Ça va ? Tu en veux encore un autre ?

— Encore un autre ?

Ma voix était sèche, je butais sur les mots.

— Ça n'est pas le premier ?

Il m'a regardée avec une immense sympathie.

— Non, ça n'est pas le premier.

Mon estomac s'est soulevé pile pour confirmer, tandis qu'il démarrait et reculait, et je me suis redressée pour ne pas vomir. Ben a descendu la vitre de sa portière et Roscoe a sauté entre nos deux sièges puis fermé les yeux pour profiter du vent.

— Il est quelle heure ?

J'essayais de bien parler, pour contrôler ma nausée.

— Presque cinq heures.

— Cinq heures !

— Pourquoi ? Tu pensais qu'il était quelle heure ?

Franchement ? Aucune idée. J'avais perdu la notion du temps quand je m'étais allongée dans le bois en revenant de chez Marshall et que tout était devenu vague.

— Mais qu'est-ce... ?

Je m'interrompis, parce que je ne savais pas ce que je voulais lui demander ou par quoi commencer.

— Qu'est-ce que Roscoe fait avec toi ?

Ben a jeté un regard à Roscoe, toujours entre nous, ravi avec ses oreilles dans le vent.

— Il avait un rendez-vous chez le véto à quatre heures. Cora et Jamie bossaient, ils m'ont donc demandé de le conduire. Quand je suis passé le chercher, tout à l'heure, j'ai vu que tu n'étais pas rentrée et j'ai décidé de partir à ta recherche.

— Oh, je vois.

Je regardai Roscoe qui n'attendait que ça et me lécha aussitôt le visage. Je le repoussai et me rapprochai de la vitre.

— Et comment m'as-tu...

— Olivia.

Je revis Olivia faisant demi-tour dans la clairière.

— C'est bien son nom ? Tu sais, la fille avec des nattes.

Je fis « oui » lentement, en essayant de comprendre.

— Tu la connais ? demandai-je.

— Non. Elle est juste passée me voir avant mon dernier cours de la matinée et elle m'a expliqué qu'elle t'avait laissée dans la forêt, à ta demande : elle a été très claire là-dessus. Elle pensait qu'elle devait me mettre au courant.

— Pourquoi ?

Il haussa les épaules.

— Elle a dû croire que tu aurais besoin d'un ami.

Gênée, j'ai rougi. Je n'étais pas désespérée au point qu'on (des inconnus) me sauve la vie et qu'on discute de mon cas dans mon dos ! Ça, c'était mon pire cauchemar !

— Justement. J'étais avec mes amis.

— Ah oui ? Alors ils sont invisibles parce que tu étais seule.

Quoi ? Impossible ! Aaron était avec moi dans la clairière et il m'avait vue m'allonger dans le sous-bois. Mais maintenant que j'y réfléchissais, il devait être midi, à ce moment-là. Et là, on était en fin d'après-midi. Si Ben disait la vérité, combien de temps avais-je passé le nez dans la terre et les fougères, bourrée et défoncée ? Seule. « Je me demande bien pourquoi tu es surprise qu'on te lâche ! » m'avait dit Peyton tout à l'heure. J'ai brusquement eu des frissons partout. Je me suis enveloppée de mes bras et j'ai observé les immeubles et les maisons par la vitre. On roulait vite, je ne voyais pas bien, mais j'essayais de chercher des repères, comme si ça m'aidait aussi à me retrouver.

— Écoute, me dit Ben, ce qui est arrivé aujourd'hui, c'est déjà du passé. Pas grave. Je te dépose, et tu verras, tout ira bien.

J'ai soudain senti des grosses larmes chaudes dans mes yeux. Mais le pire, c'est que je faisais pitié à Ben. Je ne pouvais pas le supporter. Bien sûr, pour lui, il n'y avait pas de quoi dramatiser. Tout irait bien, demain on n'en parlerait plus. Voilà comment ça se passait dans le monde d'un mec gentil qui se faisait du souci pour les autres et les aidait comme si c'était sa mission sur Terre.

Moi, à côté, je me sentais crasseuse, fatiguée et cassée. Je revis le regard de Marshall tout à l'heure et mon cœur cogna davantage, pour me faire encore plus mal.

— Hé, t'inquiète pas ! me dit Ben comme s'il m'avait entendue penser.

C'était plus fort que lui, il fallait qu'il en rajoute une couche.

— Laisse tomber, dis-je, gardant les yeux fixés sur la vitre. Tu ne peux pas comprendre.

— Alors explique-moi.

— Non, dis-je tandis que je m'enveloppais frileusement. C'est mon problème, pas le tien.

— Écoute, Ruby, on est amis.

— Arrête de le répéter sans arrêt.

— Pourquoi ?

— Parce que c'est faux ! On ne se connaît pas ! Tu habites juste derrière chez moi et on va au lycée ensemble, c'est tout. Mais toi, tu en as déduit qu'on était des amis et je ne comprends pas pourquoi !

— Bon, comme tu veux, me dit-il en levant les mains. On n'est pas amis.

Maintenant, j'avais honte de moi, merci. On a roulé en silence pendant un moment, avec Roscoe qui haletait comme un papy entre nous.

— Écoute, j'apprécie ce que tu as fait pour moi, dis-je. Mais il faut que tu comprennes : ma vie ne ressemble pas à la tienne, d'accord ? Et j'ai vraiment déconné, aujourd'hui.

— Tout le monde déconne, dit-il avec calme.

— Peut-être, mais pas comme moi !

J'ai repensé à Olivia qui s'était moquée d'un des baraqués de mon cours d'anglais quand il avait comparé sa petite frustration de riche avec les tourments d'un personnage de *David Copperfield*.

— Est-ce que tu sais au moins pourquoi je suis venue vivre chez Cora et Jamie ?

— Non.

— Parce que ma mère m'a abandonnée.

Ma voix était tendue, mais j'ai pris une grande inspiration et j'ai continué :

— Deux mois avant que j'arrive ici, elle s'est barrée pendant que j'étais au lycée. J'ai vécu toute seule, jusqu'à ce que mes proprios s'en rendent compte et alertent les services sociaux. Qui ont contacté Cora, qui ne m'avait pas vue depuis dix ans parce qu'elle avait aussi filé et coupé les ponts.

— Désolé.

Une réponse bien formatée. Évidemment.

— Je ne te raconte pas ma vie pour que tu me plaignes.

Je soupirai et secouai la tête.

— Tu te souviens de la maison où je t'ai demandé de me conduire, l'autre jour ? Ça n'était pas chez des amis, c'était...

— ... chez toi. Oui, je sais.

— Tu le savais ? fis-je surprise.

— C'était évident, tu portais la clé autour du cou, dit-il calmement en la regardant.

Ah. Oh. Je ne savais plus où me mettre. Le jour où j'étais allée à la maison jaune avec lui, j'avais cru que j'avais bien réussi à lui cacher mon secret. Raté. Il avait compris tout de suite.

On arrivait à Wildflower Ridge. Ben ralentit et Roscoe sauta sur mes genoux pour presser son museau contre ma vitre. Je l'ai remis entre nous, mais il a vite rappliqué sur mes cuisses.

Ben s'est garé devant chez Cora, et j'ai vu qu'il y avait de la lumière dans la cuisine. J'ai aussi repéré les voitures de ma sœur et de Jamie devant la maison. Ils étaient donc déjà rentrés ? Si tôt ? Pas bon signe... Je dégageai mon visage et j'essayai de me calmer avant d'ouvrir la portière.

— Dis-leur que Roscoe a eu ses piqûres et qu'il va bien, dit Ben en se détournant pour prendre la laisse sur la banquette arrière.

À sa vue, le chien a de nouveau bondi et s'est approché pour qu'il l'accroche à son collier.

— Et s'ils veulent commencer une thérapie comportementale pour traiter son anxiété, la véto m'a donné des noms de spécialistes. Tu les leur transmettras.

— D'accord.

Il me tendit la laisse. Je la saisis, pris mon sac de l'autre main et descendis lentement de la voiture. Roscoe me suivit avec impatience et tira sur sa laisse pour que j'aille plus vite.

— Merci.

Ben hocha la tête sans répondre. Je m'éloignais lorsque j'entendis la vitre de sa portière descendre. Je me suis retournée.

— De vrais amis ne t'auraient jamais laissée seule au fond d'un bois, conclut Ben. Les vrais amis, ils sont toujours là quand tu en as besoin.

À mon tour de ne pas répondre. Roscoe tirait toujours sur sa laisse pour rentrer plus vite.

— Mais bon, c'est ma façon de voir les choses..., ajouta Ben. Alors à plus ?

Oui, à plus. Il a remonté la vitre de sa portière et il est reparti.

Je l'ai suivi des yeux, pendant que Roscoe essayait de me faire décoller. J'aurais préféré partir dans l'autre direction. Pourtant, après avoir été abandonnée, après avoir fugué, je savais que ni l'abandon ni la fugue n'étaient une solution. Et c'est seulement lorsque je me suis approchée de la maison tout illuminée que j'ai compris que le plus dur, c'était de revenir.

— Où étais-tu ?

C'est Cora que j'avais eu peur d'affronter, mais c'est Jamie qui avait les nerfs. Bonjour, l'accueil.

— Jamie, arrête !

C'était Cora. Elle était au fond de l'entrée, juste devant la cuisine. Dès que j'ai eu retiré sa laisse à Roscoe, il leur a fait la fête à tous les deux et il reniflait maintenant les pieds de Cora en tournant autour d'elle comme une toupie.

— Laisse-la au moins arriver..., reprit Cora.

— Tu t'imagines le souci qu'on s'est fait ? coupa Jamie.

— Désolée.

— Désolée ? Je crois plutôt que tu t'en fiches complètement.

Je regardai ma sœur qui avait pris Roscoe contre elle et me fixait. Ses yeux étaient tout rouges et elle serrait un mouchoir en papier dans son poing. Cora comme Jamie portaient les mêmes vêtements que ce matin. Je me souvins tout à coup de leur rendez-vous chez le médecin.

— Tu es *ivre* ? demanda brusquement Jamie.

Je me suis regardée dans le miroir près des escaliers et je me suis enfin vue. J'avais l'air minable dans le sweat-shirt trop grand de Ben. Je puais l'alcool, le dégueulis et le cannabis... J'avais l'air fatigué, défoncé. Tout à coup, j'ai cru voir un autre visage que je connaissais par cœur se poser sur le mien comme un masque et je n'ai pas pu me regarder plus longtemps. Je me suis laissée tomber sur la première marche d'escalier.

— Nous t'avons recueillie, nous t'avons inscrite dans le meilleur lycée du comté, nous t'avons donné tout ce qu'il te fallait, et toi, tu fugues et tu bousilles tout !

Ma gorge était fermée à triple tour. La journée avait été moche et longue. J'avais l'impression qu'il s'était passé une éternité depuis la discussion de ce matin avec Cora.

— On te faisait confiance, continua Jamie. On a fait le maximum pour que tu te sentes bien, chez nous, et c'est comme ça que tu nous remercies ?

— Arrête, Jamie ! reprit Cora, plus fort cette fois.

— Nous n'avions vraiment pas besoin de ça ! reprit Jamie en s'approchant de moi.

Je rassemblai mes genoux sous mon menton et je me fis toute petite. Je méritais ces reproches, je le savais, mais j'aurais aimé que ça soit déjà fini.

— Ta sœur s'est battue pour te ramener chez nous, bien que tu aies été assez stupide pour résister ! Merci pour elle ! Il n'était pas nécessaire que tu lui pourrisses ensuite la vie !

J'ai senti des larmes piquer mes yeux, j'ai vu tout trembloter autour de moi. Ça faisait du bien de pleurer, parce que le nœud fondait dans ma gorge, mais j'ai caché mon visage entre mes mains pour qu'ils ne le voient pas.

— Tu te rends compte de ce que tu as fait ? Tu as fugué, tu as disparu sans penser à donner un coup de fil et sans te demander si ton entourage allait se faire du souci ! tonna Jamie dont la voix ricochait sur les murs et s'élevait jusqu'au plafond. Qui est capable de faire une chose pareille, Ruby ? Qui ?

Silence. Plus un seul mot. Moi, je savais qui. Mieux que Jamie et Cora. Mais ce que je venais de comprendre, surtout, c'est que ma mère n'était pas la seule responsable de cet immense gâchis. Depuis que maman s'était barrée, depuis que j'habitais chez Cora, j'avais fait mon maximum pour ne pas lui ressembler. Trop tard. La preuve, j'avais réagi par la fuite, l'autodestruction et l'isolement après avoir parlé avec Cora ce matin. J'étais bien comme ma mère.

J'étais presque soulagée d'avoir cette révélation. J'avais même envie de la crier, à Jamie, à Cora, à Ben, à tout le monde, parce que je voulais qu'ils sachent que ça n'était pas la peine de me protéger ou de m'aider. Pourquoi, puisque je reproduisais exactement le même schéma ? J'étais irrécupérable. C'était trop tard pour moi.

Je retirai mes mains de mon visage pour l'annoncer à Jamie, mais j'ai eu le dos de Cora devant mes yeux. Elle était entre lui et moi et me tendait la main par-derrière. Je me suis souvenue des milliers de soirées où elle m'avait protégée de maman, solide comme une forteresse. J'avais pensé que je ne reverrais plus jamais ma sœur me protéger et me rassurer.

J'étais peut-être comme ma mère, mais tandis que je fixais la main de Cora, j'ai pensé que pour moi tout n'était peut-être pas encore joué. Et si c'était ma dernière chance de le prouver ? Je ne savais pas ce qui m'attendait, néanmoins j'ai tendu ma main et j'ai pris celle de Cora.

Chapitre 9

Lorsque je suis entrée dans la cuisine, le lendemain matin, j'ai vu Jamie accroupi au bord de la mare, sa tasse de café fumant posée à côté de lui, sur une pierre. Sa respiration faisait de petits nuages dans l'air. Tous les matins, qu'il pleuve, qu'il fasse beau temps, qu'il gèle et que l'herbe brille de givre, il sortait observer le petit monde qu'il avait créé pour voir s'il allait bien, s'il passerait une nouvelle journée.

Le temps était devenu plus froid et les poissons se réfugiaient dans les profondeurs du bassin. Bientôt, ils y disparaîtraient pour passer leur long hiver.

— Tu ne les retires pas de la mare ? lui avais-je demandé à l'automne.

— Non, c'est mieux de les laisser dans leur milieu naturel. Quand l'eau gèle, les poissons se cachent tout au fond jusqu'au printemps.

— Ils ne meurent pas ?

— J'espère bien que non, avait répondu Jamie en

arrangeant les nénuphars. C'est un peu comme s'ils hibernaient, tu vois ? Ils ne peuvent pas supporter le froid, ils n'essaient donc même pas de s'y confronter. Quand la température se radoucit, au printemps, ils redeviennent actifs.

J'avais été étonnée, et je m'étais dit qu'il valait mieux que je ne m'attache pas à mon poisson. Mais maintenant, je comprenais l'intérêt de disparaître et de rester planqué en attendant que l'environnement soit plus agréable pour émerger. Si seulement j'avais pu faire la même chose !

— Jamie ne fera pas le premier pas, me dit Cora qui prenait son petit déj' en lisant un magazine.

Je vis mes vêtements d'hier lavés, séchés et pliés sur un coin de la table. Ces dégâts-là avaient été les plus faciles à réparer.

— Si tu veux lui parler, c'est à toi de prendre l'initiative, reprit-elle.

— Je ne peux pas, il me hait, dis-je, revoyant sa colère de la veille.

— Non, il est déçu, dit-elle tandis qu'elle tournait une page.

Dehors, Jamie se penchait sur la cascade et observait les pierres.

— Mais avec lui, on dirait que c'est pire que la mort...

Elle me sourit avec sympathie.

— Je sais.

Ce matin, lorsque je m'étais réveillée avec le pire mal de tête de ma vie, j'avais fait le point sur ma journée d'hier. Ma dispute avec Cora, la route avec Ben, puis avec Olivia jusqu'à Jackson. À partir de la clairière, ça devenait flou.

Malgré tout, certains détails restaient nets. Par exemple, ma surprise de voir Jamie très en colère, et surtout contre moi. Ou encore, la certitude absolue d'avoir vu le visage de ma mère se décalquer sur le mien lorsque je m'étais regardée dans le miroir, près des escaliers. Puis ma main dans celle de Cora. Ma sœur m'avait conduite en silence dans ma chambre. Après, elle m'avait aidée à me déshabiller et était restée devant la douche pendant que je me lavais des pieds à la tête. Enfin, elle m'avait filé un dernier coup de main pour enfiler mon pyjama et me coucher. Chaque fois que j'essayais de lui parler, elle faisait « non, non » de la tête. Mon dernier souvenir de cette soirée, c'était ma sœur à contre-jour assise sur mon lit. Combien de temps était-elle restée là ? Aucune idée... Chaque fois que j'ouvrais les yeux, elle était là et je m'en étonnais.

La porte derrière moi s'ouvrit tout à coup. Jamie entra, Roscoe sur ses talons. J'ai cherché son regard, mais il a fait comme si je n'existais pas et a posé sa tasse dans l'évier.

— Je pense que nous pourrions tous..., commença Cora.

— Je dois y aller, coupa Jamie qui prenait déjà son portable et ses clés. J'ai rendez-vous avec John pour faire deux-trois modifs sur la campagne de pub.

— Jamie ! dit-elle en me regardant.

— À plus tard.

Il l'a embrassée sur le front et a tout de suite filé, Roscoe derrière lui. La porte d'entrée a claqué.

Je me suis remise à fixer la mare, le cœur très gros. Je connaissais assez Jamie pour savoir que c'était vraiment grave, s'il me faisait toujours la tête.

Cora s'assit en face de moi.

— Allez, Ruby, courage, me dit-elle, insistant jusqu'à ce que je tourne mes yeux sur elle. Ça va se tasser. Il est blessé pour l'instant...

— Je ne voulais pas le blesser..., dis-je, la gorge de plus en plus serrée.

J'étais mal, mais je ne savais pas si c'était parce que je pleurais, ou si c'était parce que je pleurais devant Cora.

— Je sais...

Elle m'a serré la main.

— Il faut que tu comprennes que ce genre de choses, c'est nouveau pour lui. Dans sa famille, tout le monde se parle. Personne ne fugue ou rentre bourré à la maison. Il n'est pas comme nous.

Comme nous. Jusqu'à hier soir, j'avais pensé qu'il n'y avait plus de *nous*... Mais il paraît que la vie aime faire des surprises.

— Je suis désolée, lui dis-je. Totalement.

Elle s'appuya contre le dossier de sa chaise et lâcha ma main.

— Je sais que ton remords est sincère, et j'en suis touchée. Il n'en reste pas moins que nous te faisions confiance et que tu as trahi cette confiance. Alors il y aura forcément des conséquences...

Ah, nous y voilà..., pensai-je en me préparant au pire.

— Pour commencer, annonça Cora, pas de sorties le vendredi ou le samedi soir. Et le week-end, seulement pour aller travailler au centre commercial, du moins pour l'instant. Nous nous sommes sérieusement demandé si nous n'allions pas te contraindre à démissionner, mais nous avons décidé de te laisser bosser pendant les vacances de Noël, et de réévaluer la situation en janvier. Si jamais nous découvrons que tu sèches de nouveau les cours, il n'y aura plus de petit boulot. Et cette fois, notre décision sera irrévocable, c'est compris ?

— Compris.

Discuter était inutile. Puis Cora avala sa salive et me dévisagea longuement.

— Je sais que la journée d'hier a été un vrai choc. Il y a eu un trop-plein d'émotions pour toutes les deux. Mais tu as fumé du cannabis et tu t'es enivrée. C'est tout à fait inacceptable. De plus, c'est une violation flagrante de l'accord que nous avons passé avec le juge, pour que tu sois autorisée à venir habiter chez nous. Et si jamais le juge le découvre, tu seras obligée de retourner au foyer d'accueil. Tu comprends donc que les événements d'hier ne peuvent et ne doivent en aucun cas se répéter ?

Je revis ma seule nuit au foyer d'accueil, le pyjama tout pourri qui me grattait, le lit trop étroit, l'assistante sociale du foyer qui lisait le rapport du shérif pendant que j'étais assise devant Cora, silencieuse comme la mort. J'avais promis.

— Ça ne se répétera pas.

— Je suis très sérieuse, Ruby. Quand je t'ai vue rentrer dans cet état, hier, j'ai...

— Oui, je sais.

— Je connais tellement cette situation... Ou plutôt, *nous* la connaissons tellement bien... Tu vaux mieux que ça, je ne t'apprends rien.

— Je regrette... C'est juste que... quand tu m'as dit, pour maman, hier matin, j'ai complètement flippé.

Elle a baissé les yeux sur la salière entre nous et l'a fait glisser sur la table.

— Pour commencer, elle nous a menti à toutes les deux... Ce qui n'est pas étonnant, quand on y réfléchit bien. Cela dit, j'aurais aimé t'épargner toutes ces années de galère, Ruby. Sincèrement. Si je pouvais revenir en arrière, j'agirais d'une autre manière...

Oui mais comment ? Je n'ai pas osé le lui demander. Par chance, elle s'est tout de suite expliquée.

— Dès que je suis partie de la maison, j'ai réfléchi à la façon de garder le contact. Et je me dis à présent que j'aurais pu davantage m'obstiner, dit-elle en jouant avec ses cheveux. Trouver un moyen de te prendre avec moi, louer un appart ou je ne sais quoi.

— Mais tu n'avais que dix-huit ans, Cora.

— Cependant, à l'époque, je savais déjà que maman était instable, et ça n'a fait qu'empirer. Je n'aurais jamais dû lui faire confiance, accepter qu'elle soit mon intermédiaire entre toi et moi. J'aurais dû être moins naïve, plus têtue, que sais-je... Tu vois, tous les jours, au cabinet où je travaille, je rencontre des enfants et des ados qui viennent de familles complètement déstructurées. Je suis mieux armée pour maîtriser ce genre de situation. Pour m'occuper de toi, aussi. Si seulement j'avais su...

— Arrête. Ce qui est fait est fait. Ça n'a plus d'importance, maintenant.

Elle se mordilla la lèvre.

— J'aimerais vraiment le croire, Ruby.

Je ne dis rien, je l'observais, pensive. Quand j'étais petite, je suivais Cora partout. Au fur et à mesure que maman s'éloignait de nous, je me raccrochais à elle. C'était troublant de revivre cette situation-là, je veux dire, d'être de nouveau dépendante d'elle. Puis j'ai repensé à quelque chose, tout à coup.

— Cora ?

— Oui ?

— Tu te rappelles le jour où tu as quitté la maison pour aller habiter à la résidence universitaire ?

— Humm...

— Avant de partir, tu es rentrée parler à maman. Qu'est-ce que tu lui as dit ?

Elle a poussé un soupir et s'est de nouveau appuyée contre le dossier de sa chaise.

— Oh là... C'est drôle, je n'y avais pas repensé depuis dix ans...

J'ignorais pourquoi je voulais autant le savoir. Était-ce si important ?

— En tout cas, elle n'en a jamais parlé, dis-je. Je me posais donc juste la question...

Cora resta silencieuse, j'ai cru qu'elle ne répondrait pas. Finalement si.

— Je lui ai dit que j'appellerais la police si je découvrais qu'elle te battait. Et que je reviendrais te chercher dès que je le pourrais, pour te sortir de là.

Elle a passé une mèche derrière son oreille.

— J'y croyais vraiment, Ruby.

— C'est bon...

— Je te promets que je vais rattraper le temps perdu. C'est un peu tard, certes, mais je suis sincère. Je sais que tu aimerais être ailleurs, je sais que la solution que nous avons trouvée est loin d'être idéale... en tout cas je veux réellement t'aider. Et tu dois l'accepter, d'accord ?

À vue de nez, ça semblait facile, pourtant je savais que non. J'ai revu et entendu Peyton m'accuser : « Je me demande bien pourquoi tu es surprise qu'on te lâche ! » C'était la seule vérité dans cette horrible situation pleine de mensonges. Voilà. Dans la vie, on ne reçoit qu'en proportion de ce qu'on donne. Et encore faut-il accepter de recevoir. Hier soir, j'avais donné ma main à Cora. Si je la lui laissais, qu'allais-je recevoir en retour ?

Cora et moi on est restées silencieuses.

— Tu penses que maman va bien ? lui demandai-je enfin.

— Je n'en ai aucune idée.

Puis elle a ajouté d'une voix plus basse, plus douce :

— Mais je l'espère.

Une réflexion bizarre ? Non, pas pour moi. C'était justement ça, la force de ma mère. Présente à sa façon au passé, au présent et pour toujours. On l'aimait, même froide, lointaine, méchante, injuste et violente. Maman, elle était comme les chansons qu'elle nous chantait : en moi et à moi. En grandissant, même quand j'avais compris qu'elles étaient tristes et racontaient des tragédies, j'avais continué de les aimer. Ces chansons faisaient déjà partie de mon histoire et je ne pouvais donc pas les lâcher, pas plus que je ne pouvais lâcher maman. Cora était comme moi. C'est ce qu'on avait en commun, ma sœur et moi. C'était ce qui faisait qu'on était *nous.*

Une fois qu'elle a eu détaillé ma punition (rentrer à la maison obligatoirement après le dernier cours de la journée, accepter une thérapie au moins pendant quelque temps), Cora a gentiment pressé mon épaule pour me dire « ciao à plus », et elle est sortie de la cuisine, Roscoe derrière elle. Au bout d'un petit moment, je suis allée au bord de la mare.

Les poissons nageaient au fond. Après être restée accroupie au bord de l'eau, j'ai repéré le mien qui tournait autour des roches moussues. Je me relevais lorsque j'entendis une porte claquer. Je regardai vers la maison en pensant que c'était Cora. En fait, le bruit venait de chez Ben. Tout de suite après, je vis sa tête blonde.

Comme hier soir avant de rentrer avec Roscoe, j'ai d'abord eu envie de m'enfuir. Je pouvais toujours nier, refuser de regarder la réalité en face, Ben m'avait tout de même sauvé la vie, hier. J'avais beau être une sacrée tordue et refuser qu'on soit amis, au fond, je savais qu'il y avait quelque chose entre nous maintenant.

Je rentrai prendre son sweat-shirt, puis j'ai compté jusqu'à trois, j'ai traversé le jardin et j'ai franchi la barrière entrouverte. J'ai vu Ben de dos, occupé dans la cabane près de la piscine. Je la contournai et m'approchai. Il ouvrait des petits sacs et les alignait sur la table devant lui.

— Laisse-moi deviner... C'est pour des cupcakes ?

Il a sursauté et fait volte-face.

— Pas loin. Ce sont des sacs cadeau.

Je me suis mise en face de lui. La cabane était presque vide, clairement utilisée pour le business familial. Il y avait un chariot rempli de linge propre et j'ai reconnu les boîtes de rangement de Harriet, empilées contre un mur. J'ai tout de suite compris d'où venait cette odeur de pin fraîche, limite odeur de pharmacie, en voyant près de la porte un carton rempli de désodorisants voiture Destress Sans Stress.

J'observai Ben en silence tandis qu'il continuait de couvrir la table de sacs cadeau. Puis il a sorti des objets emballés d'un carton et en a mis dans ses sacs.

— À propos d'hier..., dis-je enfin.

— Tu vas mieux, on dirait.

— Développe.

— Tu tiens debout. Tu es consciente.

— C'est triste si c'est seulement une amélioration.

— Mais c'est une amélioration quand même, non ?

Pitié. Il me gonflait à force de positiver tout le temps, mais ce matin, avec ma gueule de bois, c'était pire que gonflant.

— Tiens, je voulais te le rendre, dis-je en lui tendant son sweat-shirt. Ça m'ennuierait qu'il te manque.

Il le posa sur une chaise.

— Merci. C'est mon préféré.

— Juste ce que j'ai pensé. Porté mille fois, superconfortable...

— Exact, dit-il tandis qu'il se remettait à remplir ses sacs cadeau. Mais ça reflète aussi ma philosophie de la vie.

— Nager, c'est ta philosophie ?

— C'est tout de même mieux que de couler ?

Ça c'est sûr.

— J'imagine.

— De plus, à la fac, nager, ça se résumera à ce qui est écrit sur mon sweat-shirt.

— Ah bon ? Je pensais que tu avais une bourse d'études ?

Je me souvenais du mec qui lui avait parlé, l'autre jour, sur le parking du lycée.

— J'en avais une avant de quitter l'équipe de natation, dit-il en continuant à mettre ses trucs dans ses sacs. Mais maintenant, je dois seulement compter sur mes notes, qui sont nettement moins brillantes que ma nage.

J'ai réfléchi pendant qu'il passait à sa deuxième rangée de sacs cadeau.

— Pourquoi tu as quitté l'équipe de natation ?

— Je ne sais pas. J'étais là-dedans à fond quand je vivais en Arizona, mais ici... ça ne me plaisait plus autant. Et puis mon père a besoin de moi, pour le boulot.

— C'est tout de même une grosse décision de laisser tomber ?

— Pas vraiment, non.

Il a soulevé un autre carton.

— Alors ? Ça a été dur quand tu es rentrée, hier ?

— Plutôt, oui, répondis-je surprise par le brusque changement de conversation. Jamie était salement en pétard, il y avait de l'ambiance...

— Jamie ?

— Je sais, c'est étonnant...

J'ai pris une grande inspiration.

— De plus, je voulais te dire... Je t'ai peut-être jeté, hier, mais c'est super ce que tu as fait pour moi.

— C'est juste : on ne peut pas dire que tu aies été très sympa.

— J'ai été une vraie conne, désolée, dis-je très vite, un peu trop vite, parce que j'étais gênée.

J'ai observé ses sacs cadeau pour éviter son regard.

— Qu'est-ce que tu mets là-dedans ?

— Des petites maisons en chocolat.

— Des quoi ?

— Tu as bien entendu. Regarde. Prends-en une, si tu veux.

C'était bien des petites maisons en chocolat. Avec une fenêtre et une porte.

— C'est bizarre, non ? dis-je.

— Bof. Le client est architecte. Il veut faire de la pub pour une maison ouverte, ou je ne sais quoi.

J'ai mis la maison en chocolat dans ma poche tandis qu'il posait son carton vide et en prenait un autre, rempli de brochures dont la couverture représentait une femme très souriante. *Queen Homes*, je lus. *Laissez-nous vous construire votre palais !* Ben en glissa une dans chaque sac cadeau, toujours avec des gestes rapides et précis. Après l'avoir regardé faire, j'ai pris des brochures et je l'ai imité.

— Tu sais, me dit-il après un long silence, je ne voulais pas te mettre mal à l'aise en venant te chercher dans la clairière, hier. Je pensais seulement que tu avais besoin d'aide.

— J'en avais besoin, c'est clair, dis-je.

Ça me calmait de glisser ces brochures dans ces sacs.

— Si tu n'étais pas arrivé, je ne sais pas ce qui se serait passé.

Ben ne fit aucun commentaire. J'appréciai.

— Je peux te poser une question ? reprit-il tout à coup.

— Oui ? Laquelle ?

— C'était comment de vivre seule ?

Je croyais qu'il me demanderait pourquoi j'avais bu comme un trou, ou quelle était ma définition perso de l'amitié. J'ai été si surprise que j'ai répondu sans réfléchir.

— Au début, c'était bien. Comme un soulagement, tu vois ce que je veux dire ? Vivre avec ma mère, c'était dur, surtout les derniers temps avant qu'elle se barre.

Il a hoché la tête, jeté son deuxième carton et en a pris un troisième, rempli de magnets avec le logo

Queen Homes. Il me l'a tendu, j'en ai pris une poignée et j'ai continué le boulot comme lui.

— Mais au bout d'un moment, c'est devenu vachement dur. J'avais du mal à payer les factures. De plus, on m'a coupé l'électricité, à un moment donné.

Je ne savais pas si je devais continuer de parler, mais il m'écoutait avec une telle attention que j'ai repris :

— Je ne sais pas comment t'expliquer... En tout cas, c'était plus difficile que je ne le pensais.

— C'est vrai pour beaucoup de choses dans la vie.

— Oui, dis-je en le regardant mettre ses magnets dans un sac cadeau.

— Ben ?

Son père s'approchait, portable vissé à l'oreille.

— C'est prêt ?

— Oui ! cria Ben en soulevant un autre carton. Encore une minute !

— Ils en ont besoin tout de suite ! reprit M. Cross. On leur a dit dix heures dernier carat ! Bouge-toi les fesses, mon vieux !

Ben prit un carton, en sortit des bougies fantaisie de toutes les couleurs emballées individuellement et les mit dans les sacs à toute vitesse. Je fis comme lui.

— Merci, me dit-il. On est sous pression, là.

— Pas de problème. Je te dois bien ça.

— Mais non.

— Arrête. Tu m'as sauvé la vie hier. Vraiment.

— Alors tu me le revaudras ! dit-il en glissant la dernière bougie dans le dernier sac.

— Comment ?

— On verra bien... On a le temps, non ?

— Ben ! appela de nouveau M. Cross, très énervé cette fois. Mais qu'est-ce que tu fiches là-dedans, enfin ?

— J'arrive ! dit Ben qui mit tous les sacs cadeau dans les cartons vides. C'est bon, ajouta-t-il en me souriant. J'y arriverai tout seul. Merci.

— Tu es certain ?

— Ben !

Il lança un regard vers son père toujours devant la maison.

— T'inquiète. Je me débrouille. Merci encore.

Il empila ses cartons et sortit. Je le suivis.

— C'est pas trop tôt ! s'exclama M. Cross quand nous sommes arrivés dans le patio. Franchement, ça n'est pas sorcier de...

Il s'est interrompu en me voyant.

— Oh ! dit-il gentiment avec un bon sourire. Je ne savais pas que tu avais de la compagnie.

— C'est Ruby, dit Ben tandis qu'il lui tendait un carton.

— Oui, oui, bien sûr, dit M. Cross qui souriait toujours.

J'ai essayé moi aussi de sourire, mais j'étais mal parce que je me souvenais de la soirée où il avait voulu tordre le cou à Roscoe.

— Comment va ton beau-frère ? J'ai entendu dire qu'il pourrait entrer en Bourse avec sa société. C'est vrai ?

— Je ne sais pas.

— Écoute, on devrait y aller, si on veut être là-bas à dix heures, intervint Ben.

— Tu as raison.

Mais M. Cross ne bougeait pas. Il continuait de me sourire tandis que je longeais la piscine et revenais chez Cora. J'ai agité la main pour dire au revoir à Ben, mais il n'a pas vu mon geste parce qu'il rentrait. M. Cross a donc pensé que c'était à lui que j'avais fait signe, car il a agité la sienne.

— À bientôt ! Reviens nous voir !

J'ai fait un tout petit « oui » de la tête, toujours mal à l'aise, en continuant vers le jardin de Cora. Je le traversais lorsque je me suis souvenue de la maison en chocolat que Ben m'avait donnée, et je l'ai sortie de ma poche pour l'admirer. Elle était parfaite, intacte, enveloppée dans son plastique fermé par un joli ruban. Elle avait aussi quelque chose de tellement magique, pourquoi, je n'en sais rien, que je l'ai remise dans ma poche.

— Bon, c'est parti, dis-je en décapuchonnant mon stylo. La famille, c'est quoi pour toi ?

— Le silence, dit Harriet.

— Le silence ? répéta Reggie.

— Ouais.

Reggie a ouvert de grands yeux.

— Quoi ? Qu'est-ce que tu allais dire ? fit Harriet.

— Ben, je ne sais pas... Peut-être que la famille, c'est quelque chose de réconfortant. Une histoire ? Le début de la vie ?

— Pour toi, peut-être ! répliqua Harriet. Mais en ce qui me concerne, la famille, c'est la loi du silence. Dans la mienne, il y a toujours au moins deux personnes qui ne se parlent pas !

— Sérieux ? dis-je.

— Je vous explique : nous fonctionnons sur le mode agresseur-agressé, dit-elle en buvant son café. Et le silence, c'est l'arme que nous avons choisie. Pour le moment, par exemple, je ne parle pas à deux de mes sœurs et à l'un de mes frères.

— Vous êtes combien d'enfants dans votre famille ?

— Sept en tout.

— Je trouve que c'est vachement triste, commenta Reggie.

— Je ne te le fais pas dire : je ne pouvais jamais rester plus de cinq minutes dans la salle de bains avec tout ce monde ! s'exclama Harriet.

— Mais non, je ne te parle pas de ça, je fais allusion à votre loi du silence ! précisa Reggie.

Harriet s'assit sur le tabouret et croisa les jambes.

— Ah ? Possible, oui. En tout cas, je te jure que ça fait baisser les notes de téléphone !

Il lui adressa un regard consterné.

— Je ne trouve pas ça drôle... Communiquer, c'est important.

— Peut-être chez toi ! Pas chez moi. Chez moi, le silence est d'or. Et terriblement banal.

— Eh bien, pour moi, la famille, c'est une source d'énergie humaine, reprit Reggie qui prit un flacon de vitamine A et se mit à jouer avec. C'est le début de toute vie.

Harriet l'observa par-dessus sa tasse de café.

— Rappelle-moi le métier de tes parents ?

— Mon père vend des assurances et ma mère est professeur des écoles, CP.

— La famille américaine typique !

— N'est-ce pas ? dit-il, souriant. Et tu ne vas pas le croire, mais je suis la brebis galeuse !

— Moi aussi ! s'exclama Harriet. J'aurais dû faire médecine. Mon père est chirurgien. Quand j'ai décidé de me lancer dans la création et la vente de bijoux fantaisie, mes parents ont crisé. Ils ne m'ont pas adressé un mot pendant des mois !

— Ça a dû être horrible..., fit Reggie.

— Non, déclara-t-elle après réflexion. Au contraire, j'ai pensé que ça n'était pas plus mal. J'ai une grande famille et tout le monde a toujours une opinion sur tout, que tu aies envie ou non de l'entendre. Je n'avais jamais rien fait toute seule, enfin, sans leur aide ou sans leur avis, avant. Je te jure que ça a été libérateur !

Libérateur, écrivis-je.

— Voilà qui explique beaucoup de choses, déclara Reggie.

Tu m'étonnes, pensai-je.

— Ah oui, quoi ? lui demanda Harriet.

— Non, non, rien. Explique-moi plutôt ce qui t'oblige à rompre la loi du silence ? Quand décides-tu de reparler à un ou plusieurs membres de ta famille ?

Harriet but une gorgée de café.

— Lorsqu'un d'entre eux fait un truc bien moche. Dans ce cas-là, il a besoin d'un allié, alors tu fais la paix avec lui, juste pour énerver les autres.

— Mais ça n'en finit jamais ! déclarai-je.

— J'imagine, dit-elle après une autre gorgée de café. Un jour alliés, un jour ennemis. C'est ça, la famille.

— Ah non, c'est *ta* famille ! coupa Reggie.

Harriet et Reggie se mirent à rire, comme si c'était la blague de l'année. Je relus mes notes. J'avais écrit : « Ne pas se parler, réconfort, source d'énergie, libérateur. » Ce projet allait me prendre un max de temps.

— Attention, voilà des clients, dit tout à coup Harriet en me montrant un garçon et une fille de mon âge en grande conversation.

— Ça te pose un problème que je lui offre un sweat-shirt avec un chat persan ? Mais pourquoi ? demanda le garçon à la fille.

Il avait les joues bien remplies et une coupe ratée, sans doute une coupe maison.

— Ça ne m'en poserait aucun si ta copine avait quatre-vingt-sept ans et qu'elle s'appelait Marie-Violette.

Elle avait de longs cheveux bouclés noués par un chouchou sur la nuque, et elle portait des bottes de cow-boy, une robe rouge écarlate et une doudoune avec des moufles qui sortaient des manches.

— Réfléchis plutôt au message que tu veux faire passer, reprit-elle.

— Ben, je sais pas, répondit le type. Tu comprends, je l'aime bien, alors...

— Alors ne lui achète pas un sweat ! déclara la fille comme si c'était le comble de l'évidence. Achète-lui plutôt un bijou ! Il faut tout te dire ! Franchement...

Je posai mon chiffon à poussière et je me redressai tandis qu'ils s'approchaient de la vitrine. La fille ciblait déjà les anneaux en argent.

— Bonjour. Je peux vous aider ? dis-je au garçon, qui de près semblait carrément plus jeune et plus débile.

Son tee-shirt « Armageddon, expo 2006. Prêt pour la fin ? » n'arrangeait pas vraiment l'ensemble.

— Oui. On a besoin d'un truc qui parle d'amour ! expliqua la fille en prenant un anneau qu'elle observa avant de le reposer.

À la lumière des néons, je vis qu'elle avait des cicatrices partout sur le visage.

— Une bague ? reprit-elle. Non, ça fait trop sérieux. Mais les boucles d'oreilles, ouais, c'est pas mal.

— Les boucles d'oreilles, bof, bof ! comme message il y a mieux, fit le type qui reniflait l'encens.

Il éternua, puis ajouta :

— Et c'est même inutile quand on y pense.

— Et toi, tu es désespérant ! lui dit-elle tout en observant des colliers. Dites, et le vôtre ?

C'est à moi qu'elle parlait ?

— Le mien quoi ? demandai-je, étonnée.

Elle me montra ma clé.

— Votre chaîne avec le pendentif. Vous en vendez des comme ça ?

— Heu..., dis-je tandis que je caressais la clé. En fait, non. Mais nous avons des chaînes du même genre, et aussi des pendentifs que...

— C'est pas la même chose, objecta-t-elle. Votre chaîne avec la clé, c'est différent. Et on peut y voir des centaines de significations...

— Quoi, tu veux que j'offre une clé à ma copine ? s'étonna le garçon.

— Non, bouffon, je veux que tu lui ouvres des portes ! Mais symboliquement, dit-elle en contemplant de nouveau ma chaîne. C'est exactement ce que représente une clé. Une porte à ouvrir ! Une chance d'aller plus loin. Tu vois ce que je veux dire ?

Je n'avais jamais pensé à ma clé de cette façon-là. Cependant j'étais une bonne vendeuse et je ne l'ai pas contrariée.

— Oui, vous avez raison ! Vous pouvez nous acheter une chaîne, et ensuite, y suspendre une clé.

— Exactement ! s'exclama la fille en montrant le kiosque KEY-OSK, qui vendait des clés et de nombreux accessoires de serrurerie. Parfait !

— Ne prenez pas une chaîne trop fine ou trop grosse, lui dis-je. Elle doit être solide et délicate à la fois.

La fille acquiesça.

— C'est tout à fait ça ! Je l'avais sur le bout de la langue.

Dix minutes et quinze dollars plus tard, je les regardai se diriger, avec leur petit sac, vers KEY-OSK où la fille expliqua à la vendeuse ce qu'elle voulait. Cette dernière lui montra ensuite toutes sortes de clés.

— Beau boulot ! me félicita Harriet. Tu as réussi ta vente, bien que nous n'ayons pas eu ce qu'elle désirait !

— C'était son idée. Je l'ai juste suivie.

— Quand même. Ça a marché !

Nous avons regardé vers KEY-OSK : la fille en doudoune prenait une petite clé sous les regards du garçon et de la vendeuse. Soudain, des gens sont passés devant nous en chahutant, et nous ont empêchés de les voir, mais on s'est dévissé le cou : nous l'avons vue mettre la clé sur la chaîne, puis la chaîne autour de son cou. La clé a dansé au bout, tournoyé, et elle l'a serrée dans sa main.

En fin d'après-midi, je rentrais par la coulée verte, lorsque je vis l'oiseau.

Au début, c'était juste une ombre qui passait, style gros nuage qui bouche le soleil. C'est seulement après, quand il a continué au-delà des arbres et filé en plein ciel, que j'ai distingué un grand oiseau gris avec des ailes d'une envergure incroyable. C'était à se demander comment il pouvait voler !

Immobile, je l'ai observé longtemps, et ce n'est qu'au moment où je suis repartie que ça a fait tilt.

C'était un héron ! L'oiseau dont il fallait se méfier ! avait dit Heather. D'un coup de bec, il pouvait faire de vrais ravages !

Ah non ! me dis-je. Je marchai plus vite, puis je courus. Il faisait froid, l'air me brûlait les poumons. Je devais avoir l'air d'une vraie folle, mais je courais toujours plus vite. J'étais à bout de souffle lorsque je traversai le jardin du voisin, longeai le garage de Cora et que j'arrivai près de la mare.

Impossible de louper le héron. Il était au bout du jardin, ses ailes encore déployées après son atterrissage. Il était vraiment magnifique ; le soleil faisait briller son plumage. Il se reflétait élégamment dans la mare. Tout à coup, il a plongé son long bec dans l'eau.

— Stop ! hurlai-je de toutes mes forces. Arrête !

Le héron tressaillit, puis il étendit ses ailes et fit du surplace, mais il ne s'envola pas.

Pendant un moment, rien ne se passa. L'oiseau était toujours là, ailes grandes ouvertes. Moi, j'étais tout près, avec mon cœur qui battait comme un tambour. J'entendis des voitures passer dans la rue, une portière claquer, pas très loin. Autour de nous, c'était le silence complet.

Je savais qu'à tout moment le héron pouvait pêcher un poisson, peut-être même mon poisson. J'arrivais peut-être même trop tard.

— Fiche le camp ! hurlai-je, encore plus fort, alors que je m'approchais. Dégage, je te dis !

D'abord, il n'a pas bougé. Puis il s'est élevé dans les airs. Il est passé juste au-dessus de ma tête, avec ses ailes immenses qui battaient pour monter dans le ciel bleu de la nuit. C'était un spectacle étonnant et surréaliste, du genre qui n'existe que dans l'imagination. Et si Jamie ne l'avait pas vu, lui aussi, j'aurais vraiment pensé que j'avais rêvé.

Je ne m'étais pas rendu compte qu'il était derrière moi, mains dans les poches, à regarder en l'air. C'est seulement lorsque je me suis retournée pour suivre des yeux l'oiseau qui s'envolait toujours plus haut, toujours plus loin, que je l'ai remarqué.

— C'était un héron ! dis-je, oubliant qu'il me faisait la tête. Il était au bord de la mare !

J'avais parlé en détachant bien mes mots, comme si je n'avais pas assez de souffle pour tout dire d'un coup.

— Je sais. J'ai vu.

J'avalai ma salive, je croisai les bras. Mon cœur battait toujours si fort que je me demandai s'il ne l'entendait pas.

— Je suis désolée pour tout ce qui s'est passé, dis-je enfin. Sincèrement...

Il est resté un instant silencieux.

— C'est bon, dit-il enfin.

Puis il a tendu la main et l'a posée sur mon épaule. Ensemble, nous avons observé le héron qui dépassait les toits pour s'enfoncer dans la nuit.

Chapitre 10

— Avec du beurre ? Sans beurre ?

— Ça m'est égal.

Olivia se dirigea vers le distributeur de beurre, mit le sac de pop-corn dessous et donna des petits coups de manette.

— Je t'annonce que tu es ma cliente préférée de l'année ! Pas comme quatre-vingt-dix-neuf pour cent des gens qui viennent se faire une toile !

— Ah.

— Ils ont des goûts d'une précision hallucinante quand ils commandent leur pop-corn, dit-elle en retournant le sac pour le secouer. Certains ne veulent surtout pas de beurre, parce que, selon eux, le pop-corn doit rester bien sec, ou alors ils piquent une grosse crise. D'autres en veulent beaucoup, jusqu'à le sentir poisser à travers le sac.

— Dégoûtant.

— Bof, moi je m'en fiche. J'ai juste la haine quand

des névrosés veulent du beurre à chaque couche de pop-corn et pas juste au-dessus, pour que ce soit bien beurré. Ça me prend des siècles, évidemment.

Je souris en lui prenant mon sac de pop-corn, puis je sortis mon porte-monnaie.

— Merci. Combien je te dois ?

— Laisse tomber.

— Tu es sûre ?

— Certaine. Si tu m'avais demandé du beurre couche par couche, je t'aurais fait payer, mais là, c'était trop facile, alors c'est gratis !

Olivia sortit de derrière son comptoir et traversa l'entrée presque déserte du multiplexe Vista Ten pour se rendre devant la salle. Je la suivis. Il n'y avait personne dans le ciné, à l'exception de quelques gamins qui jouaient à des jeux vidéo près des toilettes. Elle ouvrit la salle, regarda à l'intérieur, puis plaça la pancarte « OUVERT » devant, avant de retirer des papiers sur un tabouret pour me faire de la place.

— Tu es certaine que ton boss ne dira rien ? lui demandai-je en hésitant.

— C'est mon père, le boss ! De plus, je travaille un samedi matin, je fais la matinée cinéma des enfants, contrainte et forcée ! La fille qui est censée être là ne le supporte plus. Alors je fais ce que je veux !

— La matinée ciné... ?

Je me tus en voyant une mère arriver avec ses cinq gamins qui couraient dans tous les sens ou traînassaient. L'un d'eux jouait à son jeu vidéo et ne regardait même pas où il mettait les pieds, mais il avançait sans hésiter. Impressionnant. La mère devait avoir dans les quarante ans. Elle portait un long sweat vert et une énorme besace. Elle s'est arrêtée devant nous et a lu le programme des films avec un air très concentré.

— Maman ? demanda une fillette avec une queue-de-cheval en tirant sur sa manche. Je veux des Smarties !

— Pas de sucreries, dit la mère qui lisait toujours les films à l'affiche.

— Maaaais... t'avais prooomis ! pleura la gamine.

Pendant ce temps, son petit frère tirait l'autre manche. La mère caressa ses cheveux sans y penser, tandis qu'il s'entortillait autour de sa jambe.

— Trop bien ! cria le garçon au jeu vidéo en sautant en l'air. J'ai fait le niveau cinq avec les cerises !

Olivia appuya sur le bouton de son micro et se pencha.

— Puis-je vous aider ? demanda-t-elle à la mère.

— Oui, oui, dit-elle sans la regarder. Cinq enfants et un adulte pour *Pretzel Dog Two*.

Olivia tapa la somme totale sur sa caisse.

— Trente-six dollars.

— Quoi ! Trente-six ? fit la femme en levant enfin les yeux sur nous.

La petite fille la tirait de nouveau par le bras.

— Avec le tarif enfants ? Vous en êtes certaine ?

— Absolument.

— C'est décidément de la folie... C'est juste un film !

— À qui le dites-vous ! rétorqua Olivia en appuyant plusieurs fois sur une touche pour éditer les tickets.

La femme fouilla dans son sac et en sortit deux billets de vingt. Elle paya et Olivia lui glissa les tickets avec la monnaie.

— Bon film !

La femme grommela, remit son sac sur l'épaule et se dirigea vers la salle de cinéma avec sa smala. Olivia soupira, se rassit et croisa les mains derrière sa nuque alors que deux minivans se garaient devant le cinéma coup sur coup.

— « À qui le dites-vous ! », dis-je tandis que je revoyais maman, son bloc à la main, devant les maisons des clients. C'est ce que ma mère disait tout le temps...

— Il faut toujours montrer de la sympathie et de la compréhension, ça les calme et ça marche à tous les coups, expliqua Olivia. Cela dit, elle n'a pas tort ! C'est supercher. Mais nous faisons le gros des profits avec les Smarties, Mars, enfin toutes les friandises. De plus, elle a de la bouffe plein son sac pour ses sales gamins. Alors l'un dans l'autre, on y gagne...

La femme faisait entrer sa tribu dans une salle.

— Tu crois ?

— Tu as vu son sac ? Prêt à exploser !

Elle piocha dans mon pop-corn que je n'avais pas encore entamé. J'ai tiqué, elle a tout de suite remarqué.

— Quoi ? Trop de beurre ?

Je secouai la tête.

— Non, ça va.

— Tant mieux. Tu ne vas tout de même pas faire ta difficile avec moi, maintenant ?

Les gens des minivans débarquaient. Les portières s'ouvraient, claquaient. Olivia soupira et consulta sa montre.

— Je ne suis pas venue pour le pop-corn, en fait. Je voulais juste te remercier, lui dis-je.

— Déjà fait.

— Mais non ! J'ai essayé, et deux fois en plus, mais tu ne m'as pas laissée faire. Franchement, je ne te comprends pas.

Elle a repris une poignée de mon pop-corn.

— Facile à comprendre, pourtant, me dit-elle, alors qu'il y avait un nouvel arrivage de parents avec leurs enfants. Tu m'as rendu service, je t'ai rendu service. On est à égalité. Laisse tomber.

Plus difficile à dire qu'à faire, me dis-je tandis qu'elle vendait des tickets, écoutait de nouvelles plaintes sur les prix de la séance et indiquait les toilettes à une mère affolée par son bébé qui braillait. Un quart d'heure plus tard, le silence était revenu et j'avais dévoré la moitié de mon pop-corn.

— Écoute, je voulais que tu saches que je ne suis pas comme ça, dis-je.

— Comme quoi ? demanda-t-elle en rangeant les billets dans sa caisse.

— Le genre qui sèche les cours pour picoler. J'avais eu un sale début de journée...

— C'est bon ! coupa-t-elle brusquement. Pas besoin de te justifier, j'ai pigé.

— Ah ?

— Changer d'école, ça m'a gonflé, expliqua-t-elle. J'ai toujours les boules quand je pense à Jackson, à tel point que je ne me suis toujours pas posée à Perkins et que je refuse de me faire des amis, même après un an.

— Je n'en ai pas non plus à Perkins.

— Si. Toi tu as Ben Cross.

— Ben, on n'est pas vraiment amis.

Elle a levé un sourcil, l'air étonné.

— Un mec qui fait vingt bornes pour te sortir des bois, c'est pas un vrai pote ?

— Il est venu seulement parce que tu le lui as demandé.

— Pas du tout. Je lui ai juste dit où tu étais.

— Pareil !

— Non ! dit-elle en piochant dans mon pop-corn. Il y a une grande différence entre information et action, ma vieille. Je l'ai informé parce que je me sentais responsable de t'avoir laissée avec ce zonard. Mais de là à aller te chercher... C'est Ben tout craché. Alors j'espère que tu lui as baisé les pieds pour le remercier !

— Pas vraiment, non...

— Non ?

Elle était archisurprise.

— Mais... pourquoi ?

J'ai fixé mon pop-corn, déjà écœurée par le beurre et le sel.

— J'aime pas qu'on m'aide. C'est là le problème.

— Ça, je comprends.

— Ah ?

— Moi non plus je n'aime pas qu'on m'aide, surtout quand je pense que je peux me débrouiller toute seule.

— Exactement !

— Mais là, tu étais dans les vapes au milieu de nulle part, insista-t-elle, tu avais besoin d'aide, alors tu as eu du bol que Ben l'ait compris, même si toi, tu as complètement zappé.

Des adultes et des enfants se pointaient en masse.

— J'aimerais me racheter, avec Ben, dis-je à Olivia. Changer, tu comprends ? Mais ça n'est pas facile.

Elle prit une autre poignée de pop-corn et l'engouffra tandis que la foule se rapprochait.

— Ouais. À qui le dis-tu !

Tout le monde a son point faible. Vous savez, le petit truc qui vous cassera, même si vous êtes du genre incassable, même si vous faites gaffe pour ne pas vous faire avoir. Pour certains, c'est l'amour. Pour les autres, l'argent ou l'alcool. Pour moi, c'était pire : c'était les maths.

Si j'étais aussi sûre de ne pas aller en fac, ce n'était pas à cause de mon passé galère, ni parce que je remettais à perpète mes dossiers de candidature ou parce que je pensais que l'université, ça n'était pas pour moi. Non, c'était à cause des maths, de l'algèbre et des théorèmes. Je n'y comprenais absolument rien ; ça faisait dégringoler ma moyenne générale et mon moral avec.

J'ouvrais toujours mes bouquins de maths en me disant : allez, c'est bon, je m'y mets, et cette fois, ça va marcher. J'espérais toujours avoir la révélation. En gros, découvrir que les maths, c'était facile, et que la vie avec les maths, c'était un vrai bonheur. Mais les trois quarts du temps, je me prenais la tête sur des problèmes et je déprimais. Quand je touchais vraiment le fond, je piquais du nez sur mon bouquin et je réfléchissais à mon sombre avenir.

— Eh bien, eh bien ! fit soudain une voix.

Je ne l'avais pas reconnue, parce que j'avais mis mes bras autour de ma tête pour éviter que mon cerveau en jaillisse comme un geyser.

— Hé, ho ? Ça va ?

Je pensais que c'était Jamie, mais quand j'ai levé la tête, j'ai vu que c'était Ben. Il était devant la cuisine et revenait du pressing avec des costumes et des vestes. Roscoe reniflait ses pieds de toute son âme.

— Non, ça ne va pas du tout ! lui répondis-je alors qu'il ouvrait le placard de l'entrée.

Comme Jamie bossait comme un malade sur sa nouvelle campagne de pub et que Cora croulait sous les dossiers, ils faisaient de plus en plus souvent appel à Destress Sans Stress pour leurs courses. Mais c'était la première fois que je voyais Ben dans la maison. J'entendis le bruit des cintres pendant qu'il pendait son barda dans la penderie de l'entrée.

— Je pensais à mon avenir.

— C'est catastrophique à ce point ? dit-il en se penchant pour caresser Roscoe, qui sautilla pour lui lécher le visage.

— Seulement si je me prends une claque en maths. Ce qui me semble bien parti.

— Impossible.

Il frotta ses mains sur son jean et s'approcha.

— Tu ne peux pas te planter en maths parce que tu connais le meilleur prof de maths de toute la ville !

Lui ? Vraiment ?

— Toi ? Vraiment ?

— Oh, non ! Pas moi ! Je suis bon presque partout, mais je suis nullissime en maths. J'ai tout juste eu la moyenne à mon exam'.

— Mais tu l'as réussi quand même.

— Oui, grâce à Gervais.

Le troll nauséabond a tout à coup pollué mes pensées.

— Non, merci ! Je ne suis pas désespérée à ce point !

— Ben, on n'aurait pas dit quand je suis arrivé.

Il a pris une chaise, s'est assis en face de moi, puis il a lu une page et cligné des yeux.

— Rien que de regarder ce truc, ça me colle des angoisses ! La règle des puissances, c'est pourtant simple ! Alors pourquoi je n'y comprends rien ?

— La *quoi* ?

— Tu as besoin de Gervais ! dit-il en me rendant mon manuel d'algèbre. Et rapidos !

— Surtout pas ! dis-je en calant un genou sous mon menton. Tu me vois lui demander un service ? Et par-dessus le marché, lui devoir quelque chose ? Non merci, il va me rendre la vie infernale !

— Ah oui ! Excuse, j'avais oublié ! dit Ben. C'est pas ton truc !

— Mon truc ?

— Être redevable. Tu veux te débrouiller seule, tu ne veux rien devoir à personne, c'est ça ?

— Eh bien...

Vu et dit de cette façon, évidemment, ça le faisait pas.

— Si tu essaies de dire que je n'aime pas dépendre des autres, c'est oui.

— Pourtant, tu me dois quelque chose, dit-il en se penchant de nouveau pour caresser Roscoe.

Je n'avais pas envie de le reconnaître, alors j'ai tourné autour du pot.

— Développe.

— Eh bien, j'ai des tonnes de courses à faire, aujourd'hui. Des tonnes de cupcakes à glacer.

— Et... ?

— Et j'aurais besoin d'un coup de main. Après, on sera quittes.

— Tes courses, elles comprennent Gervais ?

— Non.

Je réfléchis une seconde seulement.

— C'est bon.

Et je refermai mon manuel d'algèbre.

— Avant d'entrer, je te préviens : attention à l'odeur ! dit Ben tandis que je montais, derrière lui, les marches qui menaient à une petite maison en brique.

Un drapeau de déco qui représentait des tranches de melon flottait dans le jardin.

— Attention à l'odeur ?

Ben ouvrait déjà la porte et ma question se transforma en une exclamation. C'était atroce, ça puait partout ! J'avais l'impression d'avancer dans un brouillard archi-enveloppant.

— Surtout, pas de panique ! reprit Ben.

Il traversa le salon, passa devant un canapé recouvert d'un plaid de toutes les couleurs et entra dans une cuisine ensoleillée.

— Tu vas bientôt t'y habituer et tu ne remarqueras plus rien.

— Mais enfin, qu'est-ce que c'est que cette horreur ?

En attendant Ben qui avait disparu dans la cuisine, j'ai eu une drôle d'impression, et tout à coup, la chair de poule. On m'espionnait.

« On » était un chat assis sur les escaliers. C'était un gros matou tigré avec des yeux verts qui m'examinait avec un air d'ennui phénoménal. J'en remarquai ensuite un autre, un gris, allongé sous le perroquet de l'entrée. Et puis un noir, sur le canapé, et un angora blanc, sur le tapis oriental juste devant. Il y avait des chats en pagaille dans cette baraque !

Je cherchai Ben et le trouvai dans la véranda derrière la maison, devant cinq cages de transport pour chat. Un Polaroid avec le nom et la photo de chaque chat avait été collé dessus : Razzy, César, Blu, Margie, Lyle.

— C'est un refuge ou quoi ?

— Sabrina recueille les chats dont personne ne veut, expliqua Ben en prenant deux des cages qu'il porta dans le salon. Ceux qui sont malades, trop vieux, ou ceux qui ont été abandonnés.

Il prit l'un des Polaroids représentant un chat gris tout maigre, qui s'appelait Razzy, et regarda autour de lui.

— Tu le vois ?

Je vis plusieurs chats, mais pas un seul chat gris. Il avait dû filer.

— Bon, je vais chercher à l'étage, reprit Ben. Tu peux repérer les autres ? Tu n'as qu'à regarder les photos sur les cages de transport.

Il monta. Un moment plus tard, j'entendis le plafond qui craquait sous ses pas et je l'entendis siffler. Je regardai les cages et les Polaroids collés dessus, puis je dénichai Lyle, un chat noir avec des yeux tout dorés, qui m'observait de son canapé. Quand j'ai pris la cage de transport, la photo est tombée. Il y avait un Post-it collé derrière.

Pour Lyle, c'est check-up complet avec prise de sang, afin de vérifier s'il réagit bien à son traitement anticancéreux. Si le docteur Lomis a l'impression que la situation n'évolue pas, je t'en prie, Ben, demande-lui de me téléphoner pour qu'on discute de la décision à prendre, si je dois faire en sorte qu'il ait une fin de vie sans souffrances.

— Pauvre vieux..., lui dis-je, posant la cage devant lui, porte ouverte. File là-dedans, d'acc ?

Il n'a pas bougé. Pire, quand je me suis approchée, il m'a sauté dessus toutes griffes dehors et ne m'a pas ratée. J'en ai laissé tomber la cage pour fixer ma main qui saignait un peu.

— Petit salaud !

Lyle me regardait avec ennui. Saleté, va. Ben redescendait, un chat sous chaque bras.

— Oh, zut ! fit-il quand il vit que je me tenais la main, toute crispée. Tu as voulu attraper Lyle, c'est ça ?

— C'est bien ce que tu m'avais demandé ?

— Non, je t'avais demandé de les chercher, pas de te bagarrer avec eux ! précisa Ben. Surtout Lyle ! Celui-là, c'est une vraie cata. Laisse-moi regarder ta main.

J'ai senti ses doigts chauds sur mon poignet. Lorsqu'il s'est penché pour mieux voir, j'ai remarqué que ses cheveux allaient du blond très blond au châtain clair.

— Désolé, dit-il enfin, j'aurais dû te prévenir...

— C'est bon. C'est trois fois rien.

Il a levé les yeux et j'ai senti que je devenais toute rouge parce qu'il était trop près de moi. Derrière lui, Lyle nous fixait de ses yeux jaunes tout ronds, qui se sont refermés jusqu'à devenir minces comme deux fentes.

Enfin, Ben a mis vingt bonnes minutes pour faire entrer Lyle dans sa cage et la mettre dans le coffre de la voiture, où j'attendais déjà avec les quatre autres chats. Quand il a démarré, j'ai vu que ses mains étaient griffées.

— J'espère que tu es bien payé pour le combat à mains nues contre les griffes ? lui demandai-je.

— C'est pas grave, ça partira. Comment veux-tu que j'en veuille à ce pauvre matou ? Je comprends qu'il n'ait pas envie d'aller chez le véto.

Derrière nous, j'entendais l'un des chats miauler.

— Moi, je ne pourrais vraiment pas..., dis-je tout à coup.

Ben eut l'air surpris.

— Tu ne pourrais pas quoi ?

— Avoir une attitude toujours positive, genre : « Oh, ça n'est pas la faute du minou s'il m'a griffé. » Comment fais-tu à la fin ?

— Pourquoi ? Tu as une autre solution ? Avoir la haine, par exemple ?

— Non ! Mais tu n'es pas non plus obligé de toujours tout excuser !

— Tu n'es pas non plus obligée de voir la vie en noir ! Le monde n'est pas systématiquement contre toi, tu sais !

— Que tu dis.

— Écoute, on n'est jamais sûr de rien ni de personne à cent pour cent, alors tu as le choix : espérer le meilleur ou t'attendre au pire.

— Quand on s'attend au pire, au moins, on n'est jamais déçu. Et on reste sur ses gardes.

— Qui a une philosophie pareille ?

Je haussai les épaules.

— Les gens prudents qui ne se font pas griffer par des chats psychotiques.

— Je te ferais remarquer que toi aussi tu as été

griffée ! Alors tu ne fais pas partie des grands pessimistes ! Même si c'est l'image que tu veux donner de toi !

Après le rendez-vous chez le véto, où, je le précise, Lyle griffa le véto, son assistant et une inconnue dans la salle d'attente, nous sommes revenus chez Sabrina, enfin chez les chats, et nous leur avons rendu leur liberté. Après, nous sommes passés au pressing (pour récupérer des tonnes de costumes et des chemises d'homme), puis à la pharmacie (c'est incroyable le nombre de personnes qui prennent des antidépresseurs, sans aucune critique de ma part), et à One World-Planète Bleue, une épicerie bio où nous avons pris livraison d'un énorme gâteau d'anniversaire « À tes quarante ans, Marla ! », sans gluten, ni œufs, ni farine.

— Quarante ans sans manger d'œufs ni de farine ? demandai-je alors que nous allions le livrer dans une belle maison aux colonnades blanches. C'est épouvantable !

— Marla ne mange pas de viande non plus, précisa Ben en sortant un trousseau de clés et en cherchant la bonne.

Il l'introduisit dans la serrure et ouvrit.

— Et elle évite les produits industriels. Même son shampoing est bio.

— Parce que tu lui achètes aussi son shampoing ?

— Nous lui achetons tout. Elle est toujours en voyage. Suis-moi : la cuisine, c'est par là.

Je le suivis dans la maison, qui était très grande et assez bordélique. Le courrier était empilé sur la table de la cuisine, le papier à recycler entassé à côté de la porte qui donnait sur le jardin et le répondeur clignotait comme un malade.

— J'aurais cru qu'une bonne femme aussi psychorigide sur la qualité de sa bouffe aurait un intérieur nickel !

— C'était le cas, avant son divorce, expliqua Ben qui me prenait le gâteau des mains pour le mettre au frais. Depuis, c'est le bordel.

— Je comprends mieux pourquoi elle prend des antidépresseurs, dis-je en sortant le flacon de comprimés du sac de pharmacie pour le poser sur la table.

— Ah bon, tu crois ?

J'observai la porte du frigo, en partie recouverte de stars en Bikini. Au-dessus, il y avait un morceau de papier où Marla avait écrit au marqueur noir : « Réfléchis bien avant de manger ! »

— Elle semble assez excessive dans son genre ?

— Possible, je ne l'ai jamais vue.

— Vraiment ?

— Oui. C'est aussi le principe de Destress Sans Stress. On n'a pas besoin de se rencontrer. Si on fait bien notre boulot, ça roule tout seul.

— Mais c'est quand même une véritable intrusion dans une vie privée ? La preuve, tout ce que nous avons appris sur elle rien qu'en regardant sa cuisine ?

— Peut-être. Mais tu ne peux pas non plus connaître complètement les gens à partir de leur maison ou de leurs affaires. Tu n'as qu'un aspect de leur personnalité.

Il reprit les clés qu'il avait posées sur la table.

— On y va ? On doit encore passer dans quatre maisons avant la fin de la journée !

C'était un boulot sacrément difficile, enfin, plus que je ne le pensais. Mais quand même, ça me plaisait bien. Peut-être parce que ça me rappelait Commercial, lorsque nous passions de maison en maison pour rendre des bagages égarés ? La différence, c'est que nous ne rentrions jamais chez les gens, nous posions le plus souvent leurs bagages devant chez eux. Je trouvais fabuleusement intéressant de voir des morceaux de vie des clients de Ben. Leur perroquet dans l'entrée de la maison, leur garage, leurs affiches ou tableaux. Les gens avaient beau être différents, ils avaient malgré tout pas mal de choses en commun.

Pour finir, nous sommes passés dans un immeuble grande classe avec une entrée très chic très propre où le bruit de nos pas résonnait comme dans une cathédrale. Ben devant moi portait les derniers cintres du pressing.

— C'est à quel étage ? demandai-je lorsque nous entrâmes dans l'ascenseur.

Puis je regardai l'étiquette du pressing.

— Qui c'est, ce P. Collins ?

— Un mystère...

— Un mystère ?

— Tu verras bien !

Une fois au septième étage, nous avons marché dans un long couloir avec des portes identiques. Ben s'est arrêté à mi-chemin, puis il a sorti ses clés et ouvert.

— Vas-y, entre !

J'entrai, et tout de suite, j'ai entendu un silence qui rendait carrément sourd. Parce qu'à l'intérieur, c'était vide, malgré un mobilier contemporain fragilissime et très beau. Pour résumer, on aurait dit un appartement comme dans les magazines. Trop parfait pour avoir de la vie.

— Ouah..., dis-je à Ben tandis qu'il portait le linge propre dans la chambre à coucher.

Je me dirigeai vers des fenêtres qui donnaient sur la ville. On voyait très loin. C'était comme d'être sur le toit du monde !

— Bluffant !

— Je suis d'accord, dit-il. Le plus bizarre, c'est que cet appartement est inhabité.

— Mais non, puisque le client t'a demandé de passer au pressing.

— C'était juste une housse de couette. Une fois par mois, on la dépose au pressing.

J'entrai dans la cuisine et regardai autour de moi. Le frigo était vide, tout était impec, sauf une capsule de bouteille.

— Ah ah ! Il boit de la bière.

— Non, c'est moi, déclara Ben. Je l'ai laissée la dernière fois que je suis passé, juste pour voir si quelqu'un allait la jeter ou la déplacer.

— Et ta capsule est toujours là...

— Bizarre, hein ?

Il revint vers les fenêtres et en ouvrit une. Un peu d'air frais entra.

— Je pense que cet appartement appartient à une grande société et qu'il sert aux directeurs en déplacement.

Je revins dans le salon et regardai la bibliothèque, vide mis à part quelques romans, un guide de voyage sur le Mexique et deux livres d'architecture.

— Moi, je suis sûre que quelqu'un habite ici.

— Alors si c'est le cas, je le plains. Il n'y a même pas de photos...

— Des photos ?

— De famille ou d'amis ! Une preuve de vie, quoi !

Je pensai à ma chambre chez Cora. Ses murs tout blancs. Mes affaires à peine déballées. Qu'en penserait un visiteur inconnu ? Pas facile de se faire une idée sur moi à partir de quelques fringues, de deux ou trois bouquins.

Ben était sorti sur la terrasse où il contemplait la vue. Je me suis approchée et il a de nouveau regardé ma main griffée.

— Au fait, j'avais oublié, j'ai acheté ça à One World, me dit-il en sortant un petit tube de sa poche.

Boyd's Balm. En lettres rouges.

— C'est quoi ? lui demandai-je alors qu'il retirait la capsule.

— Comme de la Néosporine, mais en naturel.

Je devais avoir l'air sceptique parce qu'il a ajouté :

— Marla ne jure que par ça !

— Alors si Marla ne jure que par ça...

Il me fit signe de tendre la main, j'ai obéi. Il l'a prise et l'a serrée dans la sienne. Puis il a mis de la pommade sur mes griffures et massé, doucement pour ne pas me faire mal. Au début, ça m'a un peu brûlée, puis ça m'a fait tout froid, mais c'était agréable. De nouveau, Ben et moi, on était très proches et j'ai failli reculer, comme tout à l'heure chez Sabrina. Pourtant je n'ai pas bougé et je me suis même détendue tandis qu'il continuait à me masser.

— Et voilà ! dit-il enfin. Demain, ce sera guéri.

— Toujours optimiste.

— Si tu préfères penser que ta main va tomber,

c'est ton problème. Personnellement, je préfère ma façon de voir les choses.

Je lui ai souri, je n'ai pas pu m'en empêcher. Et là, en plein soleil, j'ai repensé à notre première rencontre au milieu de la nuit. J'avais mal vu son visage, mais maintenant, j'avais l'impression de le voir pour la première fois. Je m'étais trompée sur lui, il n'était pas du tout comme je le pensais... Et lui ? M'avait-il découverte aussi sous un nouveau jour ? Avait-il été surpris ?

Plus tard, quand Ben m'a déposée chez Cora, j'ai rejoint ma sœur à la cuisine. Elle surveillait ce qu'elle touillait dans sa casserole.

— Salut, dit-elle alors que Roscoe me faisait la fête. Je ne savais pas que tu travaillais, aujourd'hui ?

— Je ne travaillais pas.

— Où es-tu allée ?

— Partout..., dis-je en bâillant.

Elle m'observa, un peu surprise. Je me suis demandé pourquoi je restais aussi mystérieuse. En fait, je crois que je voulais garder cette journée comme un secret.

— Tu veux que je t'aide à préparer le dîner ?

— Ça va aller. Nous dînons dans une demi-heure, d'accord ?

D'acc. Je suis montée dans ma chambre. J'ai jeté mon sac par terre, je suis allée sur mon balcon et j'ai regardé le jardin, puis la mare et enfin la maison de Ben. Je le vis porter des trucs dans la cabane, près de la piscine. Toujours en train de bosser. Comme d'habitude.

Je suis rentrée, j'ai ôté mes chaussures et je me suis allongée sur mon lit puis j'ai fermé les yeux. J'allais m'endormir lorsque j'entendis les cling-cling des médailles de Roscoe... Cora avait dû de nouveau allumer le four..., pensai-je, certaine qu'il se cacherait dans mon dressing en attendant que ça passe, comme il le faisait désormais. Mais il s'est approché de moi et m'a regardée. Je l'ai aussi regardé, puis j'ai soupiré.

— Allez, monte, lui dis-je en tapotant sur mon lit.

Il n'a pas hésité. Il a bondi, puis il a tourné sur lui-même avant de s'asseoir à côté de moi et il a posé sa tête sur mon ventre. Lorsque je l'ai caressé, j'ai vu les griffures de Lyle sur ma main. J'ai passé mon index dessus, c'était juste un peu enflé. Puis je revis Ben mettre de la pommade sur ma peau. J'ai caressé ma main griffée pendant le dîner et avant d'aller me coucher, de la même façon que je caressais ma clé autour de mon cou. Pour m'en souvenir peut-être ? J'ai bien fait, parce que Ben avait raison : le lendemain, ma main était guérie.

Chapitre 11

— N'importe qui te dira qu'il y a un truc, déclara Olivia en buvant son smoothie.

— C'est n'importe quoi ! répondis-je. De toute façon, même s'il y avait un truc, comme tu dis, ça ne regarderait personne !

— Ah ouais ! Ben, tu vois, ça intéresse pas mal de monde. Moi, par exemple.

— Alors tu veux que je te dise la vérité ?

Elle m'a fait une horrible grimace et a plaqué son portable sur son oreille. Olivia et moi, on n'avait jamais vraiment été amies, mais depuis ma virée à Jackson et ma visite au multiplexe pour lui dire merci, on s'était rapprochées. Enfin je crois, sinon elle ne se serait pas autant mêlée de ma vie.

— La stricte vérité, c'est qu'il ne se passe rien entre moi et Ben ! dis-je pour la deuxième fois depuis le début de la pause déjeuner.

Déjeuner ensemble. Ça aussi, c'était nouveau. Le plus beau : je n'aurais jamais cru que je m'habituerais à la voir piocher dans mon paquet de chips.

— On est juste amis, voilà.

— Il n'y a pas longtemps, pourtant, dit-elle en avalant des chips, tu refusais même de l'admettre.

— Oui, et alors ?

— Et alors...

Son portable a sonné, mais elle a poursuivi :

— On verra ce que tu diras dans une ou deux semaines. Si ça se trouve, tu seras fiancée avant d'avoir compris ce qui t'arrivait !

— On ne va pas se fiancer, quelle horreur !

— Il ne faut jamais dire « jamais », ma vieille !

Son portable continuait de sonner.

— Tout est possible.

— Je ne suis pas scotchée à Ben. Lui non plus. D'ailleurs, je ne sais même pas où il est.

— Il est peut-être pas scotché à toi, mais il n'est pas loin : près de la sculpture, et il regarde vers nous.

J'ai tourné la tête. Exact, Ben était tout près, il parlait avec Jane Bristol. Quand il s'est rendu compte qu'on l'observait, il a fait un signe, et je lui ai répondu par un autre. Olivia me fixait, l'air blasé, pendant que son portable sonnait toujours.

— Tu vas répondre, oui ou non ?

— Ah bon, tu me donnes l'autorisation ?

— Parce que tu as besoin de mon autorisation ? Je rêve !

— Ça non, mais je ne veux pas avoir deux conversations à la fois et être grossière ou impolie ! répondit-elle.

C'est texto ce que je lui avais dit quand j'en avais eu marre que son portable nous interrompe tout le temps. D'un autre côté, ça prouvait qu'elle avait le sens de l'amitié...

— À moins, bien entendu, que tu n'aies changé d'avis ?

— Je m'en fiche, mais fais quelque chose pour que ce fichu portable s'arrête de sonner !

Elle a soupiré, parce qu'elle me trouvait insupportable, puis elle a ouvert son téléphone et l'a plaqué contre son oreille.

— Allô ? Salut. Non, non, je déjeune avec Ruby. Quoi ? Oui, c'est ce qu'elle prétend ! répondit-elle en me regardant. Je ne sais pas, elle n'est pas nette, la pauvre ! Franchement, je ne cherche même plus à comprendre !

Je levai les yeux au ciel et tournai la tête vers Ben. Il parlait toujours avec Jane et ne faisait plus attention à nous. Puis je vis tout à coup Gervais, près de nous.

Il était tout seul, assis au pied d'un arbre, son sac à dos à côté de lui, et une minibrique de lait dans une main. Il mâchait lentement en m'examinant. Ça m'a donné la chair de poule... Il faut dire que Gervais était devenu étrange depuis quelque temps. Enfin, plus étrange qu'avant.

J'avais tellement l'habitude de ses manières dégoûtantes, le matin dans la voiture, que je n'y faisais même plus attention. De plus, depuis que Ben et moi on se rapprochait, Gervais devenait de plus en plus transparent. C'est sans doute pour cette raison que je n'avais pas remarqué qu'il avait changé. Ben, si.

Il m'en avait parlé deux jours plus tôt, pendant que nous traversions le parking.

— Tu n'as pas remarqué qu'il se peignait bien le matin ? Et qu'il n'avait plus son casque dentaire ?

— Non. Parce que, moi, je ne perds pas mon temps avec Gervais.

— Et pourtant il faut être aveugle pour ne pas voir qu'il a un look différent !

— Un *look* ? Et puis quoi encore ?

— De plus, il sent meilleur, ajouta Ben. Il a arrêté de roter et de péter.

— On ne pourrait pas changer de conversation ?

— Quand quelqu'un change, et de façon si évidente, c'est normal de se poser des questions..., dit-il en haussant les épaules.

Je m'en fichais comme de ma première chaussette. Gervais aurait été refait des pieds à la tête et il aurait senti la rose que ça ne m'aurait pas plus intéressée que tout un jardin de roses. Mais maintenant, je me disais que Ben avait eu raison. Gervais était vraiment différent. Ses cheveux étaient bien peignés, et moins gras aussi. De plus, sans son casque dentaire, il avait un visage humain. Quand il a remarqué que je le fixais, il a sursauté, puis il a baissé la tête et a fini de boire son lait. Très troublant.

Pendant ce temps, Olivia continuait de parler avec Laney.

— Non, non, surtout pas ! lui dit-elle après une gorgée de smoothie. Parce que des chaussures ne te feront pas courir plus vite. C'est seulement de la frime. Hein ? Ben oui, le vendeur ne va pas te dire le contraire. Tu parles, il est payé à la com !

— Qui est payé à la com ? demanda Ben qui s'asseyait à côté de moi.

Olivia me fit les gros yeux tandis qu'elle écoutait la réponse de Laney.

— Aucune idée..., lui répondis-je. Comme tu le remarques, ça n'est pas à moi qu'elle parle. Elle est au téléphone.

— Ah bon. Pas très sympa.

— C'est aussi ce que je pense.

Olivia nous ignora et se servit dans mon paquet de chips. Puis elle offrit le paquet à Ben qui se servit aussi et en avala une pleine poignée.

— Je vous ferai remarquer que ce sont mes chips, dis-je.

— Ah ? Elles sont superbonnes, fit Ben.

Il sourit et me donna un petit coup de genou. En face de moi, Olivia parlait toujours de chaussures de sport avec Laney. Soudain, en me voyant assise avec Ben et Olivia, j'ai eu du mal à me souvenir de mon premier jour à Perkins et de ma décision de rester absolument seule. Voilà le problème quand on aide quelqu'un et qu'on accepte son aide : on a un donné pour un rendu pour un donné pour... Vous voyez ce que je veux dire ? Impossible de rester à égalité. Au contraire, une fois que le lien est créé, il continue de se développer à l'infini et il résiste à tout. Même à moi.

Midi, jeudi de Thanksgiving. J'étais à mon poste dans l'entrée, prête à ouvrir la porte à nos invités et à prendre leurs manteaux. Mais lorsque la première voiture a ralenti et s'est garée devant la maison, j'ai remarqué un trou dans mon pull. Zut.

J'ai monté les escaliers quatre à quatre et j'ai couru dans ma chambre, puis dans ma salle de bains pour me changer. J'ai ouvert mon dressing, et là, j'ai sursauté, surprise d'y voir Cora assise par terre avec Roscoe sur les genoux.

— Ne dis rien, surtout, me dit-elle en levant la main. Je sais, j'ai l'air complètement débile.

— Mais qu'est-ce que tu fiches ici ?

Cora a poussé un énorme soupir.

— J'avais juste besoin de me recentrer. De respirer. D'avoir un moment rien qu'à moi.

— Dans mon dressing ?

— Écoute, c'est un pur hasard... Je venais chercher Roscoe. Tu sais comment il est, quand le four est en marche. Une fois que je suis entrée, j'ai compris pourquoi il aimait tant venir se réfugier dans ta chambre. C'est calme. Réconfortant...

C'était la première fois que Jamie et Cora recevaient pour Thanksgiving. Traduction : nous allions être envahis par une quinzaine de Hunter dans les dix minutes à venir. Moi, j'étais curieuse de voir la tribu de Jamie, mais Cora comme Roscoe, deux grands nerveux, angoissaient.

La semaine dernière, Cora, entourée de livres de recettes et de photocopies de recettes de *Cooking Light*, stressait à mort dans la cuisine.

— Je ne comprends pas, c'est tout de même toi qui as proposé de les recevoir ! lui avait dit Jamie, très étonné.

— Je voulais juste être polie ! Je ne pensais pas que ta mère allait accepter !

— Mais ils ont tellement envie de voir la maison...

— Alors ils auraient dû venir pour l'apéritif ! Ou pour un buffet dînatoire. Ou le dessert. Un petit truc simple ! Pas une grande fête de famille où je dois cuisiner comme un chef étoilé !

— Tu dois seulement préparer la dinde et la tarte au potiron. Ils apportent le reste !

— Mais la dinde, c'est le plat le plus important ! dit Cora d'une voix blanche. Si elle est ratée, c'est tout Thanksgiving qui est fichu !

— Bien sûr que non ! s'exclama Jamie.

Il me regarda, mais je restai silencieuse par prudence. Pas question que je m'en mêle.

— Ce n'est qu'une dinde. Ça ne doit pas être très difficile, non ? reprit-il.

Il avait eu la réponse à sa question, lorsque Cora était passée chercher la dinde qu'elle avait commandée, un monstre pesant pas loin de onze kilos. Nous avions dû nous y mettre à trois pour la transporter dans la maison. Le problème, c'est que nous n'avions pas pu la faire entrer dans le frigo.

— C'est une catastrophe absolue ! dit Cora une fois qu'on l'eut posée sur la table de la cuisine.

— Mais non, on va trouver une solution, ça va aller ! promit Jamie, confiant comme toujours. Détends-toi, Cora !

Il avait réussi à mettre la bête au frigo une fois qu'il l'avait presque entièrement vidée de son contenu. Résultat : les ingrédients que Cora avait achetés pour farcir la dinde, ainsi que les condiments, les pains, les canettes de soda et les bouteilles d'eau, en résumé, tout ce qui pouvait se passer de frigo était sur la table de la cuisine et le plan de travail.

Et encore, on avait de la chance, on utiliserait le four de Ben, parce qu'on ne pourrait plus rien caser dans le nôtre, une fois que la dinde y cuirait. Ben et son père avaient accepté de nous le prêter, car ils partaient pour la journée. Ils avaient un travail fou avec leurs clients qui avaient besoin de ceci, cela pour un parfaitissime dîner de Thanksgiving.

Hier soir, comme le stress rendait Cora extrêmement stressante, j'avais emporté le pain de mie, le beurre de cacahouète et de la confiture dans la salle à manger où je m'étais fait des sandwichs pour manger en paix.

— Tu sais, je pense que ce Thanksgiving, c'est une bonne chose pour nous tous, me dit Jamie en me rejoignant.

Je regardai ma sœur dans la cuisine, qui observait une écumoire, l'air de se demander à quoi ça servait.

— Ah oui ?

— Oh oui ! Notre maison a besoin d'une vraie fête de famille ! Thanksgiving, c'est la paix familiale, l'harmonie, la plénitude... Tu comprends ce que je veux dire ?

Il soupira, mélancolique.

— J'ai toujours adoré Thanksgiving. Même avant que ça ne soit notre anniversaire, à Cora et moi.

— Ah bon, vous vous êtes mariés à Thanksgiving ?

— Non, le 10 juin. Mais on est sortis ensemble un jour de Thanksgiving... Disons que ce fut notre premier rendez-vous.

— Un rendez-vous d'amoureux le jour d'une grande fête de famille ?

— Eh bien, c'était imprévu...

Il sourit et prit des tranches de pain de mie.

— Je devais rentrer chez mes parents pour la fête. J'étais fou d'impatience, parce que j'adore les repas de famille !

Je mordis dans mon sandwich.

— Ah oui.

— Or, la veille, j'avais mangé un calmar pas trop frais, au restau de sushis du coin, et j'ai eu une intoxication alimentaire. Vraiment grave. J'ai été malade toute la nuit, et le lendemain, j'ai été cloué au lit. J'ai donc été obligé de rester à la résidence universitaire et de passer Thanksgiving seul comme un pou... N'est-ce pas la chose la plus triste que tu aies jamais entendue ?

— Non.

— Mais si, voyons !

Il soupira.

— J'étais donc dans ma chambre, déshydraté et malheureux comme une pierre. Je suis allé prendre une douche, mais je me sentais si faible que j'ai dû m'arrêter dans le couloir. Je me suis assis par terre, à moitié mort, quand une porte s'est ouverte. C'était la fille qui m'avait hurlé dessus, la semaine de la rentrée. Elle était seule aussi pour Thanksgiving. Elle se préparait des pizzas à sa façon, avec des muffins anglais dans un four tout pourri !

Je regardai ma sœur, qui consultait maintenant un livre de recettes, l'index sur la page, et soudain, je me souvins de nos pizzas, des muffins anglais tartinés d'une sauce tomate premier prix et de fromage. Elle m'en avait fait des centaines de fois.

Jamie a pris la cuillère dans le pot de confiture et continué :

— Au début, elle a eu l'air très inquiète. Après, elle m'a dit que j'étais carrément vert... Elle m'a demandé si j'allais bien, et quand je lui ai répondu que je n'en étais pas certain, elle est sortie de sa chambre et a posé sa main sur mon front. Puis elle m'a proposé de venir m'allonger dans sa chambre. Après, elle est allée à la seule épicerie ouverte du coin, qui, je le précise, était à des kilomètres, pour m'acheter six canettes de Pepsi. Et pour finir elle a partagé ses drôles de pizzas avec moi.

— Génial.

— Oh oui !

Il secoua la tête et avala un morceau de pain.

— Nous avons passé la semaine dans sa chambre, à regarder des films et à manger des trucs grillés. Elle m'a chouchouté. Ce fut le plus beau Thanksgiving de ma vie.

Je regardai de nouveau Cora dans la cuisine. Lorsque Denise m'avait dit que ma sœur était une vraie mère poule, le soir de la fête, j'avais eu du mal à la croire, et pourtant, c'est exactement ce qu'elle avait été avec moi, jusqu'à son départ pour la fac. Et c'est ce qu'elle était de nouveau.

— Mais ça ne signifie pas que les autres Thanksgiving seront moins réussis ! reprit Jamie. C'est pour cette raison que je suis content de fêter Thanksgiving chez nous, cette année. J'adore cette maison, pourtant je ne m'y sens pas encore comme dans un véritable foyer ! Mais demain, lorsque tout le monde sera attablé, quand chacun aura lu sa liste de remerciements, alors je me sentirai enfin dans un vrai foyer.

Je l'écoutais à moitié parce que je pensais toujours à Cora et à ses pizzas, en revanche la fin m'a fait réagir.

— Lire sa liste de remerciements ?

— Oui !

Il sortit une autre tranche de pain de mie et prit le pot de beurre de cacahouète.

— Ah, c'est vrai, vous ne faisiez pas non plus ce genre de chose, chez vous...

— Heu, non... Je ne sais même pas ce que c'est...

— Eh bien, tu rends grâce, ou tu exprimes ta reconnaissance pour tout ce qui t'est arrivé de positif durant l'année, continua-t-il tandis qu'il tartinait son pain de mie avec du beurre de cacahouète. Et tu lis ta liste pendant le dîner. C'est génial !

— C'est en option ?

Il reposa le couteau si brusquement que je sursautai.

— Quoi ? Tu ne veux pas le faire ?

— Ben, je ne sais pas. Je ne sais pas ce que je pourrais dire...

Il parut si surpris que j'ai eu peur de l'avoir blessé.

— Tu sais, comme ça, à froid, c'est dur de savoir..., continuai-je pour me justifier.

— Justement, c'est ça qui est extraordinaire ! reprit Jamie qui se remit à tartiner son beurre de cacahouète. Tu n'as pas besoin de faire ta liste dans l'urgence : tu as tout le temps d'y réfléchir !

Je fis « oui » de la tête, comme s'il avait complètement calmé mes inquiétudes.

— C'est vrai.

— T'inquiète, tu y arriveras. J'en suis sûr !

L'optimisme de Jamie, c'était vraiment quelque chose. Pour lui, tout était possible : une mare dans un jardin, une belle-sœur azimutée qui pouvait aller en fac, une simple maison qui devenait un vrai foyer, et une liste de remerciements lue devant tout le monde. Bon, d'accord, tout ne se passerait peut-être pas comme il le prévoyait, mais ça n'était pas le problème. Parce que finalement c'était l'intention qui comptait, et tant pis si ça restait une intention, n'est-ce pas ?

Aujourd'hui, c'était donc Thanksgiving, et Cora et moi étions dans mon dressing. Soudain, nous entendîmes sonner. Les oreilles de Roscoe se dressèrent sur sa tête et il a aboyé. Ça a résonné dans le dressing.

J'ôtai mon pull et en pris un autre.

— Je dois y aller, dis-je. Il faut que...

Je sentis la main de Cora autour de ma cheville tandis que je reculais, et je faillis perdre l'équilibre.

— Laisse Jamie ouvrir tout seul ! me dit Cora. Reste encore un peu avec moi.

— Tu veux que je m'assoie là-dedans avec toi ?

— Non !

Elle caressa Roscoe, avant d'ajouter, d'un ton plus calme :

— Enfin, seulement si tu le veux.

Je m'accroupis. Elle se poussa pour me faire de la place et je me retrouvai les fesses sur une paire de bottes.

— Tu vois, on est bien ici...

— Tu veux que je te dise, Cora ? C'est un délire total !

— Tu pourrais comprendre, pourtant !

Elle rejeta sa tête contre le mur.

— D'une minute à l'autre, cette maison va être envahie par des gens qui espèrent voir une parfaite petite famille un jour de fête. Et qui doit orchestrer ce charmant spectacle ? Moi ! Alors que je suis la dernière personne sur cette terre à en être capable !

— C'est faux.

— Qu'est-ce que tu en sais ? Je n'ai jamais fêté Thanksgiving de ma vie.

— Si, tu as fait des pizzas pour Jamie.

— À l'université ?

— Oui.

— Ce n'était pas du tout la même chose !

— C'était un repas, et ça compte ! insistai-je. Et puis, Jamie m'a dit que c'était le plus beau Thanksgiving de sa vie !

Elle sourit et regarda les vêtements pendus audessus de sa tête.

— C'est Jamie tout craché... Je ne me ferais pas de souci si je ne devais passer Thanksgiving qu'avec lui, mais toute sa famille sera là ! Ils me rendent terriblement nerveuse !

— Pourquoi ?

— Parce qu'ils sont parfaits ! Ils s'entendent si bien ! J'ai l'impression que notre famille, en comparaison, c'est une meute de loups !

— Arrête, Cora, ça va durer seulement une journée.

— Oui, mais c'est la journée de Thanksgiving !

— Thanksgiving ne dure qu'une journée !

Elle serra Roscoe contre elle.

— Et je ne te parle même pas de cette histoire de bébé ! Ces gens sont si fertiles que c'en est ridicule ! Jamie et moi sommes mariés depuis cinq ans, et ils se demandent pourquoi je n'ai pas encore donné une tripotée de bébés à la tribu Hunter !

— Je suis sûre que c'est faux. Et même si tu avais raison, ça ne les regarde pas. Tu n'as qu'à le leur dire s'ils te posent la question.

— Mais ils ne la poseront pas ! Ils sont tellement gentils ! C'est ça, le pire ! Ils s'entendent trop bien, ils m'adorent et ils dévoreront la dinde, qu'elle soit carbonisée ou crue ! Personne ne sera ivre et personne ne piquera du nez dans ses patates douces !

— Maman n'a jamais piqué du nez dans la bouffe parce qu'elle avait trop bu !

— C'est parce que tu ne t'en souviens pas.

Ooohhh... J'ouvris de grands yeux. Nous n'avions plus beaucoup parlé de maman, depuis le jour de ma punition. D'un autre côté, maman n'était plus un sujet tabou comme avant. Cela dit, on ne s'était pas non plus mises d'accord sur le passé qu'on avait vécu ensemble et celui que j'avais ensuite vécu seule avec maman. Mais, chose essentielle : Cora ne l'attaquait plus et moi je ne la défendais plus.

— Ce que j'essaie de te dire, c'est que j'assume mal tout ça.

— « Tout ça » ?

— Faire partie d'une vraie famille ! J'ai toujours rêvé de grandes tablées chaleureuses et familiales, mais là, je ne me sens pas à ma place. Oui, c'est exactement ce que j'éprouve.

— Tu es tout de même chez toi, dans ta maison !

— Certes oui..., dit-elle avec un nouveau soupir. D'un autre côté, ma grande sensibilité actuelle est peut-être due aux hormones ? Le traitement que je prends pour stimuler mes ovaires me rend complètement hystérique !

Pitié. C'était une chose d'être au courant de ses difficultés à faire un bébé avec Jamie, mais c'était mortellement dérangeant de connaître ce genre de détails. L'autre jour, par exemple, j'avais eu l'air bête quand elle m'avait parlé de son utérus.

On sonna de nouveau. L'arrivée des visiteurs l'emporta sur la peur du four, Roscoe se tortilla pour se dégager des bras de Cora et fila.

— Traître ! murmura-t-elle.

— Bon, ça suffit, maintenant ! dis-je.

Je sortis du dressing. Ras le bol.

— Tu n'as pas le choix, alors tu vas descendre, regarder tes peurs en face et faire de ton mieux ! Et tout ira bien.

Elle me dévisagea, étonnée.

— Depuis quand es-tu devenue si positive ?

— Sors de là !

Après un soupir, elle se leva, émergea du dressing puis défroissa sa jupe. Je refermai le dressing, et pendant un moment, nous restâmes immobiles en face du miroir à regarder nos reflets.

— Tu te souviens de Thanksgiving, chez nous ?

— Non, dit-elle doucement. Pas vraiment.

— Moi non plus. Allez, on y va.

En fait, ce n'est pas que j'étais positive. Seulement, je ne voulais plus être négative.

Ce matin, lorsque Cora s'était transformée en cuisinière de choc et de cauchemar, j'avais cherché une excuse pour quitter cette maison de fous. Couverte de farine de la tête aux pieds, ma sœur éclatait en sanglots toutes les trois secondes et menaçait de nous assommer avec une petite cuillère dès que l'on s'approchait d'elle. Ça craignait vraiment, et j'avais fini par trouver un prétexte : filer chez Ben avec les tartes au potiron à mettre dans son four.

— Hello-hello ! dit Ben de sa cuisine lorsque j'ouvris la baie, chargée de mes quatre tartes au potiron sur mes deux plaques à pâtisserie. Miam, c'est pour moi ? Tu n'aurais pas dû !

— Si jamais tu grignotes ne serait-ce qu'un bout de croûte, lui dis-je en m'approchant du four, Cora va t'éviscérer avec un batteur !

— Eh bien, c'est imagé ! dit-il en reculant.

— Au moins tu es averti !

Je posai mes plaques.

— Je peux préchauffer ton four ?

— Pas de problème. Tu fais comme chez toi.

Je mis le four en marche, puis je m'appuyai contre et regardai Ben pendant qu'il feuilletait des papiers et griffonnait des notes par-ci par-là.

— Grosse journée, on dirait ?

Il m'a souri.

— Énorme ! La moitié de nos clients sont partis dans leurs familles pour fêter Thanksgiving, et ils veulent que l'on passe chez eux pour voir si tout va bien ou pour nourrir leurs animaux domestiques. Les autres ont la visite de leur famille et ont deux fois plus besoin de nos services ! Sans compter ceux qui ont commandé l'intégralité de leur dîner et veulent être livrés dans les temps !

— C'est de la folie !

— Pas du tout, dit-il tandis qu'il prenait des notes. Il faut juste avoir une organisation militaire !

— Ben ?

Son père l'appelait du fond du couloir.

— À quelle heure faut-il passer prendre la livraison des Chambel ?

— À onze heures. Je pars dans dix minutes !

— Dans cinq. Tu ne sais pas quelle est leur marge. Tu as toutes les clés ?

— Oui !

Ben ouvrit un tiroir près de l'évier, en sortit un trousseau qu'il jeta sur la table de la cuisine. Clong !

— Vérifie encore ! dit M. Cross. Je ne veux pas être obligé de revenir à la maison chercher les clés manquantes si tu es bloqué quelque part.

Ben cria « Oui », et écrivit une autre note alors que j'entendais une porte qui se fermait quelque part dans la maison.

— Il a l'air drôlement stressé, dis-je.

— Ce sont nos premières fêtes depuis que nous avons monté Destress ! expliqua Ben. Il a signé avec de nouveaux clients à l'occasion de Thanksgiving. Mais il sera plus calme, une fois que nous serons partis et que nous serons dans le mouvement.

C'était peut-être vrai. Néanmoins j'entendais toujours M. Cross qui ronchonnait, de loin. Ma mère ronchonnait pareil quand elle devait partir au boulot et qu'elle n'en avait pas envie.

— Et avec tout ça, tu vas manger la dinde de Thanksgiving ?

— Non. À moins qu'un passage au Double Hamburger, avec la dinde d'un client et des patates douces sur le siège arrière, ça compte comme un vrai dîner de Thanksgiving ?

— Tristoune.

— Oh, tu sais, les fêtes et moi, ça fait deux, dit-il en haussant les épaules.

— Vraiment ?

Il leva les sourcils.

— Ça a l'air de te surprendre.

— Je ne sais pas... Je me disais qu'un garçon gentil, chaleureux, amical et sociable comme toi, eh bien, c'était très famille. Un peu comme Jamie, tu vois ?

— Ah ?

— En fait, je suis censée faire ma liste de remerciements, en ce moment.

— Ta quoi ?

— Tu as parfaitement compris, dis-je en pointant mon index sur lui. C'est une liste des choses pour lesquelles je suis reconnaissante et que je dois lire à haute voix pendant le dîner. Quelque chose qu'on n'a jamais fait chez nous.

Il feuilleta de nouveau ses papiers.

— Nous non plus. Je veux dire : quand nous formions encore une famille.

J'entendais M. Cross parler, maintenant. Il semblait de meilleure humeur, tout à coup. J'aurais parié mes tartes au potiron qu'il parlait avec un client.

— Tes parents ont divorcé quand tu avais quel âge ?

Ben prit le trousseau et passa les clés en revue.

— Dix ans. Et toi ?

— Cinq, dis-je alors que le four bipait derrière moi. J'ai eu une pensée pour Roscoe.

— Depuis, mon père a disparu dans la nature...

— Ma mère habite à Phoenix, continua Ben en sortant une clé du trousseau. J'ai vécu avec elle, après le divorce. Mais elle s'est remariée, j'ai eu des demi-sœurs et elle a été débordée. C'était trop pour elle.

— En clair ?

— C'est moi qui étais en trop. À l'époque, j'étais encore au collège. J'étais insolent, une vraie plaie, et elle voulait seulement s'occuper de ses bébés. Alors il y a deux ans, elle en a eu sa claque et elle m'a envoyé vivre chez mon père.

Je dus avoir l'air surpris, car il a repris :

— Quoi ? Tu n'es pas la seule à avoir déconné.

— Je n'aurais jamais cru que tu avais déconné. Franchement, c'était la révélation de l'année.

— Je cache bien mon jeu, dit-il simplement.

Il me sourit.

— Tu ne veux pas enfourner tes tartes ?

— Ah si !

Je me détournai, j'ouvris le four, puis je glissai mes deux plaques à pâtisserie dedans.

— C'est quoi, ta liste de remerciements ? me demanda-t-il.

— Je n'y ai pas encore réfléchi, dis-je en refermant le four. Mais je pourrais dire merci parce que toi aussi tu as déconné. Ça sera même en tête de ma liste.

— Ah bon ?

— Oui, parce que du coup je ne suis plus la seule délinquante du quartier.

— Exact.

Il s'appuya contre le comptoir et croisa les bras.

— Quoi d'autre dans ta liste ?

— Honnêtement, j'ai le choix ! dis-je en prenant la clé qu'il avait sortie du trousseau et posée sur la table. Il s'est passé tant de bonnes choses dans ma vie, depuis que j'habite chez Cora.

— Je ne te le fais pas dire.

— Par exemple, merci, parce que j'ai l'eau courante et le chauffage, maintenant, continuai-je lentement.

— On oublie trop souvent que le confort moderne, ça n'est pas donné à tout le monde.

— Et puis, j'ai eu de la chance d'avoir rencontré des gens bien. Jamie et Cora, évidemment, qui m'ont prise chez eux. Harriet, car elle m'a donné un job.

Olivia, qui m'a aidée, le fameux jour, tu sais bien. Et toi, qui es devenu mon ami.

Il ne me quittait plus des yeux.

— Continue.

— Et merci pour Gervais..., ajoutai-je en passant la clé dans mon autre main.

— Merci pour Gervais ?

— Ben oui, il a arrêté de roter. Miraculeux, non ? Et si je n'ai pas de reconnaissance pour un miracle pareil, alors, ma parole, c'est à désespérer.

— Je ne sais pas, dit Ben qui inclina la tête sur l'épaule pour mieux m'observer.

— Je suis sûre qu'il y a autre chose, ajoutai-je lentement tandis que je jouais toujours avec la clé, mais c'est bizarre, ça m'échappe, pour le moment...

Il s'est approché jusqu'à ce que son bras soit tout contre le mien. Puis il m'a pris la clé des mains et l'a reposée sur la table.

— Cela te reviendra. Plus tard...

— Peut-être.

— Ben ! appela M. Cross.

Sa voix était toute proche. Ben a reculé juste au moment où M. Cross entrait. En m'apercevant, il a hoché la tête brièvement pour me saluer.

— Cinq minutes, on avait dit !

— Je partais, justement ! répondit Ben.

— Alors, file ! dit M. Cross en s'éloignant.

Une porte claqua tout près. Peu après j'entendis sa voiture démarrer.

— Je ferais mieux de me grouiller, dit Ben qui prit sa pile de papiers et le trousseau. Amuse-toi bien.

— Toi aussi.

Il a pressé mon épaule avant de filer dans le couloir. Puis j'ai entendu la porte se refermer, et après, le silence total.

J'ai vérifié si mes tartes au potiron cuisaient bien, puis je me suis lavé les mains et, après avoir éteint la lumière, je suis sortie de la cuisine. Je prenais la direction du patio pour sortir lorsque j'ai repéré une porte entrouverte tout au fond du couloir et j'ai vu un lit et, plié dessus, le sweat USWIM que Ben m'avait prêté.

Ça devait donc être sa chambre. Comment elle était ? Bordélique comme celle des autres mecs ? Avec des posters de gonzesses en Bikini scotchées au mur ? Peut-être une photo de Heather encadrée, un miroir avec des tickets de ciné, de match de hockey, des fanions de foot tout autour, ainsi que des piles de CD et des magazines partout. Mais quand j'ai ouvert tout grand la porte de la chambre de Ben, je n'ai rien vu. Mis à part des meubles, elle était vide.

Le lit était bien fait, sur la table il y avait un bol rempli de monnaie et quelques capsules de bière. J'ai vu un bureau avec un ordinateur portable branché dont le voyant de charge de la batterie clignotait. Son sac à dos était posé sur la chaise juste devant. Mais je ne vis ni tableaux, ni photos, ni affiches, rien qui me parle de sa vie. Sa chambre ressemblait presque à l'appartement que nous avions visité l'autre jour : nickel propre, anonyme et sans vie.

Je restai immobile. J'étais trop surprise. Et au bout d'un moment, je suis repartie, en laissant la porte entrouverte comme je l'avais trouvée, puis je suis rentrée chez Cora, pensive. Je me demandais ce qui me chiffonnait autant. J'ai compris seulement en arrivant chez Cora : la chambre de Ben était exactement comme la mienne. À peine habitée, à peine touchée. C'était la chambre de quelqu'un qui venait d'emménager et qui ne savait pas combien de temps il allait rester.

— Puis-je avoir votre attention, s'il vous plaît !

Le cling-cling de la fourchette contre le verre s'entendait à peine, mais au fur et à mesure que les invités se taisaient, le bruit devint plus fort jusqu'à ce qu'on n'entende plus que ça.

— Merci à vous ! dit Jamie en reposant sa fourchette. Pour commencer, je voudrais vous remercier d'être venus. C'était important que vous fêtiez avec nous notre premier Thanksgiving dans notre maison !

— Hip, hip, hip ! cria quelqu'un.

Puis tout le monde a applaudi. Les Hunter étaient des gens chaleureux et exubérants. Je l'avais remarqué en les accueillant. La maman de Jamie, qui s'appelait Elinor, avait une voix douce et un visage extrêmement gentil. Son père, Roger, m'avait serrée dans ses bras avec enthousiasme et en ébouriffant mes cheveux comme si j'avais encore été une petite fille. Les trois sœurs de Jamie étaient brunes, comme lui, et disaient ce qu'elles pensaient, comme lui aussi : elles avaient ainsi admiré la mare avec de nombreux oh ! et ah ! et bien critiqué les récentes élections, mais sans colère. Enfin, il y avait les enfants, les beaux-frères, les oncles et les cousins, une avalanche de prénoms et de liens de parenté impossibles à retenir. J'avais donc décidé de laisser tomber et de sourire le plus possible en espérant que cela compenserait.

— Ce soir, nous aimerions vous faire part d'une très grande nouvelle ! continua Jamie.

Comme j'étais debout derrière lui, je voyais toute sa famille, alors j'ai aussitôt remarqué les réactions : sourcils levés, bouches bées et mains posées sur le cœur, et surtout les regards qui convergeaient sans exception sur Cora. Oh, merde ! pensai-je aussitôt.

Ma sœur est devenue rouge comme une cerise, puis elle a bu une gorgée de vin avant de se forcer à sourire. À ce moment-là, Jamie s'était déjà rendu compte de sa gaffe.

— C'est à propos de UMe, reprit-il à la hâte.

Sa famille a reporté lentement son attention sur lui.

— Plus précisément, de notre nouvelle campagne de publicité. Elle commence officiellement demain dans tout le pays ! Mais vous allez en avoir la primeur !

Jamie prit l'agrandissement de sa pub, qu'il avait caché derrière sa chaise. Je cherchai Cora des yeux, mais elle avait disparu dans la cuisine en abandonnant son verre sur une étagère.

— J'espère que vous allez aimer, continua Jamie qui plaçait maintenant la photo devant lui. Et surtout, que vous ne me traînerez pas en justice !

Je suis allée dans la cuisine, je ne vis donc pas la réaction des Hunter, mais j'ai entendu leurs cris de surprise et de joie, puis de nouveau des applaudissements. Cora, seule dans la cuisine, mettait des petits pains au four.

— Tu vois, je te l'avais dit..., dit-elle.

Elle me tournait le dos, je n'avais pas dit un mot, comment savait-elle que c'était moi ?

— Jamie était drôlement mal, répondis-je. Ça se voyait...

— Je sais.

Elle referma le four et posa son gant de cuisine sur la table. J'entendis des exclamations et des rires qui venaient du salon.

— On dirait qu'ils apprécient la pub de Jamie..., dit-elle en jetant un coup d'œil vers le salon.

— Tu en doutais ?

Elle haussa les épaules.

— Les gens sont bizarres, dès qu'il s'agit de la famille, tu sais.

Je grimpai sur un tabouret de bar.

— Ah ? Non, justement, je ne sais pas.

— Moi non plus... Notre famille est tellement parfaite.

Nous avons pouffé de rire, mais pas assez fort pour couvrir l'enthousiasme de la tribu Hunter. Puis Cora a observé ses petits pains qui cuisaient toujours.

— À propos de famille... C'est quoi, pour toi ? demandai-je.

Elle s'est retournée pour me regarder, étonnée.

— Pourquoi cette question ?

— C'est un projet pour le lycée. Je dois poser la question aux gens que je connais.

— Ah.

Elle est restée silencieuse et immobile.

— Qu'est-ce que disent les autres ?

— Plein de trucs. Mais honnêtement, ça ne m'a pas beaucoup avancée.

Elle revint vers la gazinière, retira le couvercle d'une casserole et regarda dedans.

— Je pense que ma définition est identique à la tienne, n'est-ce pas ?

— J'imagine... Mais toi, tu as une autre famille, maintenant.

On a tourné les yeux vers le salon. Jamie avait posé son agrandissement sur la table basse et tout le monde s'était rassemblé autour.

— En effet... Et peut-être que cette famille est une partie d'un tout ? Parce que, à mon avis, on n'est pas censé n'avoir qu'une seule famille dans la vie.

— Tu pourrais développer ?

— Eh bien, j'ai ma famille d'origine, à savoir toi et maman, reprit-elle en reposant le couvercle. Ensuite, la famille de Jamie, par le mariage. Et enfin, et je l'espère, ma propre famille. Celle que nous voulons fonder, Jamie et moi.

J'eus l'impression d'avoir gaffé. Après la bourde de Jamie, il y a cinq minutes, ça faisait beaucoup.

— Tu réussiras.

Elle se retourna, et croisa ses bras.

— J'espère. Mais tu comprends où je veux en venir ? Une famille, ça n'est pas statique ou immuable. Les gens se marient, divorcent. Il y a des naissances, des décès... La famille ne cesse d'évoluer et de se transformer. Regarde la photo de Jamie : elle n'est que la représentation d'un événement précis qui s'est déroulé un jour de l'été 1970. Le lendemain, la dynamique de la famille avait sans doute déjà changé. C'est la vie, c'est normal.

Du salon j'entendis un éclat de rire.

— C'est une bonne définition.

— Tu trouves ?

— En tout cas, la meilleure que j'aie entendue jusqu'à présent.

Plus tard dans la soirée, la cuisine a été envahie par des invités qui venaient chercher du vin en rab, et par les enfants qui jouaient et couraient après Roscoe. Dans le chahut général, j'observais Cora, très pensive. On aurait pu penser qu'on aurait la même définition de la famille, elle et moi, puisqu'on avait la même histoire. Même pas. Je m'explique. Tout le monde sait ce qu'est la couleur bleue, mais chaque personne utilisera un mot différent pour la décrire en détail : l'océan, le lapis lazuli, le ciel, les yeux de quelqu'un. Nos définitions étaient aussi différentes et nombreuses que nous l'étions.

Je regardai dans le salon et je vis la maman de Jamie seule sur le canapé qui observait l'agrandissement de la photo. Je l'ai rejointe, elle s'est poussée pour me faire de la place et on a examiné la photo.

— Ça doit vous faire drôle de savoir que tout le pays va la voir ? dis-je enfin.

— Je ne sais pas...

Elle sourit. D'après moi, c'est elle qui ressemblait le plus à Jamie.

— En même temps, je doute que l'on me reconnaisse. Tout cela s'est passé il y a si longtemps...

Je l'ai repérée au milieu de la photo. Elle était si belle, dans sa robe de mariée. Je lui montrai les femmes à son côté.

— Qui est-ce ?

Elle se pencha pour mieux voir.

— Mes grands-tantes. Carol avec Jeannette sur la gauche. Et Alice, de l'autre côté.

— C'était chez vous ?

— Non, chez mes parents. À Cape Cod. C'est étrange... Les enfants assis au premier rang sont parents, maintenant. Et mes tantes sont mortes, bien sûr. Cependant, j'ai l'impression que c'était hier...

— Vous avez une grande famille.

— C'est vrai. Parfois, j'aurais aimé qu'il en soit autrement. Plus on est nombreux, plus il y a de chances que des conflits éclatent...

— C'est pareil dans les petites familles, vous savez.

— C'est possible.

— Et vous savez où sont tous ces gens, maintenant ? Ce qu'ils font ?

— Oh oui ! Tous sans exception.

Nous sommes restées silencieuses.

— Tu en veux la preuve ? reprit Elinor.

— Oui.

Elle a souri et a pris la photo. J'avais envie de lui demander sa définition de la famille, mais quand je la vis passer l'index sur les visages, je me dis que j'avais déjà la réponse. Tous ces noms, c'était comme les perles d'un collier. Réunies mais séparées, et formant néanmoins une famille pour toujours.

Cora avait eu peur de rater son repas de Thanksgiving, mais ça a déraillé à cause de moi.

— Au fait, où sont les tartes au potiron ? demanda Jamie.

Il avait dit à Cora de se poser un peu et nous étions en train de débarrasser.

— Oh zut ! dis-je.

Avec la crise d'angoisse de Cora dans mon dressing et le stress de la dinde pour dix-huit personnes, j'avais oublié le dessert dans le four de Ben.

— Oh zut ? répéta Jamie. Tu veux dire, zut le chien les a dévorées ?

— Heu... non, zut, elles sont toujours dans le four du voisin...

— Je vois.

Il parcourut la salle à manger des yeux en se mordillant les lèvres.

— Bon, on a des cookies et un quatre-quarts. Cora ne remarquera...

— Si, elle va remarquer ! Je vais tout de suite les chercher ! coupai-je.

Après le chahut dans notre maison, j'étais impatiente d'être au calme chez les Cross. Quand j'entrai, je n'entendis que le bruit du système de chauffage et celui de mes pas.

J'avais de la chance dans mon malheur, parce que j'avais mis le minuteur et les tartes au potiron n'étaient pas carbonisées. Je remis le four en marche pour les réchauffer. J'arrangeais bien mes tartes sur la plaque lorsque j'entendis un bang ! de l'autre côté du mur.

C'était si fort, si soudain aussi, que ça m'a fait peur, et j'en ai lâché une tarte qui a dégringolé sur la gazinière avec un affreux vlang. Après, j'ai entendu un crash et des voix étouffées. Il y avait des gens dans le garage de Ben.

Je laissai mes tartes au potiron et j'allai dans le couloir pour écouter. J'entendais parler tandis que je m'approchais de la porte qui donnait sur le garage. J'ai ouvert tout doucement et j'ai vu Ben.

Il était accroupi près de l'étagère qui venait de s'écrouler avec ses pots de peinture, ses produits de nettoyage pour la voiture et des bidules en verre maintenant en mille morceaux. J'allais lui demander s'il avait besoin d'aide, lorsque je vis son père.

— Je t'avais pourtant bien demandé de vérifier si tu avais toutes les clés avant de partir ! dit M. Cross.

Il avait son portable contre l'oreille, et une main dessus pour que son interlocuteur n'entende pas.

— Je t'avais demandé une chose. Une seule ! Une simple vérification, et tu n'as pas été fichu de la faire correctement. Tu sais combien ça va me coûter ? Les Chambel, c'est la moitié de notre chiffre d'affaires quand on fait une bonne semaine, nom de Dieu !

— Je suis désolé..., répondit Ben, qui, tête baissée, ramassait les pots de peinture et les empilait. Je vais prendre les clés et je repars.

— Maintenant c'est trop tard ! coupa M. Cross en refermant son portable. Tu as complètement merdé ! Comme d'habitude. Je vais essayer de sauver les meubles et si possible de garder le client. Sinon, on va encore être dans la merde.

— C'est moi qui leur parlerai, reprit Ben. Je dirai que c'était ma faute !

M. Cross secoua la tête.

— Pas question, dit-il d'une voix sèche. Parce que cela équivaudrait à reconnaître ton incompétence, Ben. Même si je ne peux pas compter sur toi pour faire les choses correctement, jamais, tu m'entends, jamais je ne te laisserai te confondre en excuses minables. En plus, on dirait que tu en es fier.

— Mais je ne suis pas fier de moi, dit Ben à voix basse.

— Tu n'es pas quoi ? demanda M. Cross en donnant un coup dans un flacon d'Ajax vitres. Pas quoi, Ben ?

Je retenais mon souffle, en regardant Ben qui ramassait toujours. J'étais mal pour lui, je m'en voulais d'être là. C'était déjà bien assez terrible pour lui, il n'avait pas besoin de témoins. Même sans qu'il le sache.

— Je ne suis pas fier, répéta-t-il d'une voix si basse que je l'entendis à peine.

M. Cross l'observa pendant un moment, puis il secoua la tête.

— Tu veux que je te dise ? Tu me dégoûtes. Je ne supporte même pas de te regarder.

Il traversa le garage dans ma direction. J'ai eu si peur que j'ai filé me cacher dans la salle de bains. Là, dans la pénombre, je me suis appuyée contre le lavabo, et le cœur battant horriblement fort, j'ai entendu M. Cross entrer dans la cuisine, puis ouvrir et refermer les tiroirs. Enfin, après au moins deux éternités, il est reparti et j'ai entendu sa voiture démarrer, puis s'éloigner. J'ai encore attendu une bonne minute pour sortir de la salle de bains, et même à ce moment-là, j'étais toujours complètement trauma.

La cuisine était pareille que tout à l'heure, comme si M. Cross n'y était pas repassé. Mes tartes au potiron étaient bien là. Au-delà du patio, de la barrière, je voyais la maison de Cora avec toutes ses belles lumières. Je savais qu'on attendait le dessert. J'aurais aimé sortir de cette baraque à la con et oublier ce que je venais de voir et d'entendre. Avant, c'est sûrement ce que j'aurais fait, et en plus, sans me poser la moindre question, mais je suis allée rejoindre Ben.

Toujours à genoux, il ramassait le verre cassé et le jetait dans la poubelle. Je l'observai sans bouger ni parler pendant un bon moment. Puis j'ai lâché la porte qui s'est refermée avec un claquement.

Ben a tout de suite levé les yeux.

— Tiens, salut !

Voix normale. Cool. Après ce qui venait de se passer ? Respect.

— Alors, ce repas de Thanksgiving ? Tu as décidé de filer plutôt que de lire ta liste de remerciements ?

— Non, j'avais oublié les tartes au potiron, c'est pour ça que je suis revenue. Je suis désolée, je ne savais pas que vous étiez déjà rentrés.

Il a cessé de sourire, il est devenu encore plus pâle. Il venait de comprendre que j'avais tout vu, tout entendu, mais je ne sais pas si c'est à cause de la tête que je faisais ou de ce que je venais de dire.

— Oh, dit-il d'une voix sans expression. Je vois.

Je me suis approchée et je l'ai aidé à ramasser le verre cassé. C'était tout drôle, entre lui et moi. Un peu comme après l'orage, vous savez, lorsque l'air est électrique. Je connaissais ce sentiment, même si je ne l'avais pas ressenti depuis très, très longtemps...

— Qu'est-ce qui vient de se passer ? lui demandai-je enfin à voix basse.

— Rien. C'est bon.

— Rien ? C'est bon ? Je ne pense pas.

— C'est seulement mon père qui crisait, Ruby. Il n'y a pas de quoi en faire un fromage. C'est l'étagère qui a morflé, point.

J'essayai de bien respirer. Un couple âgé en imper passa devant le garage ouvert, marchant avec les bras en cadence.

— Ça arrive... souvent ? demandai-je ensuite.

— Quoi ? Que l'étagère dégringole ? fit-il en se frottant les mains au-dessus de la poubelle.

— Qu'il te parle de cette façon ?

— Nan.

Il se releva, puis dégagea son visage.

— Tu sais, dis-je lentement, ma mère nous frappait souvent quand nous étions petites. Cora plus que moi, mais j'ai tout de même attrapé de sacrées raclées.

— Ah oui ? dit-il sans me regarder.

— On ne pouvait jamais prévoir à l'avance quand ça arriverait. Ça me faisait une peur monstrueuse.

— Écoute, mon père, c'est un colérique, reprit-il enfin. Il l'a toujours été. Il explose, il jette tout ce qu'il a sous la main. Mais c'est rien. C'est que du vent.

— Il t'a déjà frappé ?

Il haussa les épaules.

— Une fois ou deux, quand il était vraiment hors de lui. Mais c'est extrêmement rare.

Il se baissa pour relever l'étagère et la plaquer contre le mur.

— Il est tout de même dur avec toi. Il a même dit que tu le dégoûtais.

— Ça n'est rien, coupa-t-il, tandis qu'il remettait les pots de peinture sur l'étagère. Tu aurais dû l'entendre lorsque j'avais des compètes de natation. C'est le seul parent à avoir été éjecté à vie des bassins ! Et ça ne l'a pas empêché de hurler des gradins.

Je me rappelai soudain le jour où on lui avait reproché de laisser tomber la natation.

— C'est à cause de ton père si tu ne veux plus nager ?

— Entre autres.

Il a ramassé l'Ajax vitres.

— Écoute, je te dis que ça va.

Ça allait, disait-il ? Moi aussi j'avais pensé que ça allait avant que Cora ne m'arrache à la maison jaune.

— Ta mère, elle est au courant ?

— Elle sait que mon père est exigeant et autoritaire.

Il avait bien insisté sur la fin. C'est clair, on le lui avait souvent répété, et en plus, en y mettant l'accent, comme si c'était une vérité absolue.

— Ma mère ne voit que ce qui l'arrange. Dans son esprit, elle m'a envoyé chez lui parce que j'avais besoin de discipline.

— Personne n'a besoin de ce genre de discipline.

— Peut-être, mais je n'ai pas eu le choix.

Je l'ai suivi dans la cuisine. Il a pris une clé sur la table. Celle avec laquelle je jouais tout à l'heure. Je m'en souvenais bien. Je me souvenais aussi qu'il l'avait reposée au lieu de la fixer au trousseau. Ce qui venait d'arriver, c'était donc ma faute.

— Tu devrais en parler à quelqu'un, lui dis-je alors qu'il la mettait dans sa poche. Ton père n'a pas le droit de te frapper. C'est pas humain.

— Pour me retrouver dans un foyer ? Ou qu'on m'envoie retourner vivre chez ma mère, qui ne veut pas de moi ? Non merci !

— Tu y as donc réfléchi.

— Non, c'est Heather. Et elle s'est bien pris la tête, dit-il en se passant la main sur le visage. Cela lui flanquait la trouille. Seulement, elle ne pouvait pas comprendre. Ma mère m'a envoyé bouler, mon père m'a recueilli. On ne peut pas dire que j'aie eu mon mot à dire.

Je revis Heather dans le magasin d'aquariophilie. Elle était contente que, Ben et moi, on soit amis.

— Elle se faisait du souci pour toi.

— Ça va, je te dis, fit-il pour la cent millième fois depuis tout à l'heure. Il me reste six mois avant la remise des diplômes. Je vais passer l'été à la frontière canadienne où je vais être coach dans un stage de natation, et après, je partirai.

— Tu partiras.

— Oui, à l'université. Ou n'importe où, partout ailleurs.

— Libre et indépendant.

— Exactement !

Lorsqu'il m'a regardée au fond des yeux, je l'ai revu me prendre la clé des mains tout à l'heure. Je m'étais sentie si proche d'un grand quelque chose que je n'aurais jamais cru possible du temps de la maison jaune, puis quand j'étais venue habiter chez Cora.

— Tu es restée vivre avec ta mère, alors que ça déconnait, continua-t-il. Toi tu peux me comprendre, non ?

Oui, je comprenais. Le problème, c'est que je ne savais pas si j'étais d'accord. J'avais voulu vivre libre avec zéro contrainte et zéro dépendance, mais j'avais changé. Sinon, j'aurais déjà filé et je ne me serais certainement pas mêlée de ses affaires.

J'aurais pu l'expliquer à Ben. Et lui expliquer aussi que maintenant j'étais contente que les Honeycutt aient prévenu les services sociaux. Finalement c'était grâce à nos anciens proprios si j'avais retrouvé Cora, si j'habitais avec elle et avec son mari, et si j'avais changé de vie. J'étais cent fois reconnaissante pour tout ce qu'on m'avait donné, depuis ces dernières semaines. J'aurais pu enfin révéler à Ben qu'il y avait toujours une solution, même si l'horizon semblait complètement bouché, même si tout semblait fichu.

Pourtant, après ce qu'il venait de me raconter, c'était impossible de lui sortir des beaux discours. De plus, il n'avait plus que six mois à tenir avant la remise des diplômes, en juin. Enfin, j'en avais trop bavé et j'avais trop longtemps été seule et délaissée pour ne pas être solidaire.

Alors je lui ai donné ma réponse.

— Oui, je te comprends.

Chapitre 12

— Ah, enfin ! C'est pas trop tôt !

C'était le lendemain de Thanksgiving, la plus grande braderie de l'année. Le centre commercial ouvrait à six heures du mat pour une journée de folie et de soldes monstres.

Harriet avait insisté pour que je sois présente, prête et à ses ordres, à cinq heures et demie pétantes. Ça m'avait paru un peu exagéré, mais j'avais tout de même réussi à me lever dans la nuit encore très noire, à me mettre sous la douche, puis à me préparer un café géant que j'avais avalé dans la coulée verte en éclairant mon chemin avec une lampe de poche. Devant le centre commercial, les gens enveloppés dans leur manteau comme dans un sac de couchage faisaient déjà la queue devant l'entrée principale.

À l'intérieur, les boutiques étaient déjà ouvertes : les employés, speedés à mort, chargeaient les stocks sans cesser de parler. Tout le monde se préparait à

J'ai d'abord vu la clé. En argent, toute fine et très jolie, décorée de pierres rouges, et au bout d'une chaîne en argent. J'ai tout de suite pensé à ma clé, plus grosse et beaucoup moins belle. Mais en voyant la création de Harriet, j'ai compris pourquoi ma clé attirait autant l'attention. Une clé au bout d'une chaîne, c'était étonnant, ça ressemblait à une question qui attend une réponse. La moitié d'un tout. Inutilisable sans la serrure qui lui correspond.

— Alors qu'est-ce que tu en dis ? demanda Harriet avec impatience.

— C'est...

— Tu détestes, c'est ça ? Tu penses que ça fait toc ? Que c'est atrocement banal ?

— Mais non ! C'est beau. Très impressionnant.

Elle se regarda dans le miroir et caressa la clé à son cou.

— Pas mal, hein ? Unique, en tout cas. Tu penses que ça va se vendre ?

— Pourquoi, tu en as fait plusieurs ?

Elle a fait « oui », a de nouveau fouillé dans sa boîte et posé une vingtaine de petits sachets en plastique sur le comptoir. Tous contenaient des modèles différents : clés petites ou grandes, d'autres couvertes de pierres fantaisie.

— J'ai été inspirée ! m'avoua-t-elle alors que je les examinais une à une. Je ne pouvais plus m'arrêter !

— Tu devrais les mettre en vente aujourd'hui !

Nous avons fixé les prix, mis les étiquettes, et nous les avons disposées sur le présentoir en un temps record. Je posai la dernière chaîne pile à six heures, quand le centre commercial a ouvert, et les gens sont entrés. Au début, on les entendait de loin, mais le bruit s'est rapproché au fur et à mesure que la foule inondait littéralement, je le jure, le centre commercial. Un vrai tsunami humain.

— OK, c'est parti ! s'écria Harriet.

On a vendu la première chaîne avec un pendentif-clé vingt minutes plus tard. La deuxième, une demi-heure après. C'était incroyable. Tout le monde ne les achetait pas, mais les gens s'arrêtaient pour les admirer.

La journée a passé à la vitesse de la lumière dans un tourbillon d'enfants et d'adultes, dans le boucan, qui se calmait parfois, si bien que j'arrivais à entendre les chansons de Noël diffusées dans le centre commercial. Harriet avalait café sur café ; on continuait de vendre les chaînes avec les clés en pendentif, et j'ai bientôt eu les pieds en compote et un énorme chat dans la gorge à force de parler. Reggie m'a donné une pastille, vers une heure de l'après-midi, mais ça ne m'a rien fait.

Malgré tout, j'étais contente, parce que cette agitation m'empêchait de penser à ce qui s'était passé chez Ben, hier. Une fois rentrée chez Cora, je n'avais pas arrêté de me repasser la scène avec son père et de reconsidérer ma réaction. Ça m'avait tracassée jusqu'à ce que je m'endorme.

Je n'aurais jamais cru qu'un jour je la jouerais SOS amitié-SOS entraide avec quelqu'un. Cependant, j'étais étonnée et un peu déçue de lui avoir seulement répondu que je le comprenais au lieu d'aller au cœur du problème. J'étais son amie, j'aurais dû être plus proche, j'avais l'impression de l'avoir lâché. Ça me titillait. C'était même la honte quand j'y repensais.

À trois heures de l'après-midi, il y avait toujours autant de monde dans le centre commercial, et pastille ou pas pastille, moi, je n'avais plus de voix.

— Vas-y, rentre, me dit Harriet en buvant son cent millième café de la journée. Tu as bien travaillé.

— Certaine ?

— Oui, répondit-elle tandis qu'elle souriait à une cliente.

C'était une jeune femme avec un long manteau qui payait l'une des dernières chaînes avec un pendentif-clé. Harriet lui tendit son petit sac et la regarda disparaître dans la foule.

— Nous en avons vendu quinze, aujourd'hui, m'annonça-t-elle, stupéfaite. Incroyable ! Je vais rentrer et passer ma nuit à en créer d'autres. Non que je me plaigne !

— Je te l'avais dit, ils sont beaux.

— C'est toi que je dois remercier ! C'est toi qui m'as inspirée.

Elle prit une chaîne avec une clé décorée de brillants verts.

— Prends-la. Tu l'as bien méritée !

— Oh non, il ne faut pas !

— Si. Prends, je te dis.

Et Harriet ajouta, en faisant un geste vers le présentoir :

— Ou je peux t'en faire une spécialement pour toi, si tu préfères.

Je regardai ses créations, puis je serrai ma clé de la maison jaune dans ma main.

— Peut-être plus tard... Là, je suis morte...

Dehors, il faisait un froid de canard. Je pris la coulée verte pour rentrer à la maison, serrant toujours ma clé. J'avais failli l'ôter plus d'une fois, au cours de ces dernières semaines, mais au dernier moment je n'avais pas pu. Pourtant, je savais que c'était nul de porter la clé d'une maison qui n'était plus la mienne et où je ne reviendrais plus jamais.

Ben m'avait demandé ce que c'était, le premier soir où on s'était rencontrés, et je lui avais répondu : « C'est rien. » À l'époque, et même encore maintenant si j'y réfléchissais bien, ma clé n'ouvrait pas seulement la maison jaune, elle ouvrait aussi l'accès à ma vie et à mon passé. Pourtant, je l'avais plus ou moins oubliée depuis que j'habitais chez Cora. C'est peut-être pour cette raison que j'avais voulu la retirer et m'en séparer. Mais après ce qui était arrivé hier, chez Ben, j'ai pensé que le mieux, c'était de la garder en souvenir.

J'avais cru que Ben et moi, ce serait malaise dans la voiture, le matin de la rentrée après Thanksgiving. Ça l'a été, mais pas à cause de la scène du garage avec son père.

— Salut ! me dit Ben tandis que j'ouvrais la portière et m'installais. Ça va ?

Il avait son sourire habituel, comme si tout était normal. Ça l'était, pour lui.

— Ça va, dis-je en bouclant ma ceinture de sécurité. Et toi ?

Il a ri.

— L'horreur ! Deux dissertes et un exposé aujourd'hui. J'ai bossé jusqu'à deux heures du mat !

— Ah ?

J'avais fait l'hypocrite : je le savais, parce que je m'étais couchée dans ces eaux-là et que j'avais vu la lumière dans sa chambre : deux petits carrés jaunes juste à droite qui semblaient me faire signe dans le noir.

— Et moi, j'ai un contrôle de maths que je dois réussir, ce qui signifie que je vais me prendre une claque...

Je me tus et j'attendis que Gervais profite de l'occasion pour m'enfoncer. Mais lorsque je me retournai, je vis un Gervais calme et lointain, comme il l'était d'ailleurs depuis déjà deux semaines... Le plus étrange de l'histoire, c'est que moins je l'entendais, plus je le voyais dans les couloirs du lycée ou pendant la pause déjeuner. Il me regardait toujours avec un air que je ne comprenais pas.

— Quoi ? me demanda-t-il.

Je me rendis compte que je le fixais comme s'il était un martien. J'ai détourné la tête.

— Rien.

Là-dessus, Ben a mis la radio, monté le volume et on a fait la route tranquillou vers le lycée. Voilà-voilà. Rien de changé. J'ai eu la nette impression d'avoir fait trop de mélo avec la scène du garage. En tout cas, j'en savais plus sur Ben, maintenant, et on était amis au moins pour les six prochains mois, jusqu'aux grandes vacances. C'était pas grand-chose dans une vie, alors franchement quel besoin de me mêler de ses histoires avec son père ? C'est vrai, moi, je n'avais jamais aimé qu'on mette le nez dans ma vie perso. Finalement, nous deux, c'était bien comme c'était : l'amitié, tout simplement.

On n'était plus très loin du lycée lorsque Ben s'arrêta au Quick Zip pour faire le plein d'essence. J'en profitai pour ouvrir mon bouquin de maths et réviser. Une page plus tard, j'entendis un énorme soupir derrière moi.

J'avais l'habitude des bruitages crades de Gervais, mais celui-là était nouveau. Gervais venait en effet de prendre une grande inspiration comme s'il avait manqué d'oxygène. Je fis celle qui n'avait pas entendu. Pareil quand il recommença. Mais au troisième gros soupir, j'ai pensé qu'il était en train de claquer, alors je me suis retournée.

— Qu'est-ce qu'il y a ?

— Rien, répondit-il, sur la défensive.

Puis, bizarrement, il a hésité.

— En fait...

Il s'est interrompu parce que Ben revenait.

— Incroyable ! Je me demande pourquoi j'ai toujours la pompe la plus lente lorsque je suis en retard.

Je regardai Gervais qui s'était remis à lire comme si sa vie en dépendait.

— Sans doute pour la même raison que tu as toujours les feux rouges quand tu es en retard.

— Ou que je perds mes clés quand je suis pressé, dit-il en démarrant.

— Et si c'était une gigantesque conspiration de l'univers ?

— C'est vrai, je n'ai pas eu beaucoup de chance, ces derniers temps.

— Ah ?

Il m'a jeté un regard tout intime.

— Sauf exception...

Je me suis tout de suite souvenue de nous dans sa cuisine, le jeudi de Thanksgiving, et j'ai revu sa main qui frôlait la mienne pour me prendre la clé que je passais d'une main à l'autre.

Tandis qu'il repartait, je me suis sentie toute chose, exactement comme je l'avais prévu, mais pas pour ce que j'avais pensé. C'était bien ma chance : je venais de comprendre que mon amitié avec Ben pourrait évoluer.

Au mois de décembre, j'ai passé mon temps à bosser. Pour Harriet. Sur mes dossiers de candidature afin d'entrer à l'université. Sur mon algèbre. Et lorsque j'avais deux minutes de libres, je donnais un coup de main à Ben, lui aussi surchargé de boulot.

Pourquoi ? Je me le demande. La seule façon de conserver notre amitié, ç'aurait été de prendre très largement mes distances. Mais le problème, c'est qu'une fois un mouvement lancé, vous pouvez toujours courir pour l'arrêter. C'était ma dernière grande découverte : un jour, on se protège des autres comme d'une maladie grave, histoire de rester en vie au chaud dans son coin ; le lendemain, on achète des macarons avec un gentil garçon. Misère.

— Il nous faut des macarons, mais attention, des macarons belges ! précisa Ben en prenant deux boîtes sur le rayon. C'est tout le secret !

— Le secret de quoi ?

— Tu peux acheter des macarons dans n'importe quel magasin, mais les belges, tu les trouves seulement à Spice and Thyme/Épices et Thym, une boutique-traiteur de luxe. Ils coûtent donc très cher et sont parfaits pour un cadeau d'entreprise.

Je regardai le prix sur la boîte.

— Douze dollars pour dix macarons ? C'est vachement cher !

Ben a levé les sourcils très haut.

— Pardon, pour des macarons *belges* ! rectifiai-je.

— Mais c'est donné pour Scotch Design Inc./la société Scotch Design, me dit-il en empilant d'autres boîtes dans le chariot. J'ajoute que c'est le cadeau le moins cher de la liste ! Attends un peu qu'on arrive aux coffrets cadeau, tu vas halluciner !

Je regardai ma montre.

— Dommage, mais je ne vais pas avoir le temps... J'ai seulement une demi-heure de pause. Si j'arrive une minute en retard, Harriet va avoir une crise cardiaque.

— Tu devrais lui acheter des macarons belges : une thérapie de douze dollars pour la guérir de ses angoisses, c'est pas mal ? dit-il en prenant une dernière boîte.

— Si seulement la solution était aussi simple et aussi peu chère !

Ben tira notre chariot dans le rayon chocolats et confitures. Spice and Thyme était une épicerie fine, donc petite et extrêmement agréable avec ses allées étroites, sa belle lumière tamisée et des marchandises de luxe partout. Moi, ça me rendait claustro, surtout au moment de Noël, lorsque le monde entier se donnait rendez-vous en même temps dans les magasins. Mais Ben était à l'aise. Il contourna une bande de seniors qui hésitaient devant des dragibus, avant de tourner dans le rayon des gâteaux secs.

— À mon avis, il y a un moyen très simple de guérir Harriet, dit-il en parcourant sa liste.

Il prit des boîtes de sablés où l'on voyait un Écossais musclé jouer de la cornemuse.

— L'organisation totale de sa maison grâce à Destress Sans Stress ?

— Non : Reggie !

— Toi aussi tu as remarqué, dis-je alors que les seniors nous doublaient de nouveau dans l'étroite allée.

— Évidemment, ça crève les yeux ! dit-il en levant les siens au ciel. Elle pense vraiment qu'il ne lui file son ginkgo que pour ses beaux yeux ?

— Je sais, je lui ai dit ! Tu aurais vu sa tête ! Elle était complètement trauma, la pauvre.

— Alors elle est encore plus à côté de ses pompes que je ne le pensais ! Ça ne m'étonne pas, d'ailleurs, dit-il tandis qu'il se remettait en marche.

Nous nous sommes arrêtés à temps avant d'entrer en collision avec deux bonnes femmes qui poussaient un chariot rempli de vin. Après des regards de mort et les cling-clong des chariots, elles ont gagné et sont passées.

— Harriet soutient qu'elle a trop de boulot pour penser à l'amour.

— Tout le monde a trop de boulot.

— Je sais. Moi, je pense surtout qu'elle est morte de trouille.

— Tu crois qu'elle a peur de Reggie ? s'exclama Ben. Elle a la frousse qu'il la force à renoncer à la caféine pour de vrai ?

— Mais non !

— Alors elle a peur de quoi ?

J'ai hésité. J'avais l'impression qu'on parlait de moi, maintenant.

— Ben... de souffrir. De se confier. De s'ouvrir...

— C'est un risque à prendre, dit-il en déposant des allumettes au fromage dans le chariot. Mais le risque, ça fait partie des relations amoureuses. Parfois ça marche, parfois ça foire, c'est la vie.

Je pris aussi une boîte d'allumettes au fromage.

— Possible. En tout cas, à mon avis, les relations amoureuses, ça n'est pas seulement une question de hasard.

Il me prit la boîte des mains pour la poser sur les autres.

— Développe...

— Eh bien, je trouve que ça n'est pas la peine de perdre ton temps et celui de ton amoureux, si tu sais que la relation est foutue d'avance, par exemple parce que tu as un sale caractère ou que tu tiens trop à ta liberté. Comme Harriet, justement.

— Si je te comprends bien, quand on est trop indépendant, on ne peut pas avoir une relation amoureuse ? Celle-là je ne l'avais jamais entendue !

— L'indépendance, c'est juste un exemple ! Ça peut être autre chose.

Il m'a regardée d'un drôle d'air, et franchement ça m'a énervée. C'est lui qui avait mis le sujet sur le tapis, moi je ne lui avais rien demandé. À quoi il s'attendait ? À ce que je lui dise que lui et moi, ça ne marcherait jamais, parce que c'était trop dur d'aimer quelqu'un pour qui on a toujours peur ? Il était temps de revenir à la théorie, et rapidos.

— Tout ce que je veux dire, c'est que Harriet ne me confierait même pas sa caisse, alors tu l'imagines confier sa vie à un homme ? Même pas en rêve !

— Je ne pense pas que Reggie veuille s'emparer de sa vie, objecta Ben en poussant le chariot, il veut juste un rendez-vous, le pauvre vieux.

— Oui, mais l'un entraîne l'autre. Et pour Harriet, le risque est peut-être trop grand ?

Je sentis qu'il m'observait de nouveau avec insistance et je regardai l'heure à ma montre pour lui apprendre à vivre. Bon, je devais vraiment filer.

— Possible, conclut-il enfin.

Dix minutes plus tard, et avec soixante secondes de retard, je rejoignais Harriet qui, évidemment, m'attendait proche de la crise d'angoisse.

— Enfin ! Nous allons avoir un gros rush, je le sais, je le sens.

Pourtant le centre commercial était bondé, sans plus. Il y avait bien du monde aux cafètes en libre-service mais rien d'extraordinaire.

— L'essentiel, c'est que je suis là maintenant, dis-je pendant que je mettais mon sac sous la caisse.

Puis je me souvins de mon cadeau et le lui tendis.

— Pour toi.

— Ah bon ?

Elle retourna la boîte dans tous les sens.

— Des macarons ! J'adore.

— Des macarons *belges* !

— Encore mieux ! dit-elle en ouvrant la boîte.

— Allez ! Plus vite, Laney !

Olivia hurlait en direction du parking du centre commercial, complètement vide, à part quelques voitures et un papier du Double Burger qui volait dans le vent.

— Qu'est-ce que tu fais, à la fin ? lui demandai-je.

— Ne me le demande surtout pas, ça va m'énerver !

C'est ce qu'elle m'avait déjà répondu, dix minutes plus tôt, lorsque je l'avais vue assise sur le mur devant le multiplexe Vista Ten, un bouquin sur les genoux, par un samedi étrangement chaud pour décembre.

— Ce que je sais, c'est que je n'ai rien demandé ! reprit-elle.

— Tu n'as rien... ?

Je m'interrompis. J'entendais courir. Peu après, j'aperçus Laney en survêt' rouge qui tournait au coin de Meyer's Department Store/Galeries Meyer et courait lentement vers nous. Au même moment, Olivia prit le minuteur de cuisine digital sous son bouquin et se leva.

— Je te préviens, tu as intérêt à courir plus vite si tu veux que je reste pour ton prochain tour ! hurla-t-elle en mettant les mains autour de sa bouche.

Laney ne lui prêta pas attention, ou peut-être n'avait-elle pas entendu. En tout cas, elle garda son rythme et continua de regarder droit devant elle. Tandis qu'elle se rapprochait, je vis son visage rouge comme s'il allait exploser et son air terriblement concentré. Mais elle me fit tout de même un petit signe.

Olivia consulta son chrono.

— Huit minutes. Soit un kilomètre en seize minutes ! On dit aussi : « Lent. »

— Elle s'entraîne toujours pour le marathon de cinq kilomètres ? demandai-je alors qu'un vigile du centre commercial s'approchait, curieux de voir ce qui se passait.

— Ce n'est plus de l'entraînement, c'est du forcing !

Olivia reprit sa place sur le mur et posa son minuteur à côté d'elle.

— Elle ne vit que pour la course, par la course, elle a cessé de vivre pour elle-même et par elle-même ! Citation déformée, mais qui décrit exactement la situation.

— Solidaire à cent pour cent, on dirait ?

— Non, réaliste ! Laney s'entraîne depuis deux mois, et c'est de pire en pire ! Si elle s'entête, elle aura vraiment la honte, le Jour J !

— Tout de même, je la trouve impressionnante ! dis-je tandis que Laney continuait de courir.

— Pfff ! Pas du tout ! C'est un refus total de voir la réalité en face !

— Plutôt un investissement total ! Elle a beau savoir que son rêve est inaccessible, que cette course est au-dessus de ses forces, elle s'obstine ! Il en faut, des tripes !

Olivia réfléchit tandis que le vigile curieux continuait sa route.

— Alors si elle est si courageuse, je me demande pourquoi elle laisse tomber au bout de trois kilomètres et me téléphone pour que je passe la récupérer en voiture.

— Sans blague ?

— Presque à tous les coups ! Voilà ce que j'appelle soutenir quelqu'un, moi !

Je m'assis, posai mes mains derrière moi, m'appuyai dessus et réfléchis. On ne peut pas dire que j'étais une spécialiste de la question. Soutenir quelqu'un, est-ce que c'était être présent pour lui envers et contre tout ? Accepter ses choix, même s'ils étaient pourris ? Ou bien faire comme Olivia avec Laney : dire sa façon de penser et critiquer, même si l'autre n'écoutait pas et s'obstinait dans l'erreur ? Je ne cessais pas de me poser la question depuis ma discussion avec Ben au Spice and Thyme. Peut-être que Ben vivait seulement le moment présent, peut-être qu'il séparait sans difficulté sa vie au lycée de sa vie à la maison, mais, moi, je savais que Ben était toujours Ben, que ce soit au lycée, avec son père qui lui envoyait des claques ou quand il rêvait de se barrer. C'est justement à cause des raclées et du plan fugue que j'aurais dû l'éviter, ou au moins garder mes distances, mais au contraire je passais de plus en plus de temps avec lui. Ça n'avait pas de sens...

Olivia suivait toujours Laney des yeux, son minuteur sur les genoux.

— Tu te souviens de ce que tu m'as dit un jour ? Que tu avais la haine d'être à Perkins, et que tu refusais de parler aux autres et de te faire des amis ? lui demandai-je.

— Je me rappelle, mais pourquoi tu me poses cette question ? fit-elle d'un air méfiant.

— Parce que j'aimerais savoir pourquoi tu es devenue mon amie ? Qu'est-ce qui t'a fait changer d'avis ?

Elle a réfléchi le temps qu'un minivan passe et se gare de l'autre côté du cinéma.

— Je ne sais pas, répondit-elle ensuite. C'est peut-être juste parce que, toi et moi, on a des points communs ?

— Jackson, par exemple ?

— Oui. Et aussi parce que nous ne sommes pas comme les autres de Perkins. On est différentes d'eux, même si on a plein de choses qui nous opposent, toi et moi. Moi avec ma famille pas riche. Toi qui vis dans le luxe et qui as déconné.

— Une fois.

— Je sais, je blague. Ce qui nous rassemble, c'est qu'on fait tache à Perkins.

— Exact.

Elle s'assit plus confortablement et rejeta ses nattes en arrière.

— Tu vois, dans la vie, il y a autant d'opinions que d'habitants sur Terre. C'est comme ça, c'est tout. Alors quand tu trouves quelqu'un avec qui tu partages des idées, mais des idées importantes, tu deviens son ami.

Je regardai le chrono sur le trottoir entre nous.

— Bien dit. Et en moins de deux minutes.

— Il faut peu de mots pour exprimer l'essentiel, dit-elle d'une voix de vieux philosophe.

Tout à coup, elle fit signe à quelqu'un derrière moi. Je me tournai. Gervais ? Devant le ciné ? Il a rougi et payé son billet pour entrer dans la salle.

— Tu connais Gervais ? demandai-je.

— Un max de sel et double réglisse ? Oui. Il vient souvent.

— Un max de sel et... ?

— C'est ce qu'il commande toujours : un grand pop-corn sans beurre, avec un supplément de sel et deux rouleaux de réglisse. Il vient une fois par semaine. Il adore le cinéma. Comment tu le connais ?

— On fait la route ensemble, le matin.

Gervais avait donc une vie, en dehors des dix minutes qu'on passait dans la voiture de Ben. Je n'aurais pas dû être surprise, c'était normal après tout... Au même instant, j'entendis buzzer le portable d'Olivia.

Elle l'a sorti de sa poche, a regardé l'écran et soupiré. Laney.

— Et voilà, j'en étais sûre ! Cela dit, j'aurais préféré me tromper.

Elle dit à Laney qu'elle arrivait, puis elle prit son livre et se propulsa du muret.

— Tu dois tout de même bien y trouver ton compte ? lui dis-je.

— À quoi ?

— Ben... à tout ça ! Si tu passes ton temps les fesses sur ce mur à la chronométrer, c'est que tu n'es pas totalement contre son entraînement ?

— Tu te trompes, je suis opposée à cent pour cent.

Elle a sorti ses clés et mis son livre sous le bras.

— Je crois surtout que je suis une sacrée bonne poire.

— Mais non.

— Dans ce cas-là, je ne sais pas pourquoi je fais ça pour elle... Mis à part le fait que c'est ma cousine et qu'elle m'a demandé de l'aider. Pourtant ça me suffit et je ne vais pas chercher midi à quatorze heures. Allez, à plus.

Elle s'est dirigée vers sa voiture dans le parking. Pendant ce temps, je repensai à ce qu'elle venait de me dire, à ces fameux points communs qui unissent deux personnes. Puis je me suis rappelé Ben et moi, dans son garage, le jeudi de Thanksgiving. Je me suis revue lui parler de ma mère et lui raconter mon histoire.

Se confier et partager ses secrets, c'est difficile. Avant d'oser déballer ce qu'il y a au fond de son cœur, il faut du temps. Ça vous entraîne aussi dans des dimensions inconnues : l'amitié ou la famille. Et aussi, dans la solitude d'un samedi après-midi de décembre, où, les fesses sur un petit mur, vous essayez de comprendre ce qui vous arrive et de vous y retrouver, dans ce méli-mélo.

Je n'étais pas la seule à me sentir bizarre. Même le temps s'y mettait. C'est dire.

— Vingt-cinq degrés une semaine avant Noël, c'est du jamais-vu, dit Harriet en secouant la tête alors que nous entrions dans le parking réservé aux employés, plus tard dans la soirée.

— C'est à cause du réchauffement de la planète, expliqua Reggie. De la fonte des glaces aux pôles.

— Je pensais plutôt à l'arrivée de l'Apocalypse...

Il soupira.

— Évidemment...

— Non mais, sérieusement, personne n'a envie de faire des achats de Noël avec une température pareille ! s'exclama-t-elle alors que nous traversions le parking. C'est très mauvais pour le commerce !

— Tu ne penses qu'au business ? demanda Reggie.

— Non, je pense aussi à l'Apocalypse, figure-toi ! Et parfois, aux bienfaits du café.

— Je sais que tu blagues, mais c'est déjà très...

— Bonne soirée, leur dis-je alors que je prenais la coulée verte.

Tous les deux me firent signe en continuant de se chamailler. Ça, ça n'était pas bizarre, c'était normal.

Après le boulot, Harriet me reconduisait souvent à la maison parce qu'elle n'aimait pas me laisser rentrer seule par la coulée verte, de nuit, mais comme le temps était carrément estival, ce soir, j'avais insisté pour rentrer à pied. En route, je vis des gens à vélo et des gamins à scooter. Tout le monde voulait profiter de ce drôle de temps. Le plus étrange de tout, une fois que je suis arrivée à la maison, ce fut de voir Jamie en maillot de bain dans l'entrée, avec ses palmes aux pieds et une serviette sur son épaule. Ça n'était peut-être pas l'Apocalypse, mais c'était le signe qu'on s'en rapprochait à grands pas.

D'abord, c'est clair, je le surpris. Il a sursauté, rougi avant de se reprendre et de la jouer décontracté.

— Salut ! dit-il comme s'il se baladait tous les jours de l'année avec ses palmes aux pieds. Alors, le boulot ? Ça roule ?

— Mais qu'est-ce que...

Je m'interrompis. Cora descendait, en maillot de bain et short par-dessus.

En me voyant, elle s'est transformée en statue et a rougi pire que Jamie. Ils se sont regardés d'un air coupable. Enfin, Cora a soupiré.

— On va nager...

— Quoi ?

— Il fait vingt-cinq degrés, en plein mois de décembre ! s'exclama Jamie. On ne peut pas faire autrement !

— Il fait si bon, dehors..., ajouta ma sœur.

— Mais les piscines du quartier ont été vidées pour l'hiver ?

— C'est pourquoi nous allons dans la piscine de Blake ! m'expliqua Jamie. Tu viens ?

— Vous allez nager en douce dans la piscine de Ben ?

Cora se mordilla la lèvre alors que Jamie reprenait :

— Pas tout à fait, puisque nous sommes voisins. Et puis, elle est chauffée et personne ne l'utilise.

— Vous avez la permission, au moins ?

Jamie regarda Cora qui se tortillait.

— Non. Mais j'ai vu Blake, plus tôt dans la journée, il a dit qu'il s'absentait avec Ben pour la soirée, à cause du boulot. Alors, bon...

— Vous allez donc profiter de leur piscine sans leur permission ?

Silence.

— Il fait vingt-cinq degrés, Ruby ! dit tout à coup Jamie. En plein mois de décembre ! Tu te rends compte ?

— Oui, je sais, c'est l'Apocalypse.

— Hein ? Mais non ! Pourquoi voudrais-tu...

— Elle a raison, tu sais, reprit Cora, nous ne lui montrons pas le bon exemple !

— Ah, mais c'était ton idée ! précisa Jamie.

Cora rougit de nouveau.

— Ta sœur adore nager, expliqua-t-il. À la fac, elle était toujours la première à squatter les piscines des autres.

— Ah oui ?

— Eh bien..., commença-t-elle, prête à se justifier.

Mais elle a renoncé.

— Il fait vingt-cinq degrés ! Et nous sommes au mois de décembre !

Jamie lui a tendrement serré la main et fait un très beau sourire.

— Ah voilà ! Je te reconnais enfin !

Puis il a ajouté :

— Tu viens, Ruby ?

— Je n'ai pas de maillot de bain.

— Dans mon armoire, en haut, le tiroir de droite, dit Cora. Sers-toi !

Je secouai la tête, sidérée, en les regardant sortir. Cora riait ; les palmes de Jamie claquaient.

Je n'avais certainement pas l'intention d'y aller. De toute façon, je n'avais pas du tout envie de nager. Mais après avoir réfléchi un bon moment sur mon lit, je suis allée chercher un maillot de bain dans l'armoire de Cora. J'ai enfilé un pantalon de jogging dessus et je suis partie les rejoindre. Du jardin, j'entendais déjà des splash et des plouf.

— La voilà enfin ! dit Jamie, de la piscine.

Sur le bord, Roscoe aboyait comme un malade. Cora nageait sous l'eau, et ses cheveux flottaient comme de grandes algues.

— Tu n'as pas pu résister, hein ?

— Mais je ne nagerai pas, dis-je.

Je m'assis au bord de la piscine et mis mes genoux sous le menton.

— Je vais juste regarder.

— Même pas drôle ! dit Jamie.

Il plongea, disparut et traversa la piscine sous l'eau accompagné par les aboiements de Roscoe qui longeait le bord en courant.

Cora reprenait déjà son souffle à l'autre bout de la piscine et lissait ses cheveux.

— Je n'aurais jamais cru ça de toi ! lui dis-je.

Elle a fait une petite grimace.

— Ça n'est pas vraiment une infraction. De plus, Blake nous doit bien ça !

— Ah bon, pourquoi ?

Mais elle ne m'entendit pas, ou peut-être n'a-t-elle pas voulu répondre, car elle a replongé sous l'eau pour rejoindre Jamie.

Lorsque tous les deux refirent surface, ils riaient et s'éclaboussaient. Je retirai mes chaussures, relevai le bas de mon pantalon de jogging et trempai mes pieds dans l'eau.

Mmm, elle était plus chaude que l'air... Je m'appuyai sur mes paumes et contemplai le ciel. Je nageais tout le temps à l'époque où nous habitions un immeuble avec piscine. L'été, j'y passais des heures et je restais dans l'eau jusqu'à ce que maman vienne me chercher parce que la nuit tombait. J'étais en troisième à l'époque. Depuis, je n'avais plus mis les pieds dans une piscine.

Jamie et Cora restèrent encore une bonne demi-heure à chahuter et à jouer dans l'eau. On aurait dit deux gosses.

Quand ils sortirent de la piscine, il était plus de dix heures du soir, et même Roscoe, qui avait aboyé non-stop, était raplapla.

— Tu vois, me dit Jamie en s'essuyant, on a juste fait trempette, rien de méchant.

— C'est vrai, c'était sympa, dis-je en retirant mes pieds de l'eau.

— Tu rentres avec nous ? me demanda Cora tandis qu'ils repartaient.

— Je vais rester encore un peu.

— Profites-en ! dit Jamie. Parce que ça ne va pas durer...

Puis j'entendis leurs voix s'éloigner. Une fois que tout a été calme, j'ai ôté mon pantalon de jogging et, après avoir bien regardé autour de moi, pour être sûre que j'étais toujours seule, j'ai sauté dans l'eau.

D'abord, ça m'a fait drôle de me retrouver dans une piscine, après aussi longtemps, mais très vite, je me suis mise à nager et j'ai fait des longueurs. Je ne sais pas combien, en tout cas j'avais un si bon rythme que j'ai remarqué trop tard les lumières qui s'allumaient chez Ben.

J'ai cessé de nager et je me suis rapprochée du bord. Quelqu'un entrait dans le salon éclairé. Après, j'entendis une porte qui s'ouvrait. Merde. J'ai paniqué, pris une grande inspiration et plongé sous l'eau.

C'était vraiment débile. Lorsque j'ai levé les yeux, toujours sous l'eau, j'ai vu Ben qui me regardait. À ce moment-là, mes poumons allaient exploser, je n'ai donc pas eu le choix : j'ai refait surface.

— Alors ? dit-il.

Je nageai un peu pour avoir l'air moins bête, puis je passai la main sur mon visage.

— Eh bien, je...

— Cora et Jamie ont décidé de venir nager en douce dans notre piscine, c'est ça ?

Je n'ai rien dit, j'étais très embêtée, puis il a sorti une palme et une autre de derrière son dos.

— Ils ne sont pas très discrets, dit-il en les posant. Elles étaient sur le transat.

— Ah oui... Bon, on est repérés...

— Pas grave.

Il s'accroupit et mit les mains dans l'eau.

— C'est bien que quelqu'un utilise cette piscine. Mon père se plaint qu'elle lui coûte un max.

— Tu ne nages plus ?

— Plus vraiment.

— Ça ne te manque pas ?

Il haussa les épaules.

— Parfois. C'est un bon moyen de faire le vide et de fuir. Et puis un jour, ça ne suffit plus.

Je pensai à son père qui avait été interdit de bassin, pendant les compétitions, mais qui, des gradins, continuait à hurler des encouragements.

— Tu devrais venir ! lui dis-je. Elle est vraiment bonne !

— Non.

Il s'assit dans un transat.

— Mais toi, continue.

Je barbotai sans plus. On ne parlait plus.

— Je pensais que vous étiez absents, repris-je soudain. À cause du boulot.

— Changement de programme. On a décidé que je rentrerais plus tôt.

— *On* a décidé... ?

Il a eu un sourire fatigué.

— La journée a été longue, alors c'est bon, n'en rajoute pas.

Message reçu.

— Justement, viens piquer une tête. On est en décembre ! Il fait vingt-cinq degrés ! Allez, dépêche-toi, je suis certaine que tu en meurs d'envie !

Je parlais juste pour dire quelque chose et je pensais qu'il allait refuser mais, tout à coup, il s'est levé.

— Bouge pas, je reviens.

C'est tout vu, j'avais encore eu une idée à la con. Je voulais garder mes distances, et je lui proposais de me rejoindre dans l'eau. Génial. Je n'ai pas eu le temps de me tirer en douce parce qu'il revenait déjà en maillot. Là, j'ai perdu tous mes moyens. La nuit de mon arrivée, je ne l'avais pas bien vu ni bien regardé, mais maintenant, c'était difficile de ne pas le manger des yeux. Je sais, c'était le signe que je devais me tailler à toute vitesse, mais trop tard, il plongeait déjà, et fendait l'eau presque sans faire de bruit.

USWIM, *You swim*, tu nages, me dis-je en me souvenant de l'inscription sur son sweat tandis qu'il remontait à la surface et s'approchait de moi en nageant un crawl superbeau.

Il a émergé et secoué la tête en m'éclaboussant.

— Bravo, lui dis-je.

— Non, merci à mes années d'entraînement !

On était si proches tout à coup..., pensai-je brusquement avec un frisson électrique. Il n'y avait que l'eau entre nous. J'ai baissé les yeux sur ma clé, sombre sur ma peau blanche presque bleutée. Quand j'ai relevé la tête, j'ai vu qu'il l'observait aussi. On s'est regardés une minuscule seconde et il a pris ma clé dans sa main.

— Tu penses que Harriet en a vendu beaucoup ? demanda-t-il.

— Je ne sais pas...

— J'ai rencontré une fille qui en portait une, au Jump Java, aujourd'hui.

— Il faut que je le dise à Harriet ! Elle va sauter de joie !

— Pour moi, cette chaîne et cette clé sont associées à toi, dit-il en la lâchant. C'est la première chose que j'ai vue, la première fois qu'on s'est rencontrés.

— Avant que j'essaie de passer par-dessus la barrière ?

— Disons un peu après.

Autour de nous, c'était le très grand calme. Le ciel était immense, avec des millions d'étoiles au-dessus de nos têtes. Ben était tout près de moi, et moi je pensais à ce que Jamie avait dit, tout à l'heure : « Ça ne va pas durer... » C'est bien parce que tout était temporaire que j'aurais dû sortir de la piscine, et tant pis si j'aurais préféré y rester avec lui jusqu'à la fin de ma vie. Pendant ce temps, Ben m'observait toujours. On flottait tous les deux. Je sentais l'eau clapoter autour de moi, me pousser en avant, en arrière, et de nouveau en avant. Soudain, il s'est rapproché, et malgré mes peurs, mes certitudes et mes hésitations, je n'ai pas bougé d'un poil quand il m'a embrassée. Ses lèvres étaient tièdes, son visage humide. Après, il a reculé. Moi, je frissonnais. Je n'avais pas l'habitude d'une telle proximité ; cela dit, j'aurais voulu qu'il reste tout près de moi.

— Tu as froid ?

J'allais secouer la tête, dire que non, c'était autre chose, mais je n'ai pas eu le temps, parce qu'il prenait ma main.

— T'inquiète, plus tu nages vers le fond, plus il fait chaud.

Et comme pour me le prouver, il a plongé. J'ai pris une grande inspiration, la plus grande que j'aie jamais prise de ma vie, et je l'ai laissé m'entraîner au fond de la piscine.

Je savais que Jamie aimait les fêtes de fin d'année. Il y avait eu les chemises en jean et les listes de bonnes actions de Thanksgiving. Mais avec l'arrivée de Noël, mon beau-frère est tout simplement devenu grandiose.

— Arrête un peu de gigoter, enfin ! lui dit Cora un soir qu'elle l'aidait à mettre un déguisement de père Noël.

Le visage crispé par la concentration, elle lui fourra un gros oreiller sous sa veste.

— Impossible de ne pas bouger ! se plaignit Jamie. Ce caleçon long me gratte à un point, tu ne peux même pas imaginer ! C'est horrible !

— Tu n'avais pas besoin de mettre un caleçon long, ton boxer suffisait.

— Mais le père Noël ne porte pas de boxer ! dit-il d'une voix plus aiguë alors que Cora serrait la ceinture noire de son costume juste au-dessous de l'oreiller pour qu'il ne tombe pas. Si je veux être le père Noël, je dois être cent pour cent authentique !

— Je doute que la police du père Noël aille vérifier ce que tu portes sous ton pantalon ! soupira Cora qui se relevait. Bon, où est ta fausse barbe ?

— Sur le lit... Ah, salut, Ruby ! Alors ? Qu'est-ce que tu en penses ? Génial, hein ?

Génial dans son costume rouge, ses bottes noires, sa perruque blanche qui me paraissait le démanger pire que son caleçon long ? Heu... bof ! Mais dans l'intérêt de toute la famille, j'ai joué l'enthousiasme.

— Complètement ! répondis-je, alors que Cora ajustait sa barbe. Tu vas à une fête ?

— Mais non, enfin ! C'est la veille de Noël !

Cora recula, mains sur les hanches pour examiner le résultat.

— Ah c'est vrai, dis-je, tu t'es donc déguisé en père Noël pour...

— ... pour passer chez nos voisins !

Cora se contenta de hocher la tête.

— Mon père se déguisait toujours en père Noël, le 24 décembre ! expliqua Jamie. C'était une tradition familiale !

— Et comme chez nous il n'y en avait pas, cette année, Jamie a décidé d'en faire une affaire personnelle, pour nous faire plaisir, ajouta Cora.

Le regard de Jamie passa de moi à Cora. Malgré son gros bidon, sa perruque et sa barbe blanches, il ressemblait au père Noël en pleine crise d'adolescence.

— Je sais, c'est un peu excessif, reconnut-il, mais chez nous, Noël a toujours été une très grande fête ! Je pense que cela m'a marqué...

C'était rien de le dire. Thanksgiving passé, Jamie se préparait à Noël comme avant un examen : guirlandes clignotantes devant la maison, calendriers de l'Avent dans presque chaque pièce, sapin gigantesque (le plus grand qu'il ait pu acheter) auquel nous avons ajouté des décorations neuves et d'autres, réalisées par les Hunter lors de précédents Noëls. Entre ces préparatifs et mon boulot au centre commercial, les fêtes de fin d'année, j'en avais par-dessus la tête. Mais Jamie avait fini par déteindre sur moi : j'avais assisté à la cérémonie de l'illumination de l'arbre de Noël du quartier, j'avais regardé cent fois *Charlie Brown Christmas Special*[1] à la télé et, maintenant, j'acceptai de tenir Roscoe tandis que Jamie lui passait un harnais avec des clochettes.

Après, il a pris un chapeau de lutin très rouge et très rigolo sur le lit.

— Et ça, c'est pour toi ! me dit-il.

1. Dessin animé avec les *Peanuts* de Charles M. Schutz et diffusé sur la chaîne CBS au moment des fêtes de Noël depuis 1965. Charlie Brown y cherche la vraie signification de Noël auprès de ses amis.

— Pour moi ?

— Oui ! Pour que nous soyons assortis, dans la rue !

J'ai fixé Cora. Elle évitait de me regarder en rangeant son blush qu'elle avait utilisé pour faire de grosses joues rouges à Jamie.

— Et où allons-nous exactement ? demandai-je d'une voix lente.

— Distribuer des cadeaux dans tout le quartier ! dit-il comme si c'était évident. Ma hotte est dans l'entrée, prête au départ ! Allez, on y va !

Il est passé devant moi, son bonnet de père Noël à la main, et a descendu les escaliers comme un gros pépère. Je fixai Cora jusqu'à ce qu'elle se décide à lever les yeux sur moi.

— Je suis désolée..., dit-elle avec un air trop sincère pour être vrai, mais c'est moi qui ai fait le lutin, l'année dernière.

Et voilà comment nous nous sommes retrouvés dans Wildflower Ridge, à huit heures du soir, la veille de Noël, Jamie déguisé en père Noël, moi en lutin et Roscoe avec un harnais de grelots, pour « répandre la bonne parole ». Plutôt, si vous voulez mon avis, se cailler (le froid était revenu, glacial, exprès pour se venger), interrompre nos voisins occupés à préparer leur petit Noël et épouvanter les motards qui passaient et se croyaient revenus à Halloween.

Au bout de quelques maisons, nous avons mis notre technique bien au point : je sonnais, Roscoe dans mes bras, puis je filais derrière Jamie pour lui laisser la vedette. Ensuite, je l'aidais à faire son bon papa Noël, c'est-à-dire à distribuer des peluches et des boîtes de sucres d'orge. En gros, mis à part des gens assez méfiants qui ont préféré ne pas ouvrir et d'autres qui ont eu l'air plutôt étonné, les voisins ont été contents, surtout les enfants. Une heure et trois rues plus tard, on avait presque tout distribué.

— Il nous reste des cadeaux pour deux maisons, déclara Jamie.

À ce moment-là, nous étions devant chez Ben. Roscoe pissait contre une boîte aux lettres dans un joyeux cling-bling de grelots et de médailles.

— Où allons-nous maintenant ? Tu veux offrir quelque chose à Ben ?

Je regardai la maison des Cross, toute sombre, sauf deux lumières.

— Je ne sais pas, répondis-je. On cible les petits, pas les ados... Et si on cherchait plutôt une baraque où il y a des enfants ?

— Je m'en occupe ! Toi, va donner des sucres d'orge à Ben, me dit-il en fouillant dans son sac presque vide. Rendez-vous ici dans cinq à dix minutes, d'accord ?

— D'accord, lui dis-je en lui tendant la laisse de Roscoe.

Lorsqu'il est reparti avec Roscoe, son sac sur l'épaule, vers une maison dont la porte d'entrée était entourée de guirlandes de cristaux de neige illuminés, je me suis dit qu'il faisait un superbissime père Noël.

J'ai mis la boîte de sucres d'orge dans ma poche et j'ai marché vers la maison de Ben en respirant à fond l'air très froid. En vérité, j'avais pensé lui faire un cadeau, j'en avais même choisi deux. Mais je n'avais finalement rien acheté, parce que je n'étais pas encore prête à faire un geste aussi royal, même après le baiser dans la piscine. Pourtant, depuis ce soir-là, j'avais découvert qu'avec Ben tout venait naturellement, avec la même simplicité qu'il avait pris ma main dans la sienne pour m'entraîner au fond de sa piscine. Peut-être qu'il ne pouvait pas tout partager avec moi, mais ce qu'on avait, lui et moi, c'était déjà bien. Suffisant. D'un autre côté, aujourd'hui, c'était la veille de Noël, le seul moment de l'année où tous les espoirs sont permis, du moins, il paraît. Ben m'avait beaucoup donné et maintenant j'étais enfin prête à lui offrir quelque chose en retour.

Je sonnai chez lui.

Dès qu'il a ouvert, j'ai compris que quelque chose clochait. C'était dans son regard, où il y avait la surprise, la peur, et dans le geste qu'il a fait pour refermer tout de suite. J'avais le même, lorsque les Témoins de Jéhovah ou nos proprios débarquaient chez nous.

— Salut, Ruby, dit-il à voix basse. Ça va ?

Au même instant, j'ai entendu son père qui hurlait comme un malade à l'intérieur. J'ai été si mal que j'ai avalé ma salive pour avoir la force de parler.

— Jamie et moi, on faisait la distribution des cadeaux de Noël...

— Écoute, ça n'est pas le moment, me dit-il alors que j'entendais un bong ! dans la maison, comme quelque chose qui tombait. Je t'appelle plus tard, d'accord ?

— Ça va ?

— Ça va.

— Écoute, Ben...

— Je te dis que ça va, mais il faut vraiment que je te laisse, dit-il en refermant un peu plus la porte. À plus.

Il m'a claqué la porte au nez, je n'ai donc pas eu le temps de répondre. Je suis restée immobile, la bouche sèche, hésitante. Il avait dit : « Ça va. » Non, ça n'allait pas. J'ai posé la main sur la poignée. Voilà. J'avais été prête à m'ouvrir à lui, mais c'est lui qui se fermait à moi.

— Hé, Ruby ! s'écria Jamie qui s'approchait avec Roscoe. Ils sont là ?

Je ne trouvai rien à dire. Je repensai à la scène du garage, le jour de Thanksgiving. Je revis aussi Ben qui me demandait de la boucler. Parce que, soi-disant, moi je pouvais le comprendre. La question, c'était de savoir si je voulais être comme les Honeycutt, en clair : entrer et tout foutre en l'air, même si c'était casser pour mieux reconstruire.

Jamie s'approchait toujours avec Roscoe. Je devais me décider très vite.

— Ils ne sont pas là, dis-je en le rejoignant.

La boîte de sucres d'orge était toujours dans ma poche. Je la caressai. C'était presque comme une main dans la mienne.

— On rentre, maintenant.

Chapitre 13

Je suis restée debout jusque tard dans la nuit, mais pas pour attendre l'arrivée du père Noël. De mon lit, j'observai les lumières de la piscine de Ben qui jetaient des espèces de flammes bleues et vertes sur les arbres. Je m'en souviens, c'est ce que j'avais fait, lors de mon premier soir chez Cora. Je n'arrêtais pas de me répéter que je devais aller chez Ben pour voir si tout allait bien. Mais chaque fois, je le revoyais me claquer la porte au nez, j'entendais le cric-crac de la clé dans la serrure et je ne bougeais pas d'un poil.

Le jour de Noël, j'ai eu un nouveau sac à dos, des CD, des livres et un ordinateur. Cora a eu ses règles.

— Si, ça va, ça va ! explosa-t-elle, en larmes sur son lit, après que nous eûmes ouvert les cadeaux. Je vous jure que c'est vrai.

— Ne pleure pas, ma chérie, ça n'est pas grave, lui dit Jamie qui s'assit à côté d'elle pour la prendre dans ses bras.

— Oui, je sais, dit-elle d'une voix tremblante.

Elle s'essuya les yeux avec le dos de sa main.

— C'est juste que j'avais l'intuition que ça arriverait ce mois-ci. Je sais, je suis complètement idiote...

— Mais non, l'interrompit Jamie d'une voix douce en caressant ses cheveux.

— De plus, je me disais que ç'aurait été un supercadeau, de découvrir juste aujourd'hui que j'étais enceinte et de vous l'annoncer.

Elle reprit son souffle, elle n'arrêtait pas de trembler. Puis elle se remit à pleurer comme une Madeleine.

— Mais je ne suis pas enceinte... De nouveau...

— Écoute, Cora...

— Oui, je sais, coupa-t-elle en agitant la main dans tous les sens. C'est Noël, nous avons une vie de rêve, une belle maison... Il y a beaucoup de gens qui n'ont pas notre chance... Mais je veux un enfant. Et j'ai beau faire, je n'y arrive pas... C'est...

Elle n'acheva pas. Elle s'essuya de nouveau les yeux. Cette fois, Jamie ne trouva rien à dire.

— C'est supergonflant, achevai-je.

— Oui, c'est supergonflant, me répondit-elle.

Chaque fois que je voyais Cora dans tous ses états parce qu'elle n'arrivait pas à faire son bébé, je ne savais pas quoi faire de ma peau. Cette histoire, c'était le seul truc qui pouvait la faire partir en live en deux minutes chrono. C'était le point terriblement faible de son armure. En novembre, elle avait décidé de suivre un traitement de stimulation ovarienne, ce qui l'avait rendue très émotive et fait transpirer comme en plein désert et/ou pleurer. Mauvais trip, surtout en période de fêtes de fin d'année. Et tout ça pour des clous. Oui, c'était supergonflant.

— On va essayer de nouveau, lui dit enfin Jamie. Tu ne suis ce traitement que depuis un mois... Le mois prochain, on aura plus de chance...

Cora acquiesça, mais elle n'avait pas l'air convaincu du tout. Je l'observai tandis qu'elle caressait mon cadeau de Noël : l'une des créations de Harriet, une chaîne avec une clé argentée bordée de pierres rouges. J'avais eu un de ces tracs lorsqu'elle avait ouvert mon paquet... J'avais eu la frousse qu'elle déteste, mais elle avait ouvert de grands yeux en découvrant le pendentif.

— Comme c'est beau ! C'est le même que le tien !

— Un peu, pas tout à fait.

— J'adore ! avait-elle ajouté.

Elle l'avait tout de suite mis et rejeté ses cheveux sur ses épaules.

— Qu'est-ce que tu en penses ? Ça rend bien sur moi ?

Ça rendait même très bien..., pensai-je, tandis qu'elle posait maintenant sa tête sur l'épaule de Jamie et s'appuyait contre lui, la clé serrée dans sa main. Le bijou avait un autre effet sur elle, mais on voyait des ressemblances avec ma chaîne et ma clé. Il suffisait de bien regarder pour le remarquer, c'est tout.

Au même instant, on sonna. Roscoe qui dormait au pied du lit leva les oreilles et jappa.

— C'est chez nous ? demanda Jamie.

— Oui, répondit Cora tandis que Roscoe bondissait et sortait en courant.

Nous l'entendîmes aboyer dans l'entrée tandis qu'on sonnait de nouveau.

— Qui peut bien venir nous rendre visite le jour de Noël ? reprit Jamie.

— Je vais aller voir qui c'est, dis-je aussitôt en me levant.

J'espérais de tout mon cœur l'avoir déjà deviné.

J'arrivais en bas quand on sonna une troisième, puis une quatrième fois. Mais lorsque je regardai par le judas, je ne vis pas Ben, je ne vis carrément rien. Pourtant, on sonna encore. À moins que ça ne soit un lutin du père Noël, je ne voyais pas qui ça pouvait être ?

J'ai ouvert et j'ai vu Gervais. Il était évidemment trop petit pour que je le voie par le judas. Il portait ses lunettes, sa veste de marin et une écharpe. Derrière lui, il y avait un scooter tout neuf.

— Salut.

— Salut, répondis-je lentement. Qu'est-ce que...

— J'ai une proposition à te faire. Je peux rentrer ?

— Heu...

Derrière moi, Roscoe avait cessé d'aboyer et essayait de lui faire la fête.

— C'est qu'on est un peu occupés, tu vois ?

— Oui, bien sûr, dit-il en remontant ses lunettes sur le nez. Mais ça ne prendra qu'une minute.

Je n'avais pas du tout envie de le laisser entrer, mais bon, c'était Noël.

— Tu ne devrais pas être en famille ? lui demandai-je pendant que je fermais la porte.

— Chez nous, Noël c'est fini depuis une heure ou deux. Mon père a déjà défait et retiré le sapin.

— Ah...

Silence. Je me sentais bête.

— Eh bien, nous, nous sommes en train de...

— Tu seras au point pour ton prochain grand exam' de maths ?

Je le fixai comme s'il s'était transformé en grenouille.

— Hein ?

— Ton prochain exam' de maths. C'est en mars, et il compte pour la moitié de ta moyenne, je me trompe ?

— Comment tu le sais ?

— Tu seras au point ?

À l'étage, Cora riait. C'était bon signe.

— Au point ? Définis.

— Est-ce que tu auras 90 sur 100, ou plus ?

— Non.

C'était la vérité et c'était triste. J'avais beau faire des efforts gigantesques et apprendre, les maths, ça restait un cauchemar.

— Alors laisse-moi t'aider, reprit Gervais.

— Toi, m'aider ?

— Je suis excellent en maths, m'expliqua-t-il en remontant de nouveau ses lunettes sur son nez. Et excellent prof. Je donne des cours de soutien à deux étudiants de ma promo, à la fac. Et ce sont des maths niveau université, pas tes petits trucs fastoches de terminale.

Petits trucs fastoches. Merci pour moi.

— C'est gentil, mais je me débrouillerai.

— Ça n'est pas une offre, c'est une proposition.

Soudain, je le revis dans la voiture, le jour où il avait respiré comme s'il allait mourir. Et toutes les fois où il me fixait comme un hibou pendant la pause déjeuner, sa façon d'agir, plutôt bizarre, au multiplexe. *Oh my God !* pensai-je tandis que je comprenais enfin. Ben avait raison : je le faisais craquer. Il ne manquait plus que ça !

— Écoute, Gervais, lui dis-je, faisant un geste pour ouvrir la porte et le faire partir dans la seconde, tu es un type sympa...

— C'est Olivia, coupa-t-il.

Quoi ? Avais-je bien entendu ?

— Hein ?

Il a toussé et rougi.

— Olivia Davis. C'est ton amie ?

— Oui...

Après un silence, j'ai repris :

— Pourquoi ?

— Parce que...

Il a de nouveau toussé.

— ... je l'aime bien.

— Tu aimes Olivia ?

— Oui, mais pas comme *ça*, dit-il rapidement, c'est juste que...

J'attendis. Longtemps.

— Voilà, j'aimerais être son ami...

C'était trop mignon, et surprenant. D'où ma question.

— Pourquoi ?

— Parce que, répondit-il comme si c'était une évidence absolue.

Et quand il a compris que ça ne l'était pas pour moi, il a ajouté :

— Elle me parle.

— Elle te parle ?

— Oui, quand je vais au cinéma, par exemple. Et lorsqu'elle me voit dans les couloirs du lycée, elle me dit toujours bonjour. C'est la seule. Et puis, elle aime les mêmes films que moi.

J'observai Gervais dans sa grosse veste de marin, avec ses lunettes. C'est clair, c'était un troll chiant comme la mort, mais il devait terriblement en baver. Il avait beau être surdoué pour les maths et le reste, la vie, ça ne s'apprenait pas dans ses énormes bouquins.

— Alors, deviens son ami. Tu n'as pas besoin de moi pour ça, dis-je.

— Si. Je ne peux pas me pointer et lui parler de but en blanc. Mais si tu me laissais t'aider en maths pendant la pause déjeuner, je pourrais passer un peu de temps avec vous deux.

— Écoute, Gervais, c'est trop mignon...

— Ne dis pas non.

— ... mais toi et elle, c'est sans espoir.

Il secoua la tête. Un vrai petit taureau.

— Tu ne comprends rien ! Je ne l'aime pas comme *ça*. Je veux juste que nous soyons amis !

— Mais, moi, j'aurais l'impression de lui faire un coup en douce. C'est *mon* amie !

Jamais je n'aurais pensé qu'on m'offrirait un cours de soutien de maths en échange d'une amitié, que « on » s'appellerait Gervais Miller et que je serais sincèrement désolée pour lui. Néanmoins, je l'ai vraiment été lorsqu'il m'a lancé un regard triste comme un matin de novembre.

— C'est bon, je comprends..., dit-il d'une voix blanche, proche de l'abattement.

Il a ouvert la porte. Comme avec Ben à Thanksgiving, j'ai hésité, tout en sachant que les conséquences de mon choix ne seraient pas dramatiques, cette fois.

Je ne pouvais peut-être rien faire pour Ben, mais il m'était toujours possible de donner un coup de pouce à Gervais.

— C'est bon, je t'engage.

Il a pivoté vers moi lentement.

— Tu m'engages.

— Pour des cours de soutien de maths. Je te paierai le tarif normal. Et tu feras ton boulot. Si on se voit pendant le déjeuner avec Olivia, pas de problème. Mais Olivia ne fait pas partie du deal. Ça roule ?

Il a hoché la tête à toute vitesse. Ses lunettes en ont glissé.

— Oui.

— Alors, joyeux Noël.

— Joyeux Noël ! dit-il en partant.

Tout à coup, il s'est retourné.

— Au fait, c'est vingt dollars de l'heure. Pour les cours.

Tu l'as dit, mon Gervais.

— Et je réussirai l'exam' de maths ?

— Tu as ma parole.

Il est reparti vers son scooter, a pris son casque et l'a mis. Je venais peut-être de faire une monstrueuse erreur. Une de plus ? Tant pis. On a tous besoin d'un petit coup de main, qu'on le veuille ou non.

— Entrez, entrez donc ! s'exclama Jamie tandis que des invités arrivaient en se bousculant et en parlant fort. Bienvenue chez nous ! Les boissons sont dans le salon et il y a des tonnes de plats délicieux ! Oh, attendez, laissez-moi vous débarrasser de vos manteaux !

Depuis que la période portes ouvertes de l'après-Noël et de l'avant-réveillon avait commencé chez Jamie et Cora, je me planquais régulièrement dans la buanderie avec Roscoe. Officiellement, mon boulot, c'était de vérifier qu'il y avait toujours des glaçons dans le seau à glace et que la musique s'entendait juste ce qu'il fallait. J'étais au top dans ma mission, mais j'évitais les gens au maximum.

Par la porte ouverte, je vis Jamie, les bras très encombrés par les manteaux, regarder autour de lui, et je me dis que j'aurais dû lui proposer mon aide et les monter. Au lieu de ça, je me suis laissée glisser contre le sèche-linge et j'ai refermé la porte de la pointe du pied. Roscoe, exilé dans la buanderie pour son bien-être mental, sauta aussitôt de son panier pour me rejoindre.

Depuis deux jours, depuis la veille de Noël en fait, je n'avais pas revu Ben et je ne lui avais pas non plus reparlé. Avant Noël, rester si longtemps sans se voir aurait été inimaginable : on était devenus si proches, on n'arrêtait pas de se rencontrer comme par hasard. D'un autre côté, on se voyait peut-être moins parce que c'était les vacances de Noël, qu'on n'allait plus ensemble au lycée le matin et que nos boulots nous prenaient un max de temps. En ce qui me concerne, Noël avait beau être passé, c'était toujours l'enfer au centre commercial. Mais au fond, j'avais la nette impression que Ben m'évitait.

Le plus incroyable de l'histoire, c'était que ça m'embête à ce point. Pourquoi ? Après tout, j'aurais dû dire « ouf, tant mieux » ! J'avais tout de même voulu prendre mes distances avec lui, oui ou non ? Mais maintenant que je ne le voyais plus et que je n'avais plus de nouvelles, je me faisais un souci monstre pour lui.

Au même instant, la porte de la buanderie s'ouvrit.

— Une seconde, il faut juste que je prenne...

Cora entrait. Elle s'interrompit en me voyant avec Roscoe.

— Ruby ? Il y a un problème ?

— Rien du tout.

Elle ferma la porte. Roscoe se leva en agitant la queue.

— Juste besoin d'un petit break..., ajoutai-je.

— Pas dans ton dressing ?

— La buanderie était plus proche.

Elle prit un rouleau d'essuie-tout sur la machine à laver.

— Il y a déjà une tache sur la moquette..., me dit-elle. Tous les ans, c'est la même chose...

— On dirait que ça se passe bien, globalement ? dis-je alors que j'entendais parler dans l'entrée.

— Oui, c'est très sympa. Tu devrais venir, Ruby. Au moins pour manger un petit truc. C'est moins terrible que tu ne le penses.

— J'ai un petit coup de blues, je crois.

Elle m'a souri.

— En tout cas, tu as été super ! Noël avec Jamie, c'est un véritable parcours du combattant ! Après mes premières fêtes de fin d'année avec lui, j'étais sur les genoux.

— C'est juste que ça me fait bizarre... Tu comprends, l'année dernière...

L'année dernière quoi au fait ? Je ne me souvenais même pas de ce que j'avais fait ! Livrer des bagages perdus et retrouvés ? Possible. Assister à une fête de

Noël organisée par la boîte ? Possible aussi. Mais c'était vague, comme le reste de mon ancienne vie, d'ailleurs.

— C'est un coup de barre passager, tu comprends ?

— Viens juste nous rejoindre cinq minutes. Après, tu pourras revenir dans la buanderie, ou occuper le dressing jusqu'à la fin de la journée, si tu veux.

Je l'observai, sceptique, tandis qu'elle me tendait la main. Puis je la pris, me levai et je la suivis. Nous sommes revenues dans la cuisine pour être au calme.

— Cora ! Bonjour !

J'ai sursauté, surprise. Une femme de petite taille dans un ensemble blanc vaporeux et avec des cheveux noirs en chignon sur la nuque surgissait devant nous, un verre de vin à la main.

— Joyeuses fêtes !

— Joyeuses fêtes ! répondit Cora.

La femme l'embrassa, laissant une marque de rouge à lèvres sur sa joue.

— Barbara, je te présente ma sœur Ruby, déclara Cora. Ruby, voici Barbara Starr.

— Tu as une sœur ? demanda Barbara.

Elle portait plusieurs colliers de toutes les couleurs qui dansaient et cliquetaient dès qu'elle faisait un geste. Comme maintenant, parce qu'elle tournait la tête vers moi.

— Eh bien, ça c'est une surprise !

— Ruby a emménagé à la maison à l'automne, expliqua Cora.

Puis elle me sourit et ajouta :

— Barbara est romancière. Auteur de best-sellers.

— Oh, par pitié, plus un mot ! s'exclama Barbara en agitant la main. Tu vas me gêner !

— Barbara a été l'une de mes premières clientes, après la fac, continua Cora. À l'époque, j'étais en stage dans un cabinet spécialisé dans le droit de la famille.

— Vraiment ? dis-je.

— J'étais en train de divorcer, expliqua Barbara après avoir bu une gorgée de vin. Ça n'est pas une partie de plaisir, loin s'en faut. Mais grâce à ta sœur, ce fut le meilleur divorce que j'aie jamais eu ! Et crois-moi, je sais de quoi je parle !

Étonnée, je regardai Cora qui me fit un minuscule signe de la tête pour me faire comprendre de ne pas insister.

— Nous devrions aller voir s'il reste assez à manger, dit-elle.

— Tout est parfait, Cora ! J'adore les fêtes de fin d'année ! coupa Barbara avec un gros soupir de bonheur.

Elle me sourit.

— Le reste de la famille aussi est là ? J'aimerais beaucoup faire connaissance avec ta mère !

— Eh bien..., commençai-je.

— Nous ne sommes pas vraiment en contact avec notre mère, en ce moment, continua Cora. Mais nous avons la chance d'avoir de très bons amis, comme toi, et tous sont venus aujourd'hui. Veux-tu encore du vin ?

— Oh oui, déclara Barbara qui regarda son verre et nous sourit de nouveau. Oui. Avec plaisir !

Un vrai faux sourire scotché sur les lèvres, Cora lui prit son verre, me le passa, tout en me poussant vers le bar du salon, mine de rien. Je m'éloignai, puis me retournai pour regarder ma sœur. Barbara Starr s'était remise à parler en faisant de grands gestes, comme si cela l'aidait à préciser le sens de ses paroles. Ma sœur faisait « oui, oui », sans arrêt, mais elle ne me quittait pas des yeux. Diplomatissime..., pensai-je. Cela dit, elle avait coupé les ponts avec maman depuis plus longtemps que moi, et elle avait appris à éviter les sujets qui fâchent. Elle était devenue hyperdouée à force de pratiquer le bel art de l'esquive.

Le verre de Barbara Starr à la main, je passai parmi les convives pour m'approcher du bar et du vin blanc. Les invités étaient encore plus nombreux que tout à l'heure, lorsque j'avais vérifié s'il y avait assez de glaçons. Jamie toujours dans l'entrée ouvrait la porte et débarrassait les gens de leurs manteaux.

— Des macarons ! l'entendis-je dire soudain. Vous n'auriez vraiment pas dû !

J'ai tourné la tête et j'ai vu Ben en jean et chemise bleue, mains dans les poches. Il était avec son père qui retirait sa veste en souriant.

— Ce sont des macarons belges, précisa M. Cross. Très chers.

— Je n'en doute pas une seconde ! s'exclama Jamie en posant la main sur l'épaule de Ben. Laissez-moi vous servir quelque chose à boire. Quel est votre poison préféré, Blake ? Nous avons de la bière, du whisky, du vin...

Il a montré le bar à M. Cross et à Ben. À ce moment-là, j'ai croisé le regard de Ben. M. Cross, lui, m'a fait signe, mais j'ai repris le verre de Barbara, que je venais de remplir, et j'ai filé.

Cora et Barbara avaient disparu. Dans la cuisine, il n'y avait que deux employés UMe.com de Jamie, faciles à reconnaître avec leurs lunettes de premiers de la classe, leurs jeans chers et leurs tee-shirts vintage, qui parlaient de leurs ordis Mac. Je tournai la tête dans tous les sens, et je me retrouvai tout à coup nez à nez avec Ben.

— Joyeux Noël, me dit-il.

J'avalai ma salive et je repris mon souffle comme si j'allais me jeter à l'eau.

— Joyeux Noël.

Il y a eu un silence qui est devenu long et gênant, même lorsqu'un rire derrière nous l'a déchiré.

— Je t'ai apporté quelque chose, reprit-il en sortant un petit paquet de derrière son dos.

— Laisse-moi deviner... des macarons ?

— Non, répondit-il avec une grimace tandis qu'il me tendait son cadeau. Ouvre. Tu verras bien.

Son paquet était enveloppé dans un joli papier rouge décoré de petits sapins de Noël. Je me revis soudain devant chez lui, le soir du 24 décembre, avec mes sucres d'orge.

— Écoute, je devrais plutôt..., dis-je en lui montrant le verre de Barbara que je tenais toujours.

— Il ne faut jamais retarder l'ouverture d'un cadeau ! coupa Ben qui me faucha le verre des mains pour le poser sur la table. Surtout un cadeau de Noël en retard.

Une fois les mains vides, je n'avais donc pas le choix, alors je l'ai pris et défait. Ça a duré le temps que deux femmes passent devant nous. Elles parlaient fort, leurs talons faisaient clic-clic. Dans mon paquet, il y avait un tee-shirt. Dessus, des lettres que je connaissais bien, maintenant. USWIM.

— Nager... Toute ta philosophie résumée en un mot...

— J'ai bien cherché un tee-shirt avec « Si on s'attend au pire on n'est jamais déçu », mais c'est bête, il n'y en avait plus...

— Sans blague ? En tout cas, c'est gentil. Merci.

— Je t'en prie.

Il s'est appuyé contre le mur et m'a souri. Je me suis souvenue du jour de la piscine, lorsqu'il avait pris ma main pour m'entraîner au fond de l'eau. J'en revoyais tous les détails. Mais je revoyais aussi, et avec la même incroyable netteté, son visage lorsqu'il m'avait claqué la porte au nez, la veille de Noël. C'étaient deux images complètement opposées. La première me donnait envie de m'approcher de lui, et la deuxième, de filer en courant.

— Alors ? Comment s'est passé ton Noël ? demanda-t-il.

— Et le tien ?

J'avais voulu être sympa, raté, ma voix avait été moche. Ben l'a bien remarqué, parce que son sourire s'est effacé. J'ai toussoté, puis j'ai baissé les yeux sur le tee-shirt.

— Tu devais t'attendre à ce que je pose la question ?

Ben a fait « oui » et il a dirigé son regard vers le salon, vers son père qui parlait avec une invitée qui portait un pull rouge avec des sapins de Noël.

— Sympa. Un peu stressant aussi, comme tu l'as constaté, répondit-il enfin.

— Rien qu'un peu ?

— Rien de grave.

— Le contraire m'aurait étonnée.

Ç'avait été plus fort que moi.

— Bon, d'accord, ça a été un peu chaud, mais on ne va pas non plus en parler pendant cent ans. C'est du passé.

— C'était il y a trois jours seulement.

— Les fêtes de Noël, c'est stressant pour tout le monde, je ne t'apprends rien !

Il a incliné la tête sur son épaule comme pour mieux m'observer. Une mèche est tombée sur ses yeux. Dans le silence, les deux femmes de tout à l'heure sortaient du cabinet de toilette. Quand elles sont repassées devant nous, j'ai senti une bonne odeur de savonnette parfumée à je ne sais quoi.

— Je suis désolé, Ruby..., reprit Ben. Mais je ne pouvais pas te parler, ce soir-là. Maintenant, je suis là et je t'ai apporté un cadeau. C'est ça qui compte, non ?

Je regardai de nouveau le tee-shirt. USWIM. *You swim*, tu nages..., pensai-je. Nager, c'était mieux que couler. C'est ce qu'il m'avait dit, un jour. Mais j'avais plutôt l'impression qu'il surnageait.

— Je n'ai rien pour toi.

— Même pas des macarons belges ?

Je fis « non ».

— Pas de souci, Ruby. De toute façon, ils ne sont pas aussi bons qu'on le dit.

— Vraiment ?

— Oui.

Il a jeté un regard rapide vers le salon, puis il m'a prise par la main pour m'attirer dans un coin du couloir. Quand on a été loin des autres, il s'est appuyé contre le mur, puis il a passé ses bras autour de ma taille et m'a serrée contre lui.

— On va faire autrement... Joyeux Noël, Ruby.

Je ne voyais plus que son visage. Ses yeux. Sa bouche. Je ne sentais que ses mains sur mes joues. Il était si proche après avoir été tellement loin, mais au moins, il était là.

— Joyeux Noël...

Je ne pensais qu'à lui, présent et si vivant contre moi, et pas à l'horrible possibilité qu'il s'éloigne et me laisse dans le vide. C'était trop angoissant, j'avais trop connu ça. Soudain, il m'a embrassée sur la bouche, tandis que les invités continuaient de parler et de rire dans le salon sans nous, sans se douter de rien.

— Écoute, Cora, je te jure, ça n'est pas la peine..., dis-je tandis qu'elle se garait dans le centre commercial.

— Si ! répliqua-t-elle en coupant le moteur. À situation désespérée, moyens désespérés !

— Je suis d'accord, mais je ne suis pas désespérée !

Elle descendait déjà de voiture. J'ai soupiré, je suis descendue à mon tour et je l'ai rejointe. Cora a bien replacé la lanière de son sac sur son épaule, sans doute sa façon de se préparer à la bataille du shopping.

— Pour commencer, je t'ai donné de l'argent pour t'acheter des vêtements, et tu as acheté quatre bricoles !

— Non, sept.

— De plus, continua-t-elle, pour Noël, je t'ai offert des bons cadeaux, mais tu ne les as pas utilisés.

— Parce que je n'ai besoin de rien !

— Tu m'obliges donc à t'emmener faire du shopping de force !

Elle a soupiré et a fait glisser ses lunettes de soleil sur son nez.

— La plupart des filles de ton âge sauteraient de joie ! J'ai une carte de crédit, nous sommes au centre commercial et je veux t'acheter des vêtements ! C'est l'équivalent du nirvana chez l'ado lambda !

— Je ne suis donc pas une ado lambda, dis-je alors que nous dépassions deux mères avec leur poussette en nous rapprochant de l'entrée du centre commercial.

— Bien sûr que non, je plaisante. Écoute, je sais, c'est bizarre pour toi, mais nous avons de l'argent, et Jamie et moi, nous tenons à t'acheter des vêtements.

— Ça n'est pas que bizarre, c'est complètement inutile.

— Tu sais, reprit-elle alors que les portes vitrées de Esther Prine, le grand magasin chicos, s'ouvraient devant nous, tu dois apprendre à recevoir, c'est la vie. Cela ne fait pas pour autant de toi quelqu'un de faible ou d'impuissant, et tant pis si c'est ce que maman ressentait quand on lui donnait quelque chose.

Son discours ressemblait comme deux gouttes d'eau à celui que j'avais entendu pendant ma première (et j'espérais bien, ma dernière) séance de thérapie, quelques semaines plus tôt. J'ai donc préféré ne pas répondre, et je suis entrée. Comme chaque fois que je venais ici, j'ai été aveuglée par le carrelage blanc de chez blanc et les bijoux trop brillants sur les présentoirs. Sur la gauche, près des escalators, un mec en smoking jouait du Pachelbel. J'avais toujours du mal à parler de maman, mais dans cet endroit luxe, c'était carrément surréaliste !

— Ça n'a rien à voir avec maman, dis-je enfin à Cora qui me faisait signe de la suivre au deuxième étage. Enfin, pas seulement. C'est un gros changement, tu sais. Je n'ai pas l'habitude... Nous n'avions pas grand-chose, pendant toutes ces années.

— Je sais. Mais j'aimerais que tu comprennes que maman aussi avait le choix... Elle aurait pu vous rendre la vie moins difficile.

— En restant en contact avec toi par exemple ?

— Par exemple.

Puis elle a toussoté et regardé vers le rayon des cosmétiques tandis que nous montions toujours.

— Mais pas seulement, reprit-elle. Elle aurait aussi pu accepter l'argent de papa, mais elle a refusé. Elle était trop obstinée et trop en colère contre lui.

— Qu'est-ce que tu me racontes encore ? J'ai toujours pensé que papa ne lui avait jamais donné un sou ! Qu'il n'avait pas voulu assumer ses responsabilités et qu'il avait disparu dans la nature !

Nous arrivions tout en haut, et je la suivis vers le rayon de vêtements juniors.

— C'est peut-être ce qui s'est passé, plus tard, une fois que papa a déménagé dans l'Illinois. Mais au début, il a fait de son mieux. Je m'en souviens très bien.

Je n'aurais pas dû être surprise. Après tout, je savais désormais que maman avait eu des tonnes de petits secrets et qu'elle avait bidouillé son histoire et la mienne. Cora n'avait jamais coupé les ponts, comme je l'avais cru, alors pourquoi mon père aurait-il été un parfait salaud ? Et soudain, j'ai songé à autre chose. À un truc qui n'avait rien à voir avec le petit monde parfait de Esther Prine. Tant pis. Je devais absolument poser la question.

— Cora, tu sais où est papa ? dis-je alors qu'elle s'approchait d'une table où étaient pliés des pulls.

Silence. J'ai eu le vertige. Je vis ma vie changer de nouveau, se déformer et devenir encore différente.

— Non. J'ai souvent voulu faire des recherches, parce que Jamie insistait. Il disait que ça serait facile, mais j'ai refusé. Par peur sans doute, dit-elle doucement alors qu'une vendeuse s'approchait avec un portant de robes légères.

Je comprenais bien. Pourquoi quitter la sécurité pour monter d'un cran vers des zones dangereuses, puis de plus en plus nébuleuses, pour se retrouver dans l'inconnu plus grand que le vide et la peur ?

— On ne sait jamais..., reprit-elle, peut-être que nous devrions le rechercher ensemble. L'union fait la force, non ?

— Peut-être...

Elle m'a souri, un peu hésitante, et a examiné les pulls.

— Au boulot, maintenant ! Nous ne partirons pas d'ici tant que tu n'auras pas au moins deux tenues. Et une veste. Et des chaussures.

— Cora, écoute...

— Je ne veux plus rien entendre !

Elle a bien remis son sac sur son épaule et a disparu entre deux portants de jeans du rayon junior. Au bout d'un moment, je n'ai plus vu que sa tête au-dessus des rayons, son visage concentré et décidé, parfois reflété par un miroir. Je suis restée dans l'allée centrale, tandis que la vendeuse passait et repassait en me souriant. Après, j'ai cherché Cora des yeux. Elle avait disparu, alors je n'ai pas eu le choix : je suis partie à sa recherche.

Chapitre 14

— Ouah ! me dit Ben, tu es craquante !

Exactement le genre de réaction que j'avais espéré éviter, surtout que Cora m'avait juré un millier de fois que mes nouveaux vêtements ne faisaient pas neuf du tout. Faux.

— Bah, c'est juste une veste...

Je mis ma ceinture de sécurité en tournant les yeux sur Gervais qui m'observait.

— Quoi ?

Il s'est tassé sur son siège comme un petit vieux.

— Rien.

J'ai soupiré, secoué la tête et regardé Ben qui souriait toujours.

— Alors ? En quel honneur cette transformation ? Un rendez-vous pour la Saint-Valentin, peut-être ?

— Pas du tout !

Il a ri, puis démarré et nous avons pris la route. Lorsque nous nous sommes arrêtés au stop du bout de la rue, il a posé sa main sur mon genou.

On était en février, et cela faisait un bon mois que Ben et moi, on sortait ensemble, avec tout ce que cela entraînait, et j'étais heureuse. Enfin, je l'étais les trois quarts du temps, parce qu'il y avait toujours le problème de son père, cette partie de sa vie que Ben gardait secrète. C'était mon seul souci, et il comptait pour cent. Comme quoi, on n'est jamais content de ce qu'on a...

La Saint-Valentin, c'était demain. J'aurais dû être contente d'avoir un petit ami, à un moment de l'année où ne pas en avoir, c'était presque une monstruosité. Mais même si je savais que Ben avait de grands projets, précis, terriblement mystérieux et en cours de réalisation pour la soirée du 14 février, je n'arrivais pas à me détendre et à être légère comme une bulle de champagne. Pour la Saint-Valentin, Destress Sans Stress faisait en effet une promotion : livraison de paniers cadeaux et de fleurs à ses clients. Et ces derniers trop contents avaient sauté sur l'occasion ! Résultat : le carnet de commandes de Destress était complet pour la Saint-Valentin, exactement comme il l'avait été pour Thanksgiving, et je n'avais pas oublié que Thanksgiving avait très mal tourné pour Ben.

Hier, je lui en avais reparlé, justement. Le soir, Ben et moi, on se donnait en effet souvent rendez-vous au bord de la mare, entre nos devoirs et nos jobs. Même si ça n'était pas pour longtemps, c'était mieux que rien.

— T'inquiète, tout ira bien ! me dit Ben. Je livrerai les fleurs et les paniers cadeaux dans l'après-midi, j'aurai fini vers sept heures, ce qui nous laissera tout le temps de faire ce que j'ai prévu.

— Quoi ?

— Tu verras bien !

Puis il a posé ses mains sur mes joues et dégagé mon visage. Derrière lui, je voyais les lumières de la piscine danser comme des flammes sur la barrière. Et lorsqu'il m'a embrassée sur la tempe, je suis restée distraite. Je savais qu'il aurait dû être chez lui, à préparer les paniers cadeaux. Parce que son père pouvait découvrir d'une minute à l'autre qu'il avait disparu. Ben sentit que j'étais ailleurs, car il recula.

— Il y a un problème ?

— Non, rien.

— Tu as un drôle d'air.

— Mais non.

— Écoute, si cela concerne mon cadeau, ne te fais surtout pas de souci ! Je ne m'attends pas à un truc carrément phénoménal. Juste génial !

Je ne répondis pas. Je regrettais à mort d'avoir avoué à Olivia, dans un moment de mollesse, que je stressais parce que je voulais trouver à Ben le plus beau cadeau de la Saint-Valentin. Évidemment, Olivia l'avait tout de suite répété à Ben. Merci, Olivia. Cela dit, comme j'avais raté Noël, je désirais vraiment lui offrir quelque chose de bien pour la fête des amoureux. Ou, comme il disait, un truc « carrément phénoménal ».

— Ça n'est pas ça.

— Alors, c'est quoi ?

Je haussai les épaules et fixai sa maison au bord de la piscine. Au bout d'un moment, il s'est détourné pour regarder dans la même direction. Quand son regard revint sur moi, j'ai vu qu'il avait compris.

— Tout va bien, d'accord ? me dit-il. Je suis dans les temps, pour demain. Et pour l'instant, je suis tout à toi.

C'était là le problème. Je n'avais jamais l'impression d'avoir Ben tout à moi, même lorsque nous étions au bord de la mare, assis l'un contre l'autre, ou dans la voiture le matin, avec sa main sur mon genou. Je n'avais qu'une moitié de Ben, et l'autre me manquait terriblement. Le plus troublant, c'est que je n'avais jamais été possessive, avant lui. Ça ne m'avait jamais gênée d'avoir des moitiés de relation avec les mecs. Avec Marshall surtout.

Dès qu'on s'est garés dans le parking de Perkins, Gervais a sauté de la voiture et a couru vers le lycée. Après, Ben m'a embrassée.

— Tu es mignonne comme tout... Alors qu'est-ce qui t'a fait craquer et utiliser tes bons cadeaux pour faire du shopping ?

— Cora. Elle m'a enlevée et conduite de force chez Esther Prine. Impossible de résister.

— La plupart des filles que je connais auraient été trop contentes.

Je reculai et secouai la tête.

— C'est ce que tout le monde répète, je ne comprends pas pourquoi. Ça n'est pas parce que je suis une fille que j'ai envie de dépenser cent quatre-vingts dollars pour un jean !

Ben s'écarta de moi et leva les mains en l'air.

— Ne t'emballe pas ! C'était juste une remarque !

— Pas besoin.

Je baissai les yeux sur mes genoux, enfin... sur mon jean à cent quatre-vingts dollars. Et je ne vous parle pas des chaussures (en daim, même pas en solde), de mon blouson (en cuir souple, marque inconnue). C'était moi cette fashion victim dans cette école de riches, qui avait un petit ami, un vrai gentil, et qui s'inquiétait parce qu'il lui cachait une moitié de sa vie ? J'avais été lobotomisée ou quoi ?

Ben me regardait toujours sans rien dire.

— Désolée, dis-je pour finir. Je ne sais pas comment dire... Je suis dépassée en ce moment...

— Dépassée ?

J'aurais dû être franche. Lui dire que je m'en faisais pour lui. Avoir le courage de lâcher prise une bonne fois pour toutes et de cracher le morceau. Je n'arrêtais pas d'y penser, de gamberger et d'hésiter, mais je n'arrivais jamais à parler.

— Et puis, il y a le problème de ton cadeau, ajoutai-je en pressant mon genou contre le sien.

— Mon cadeau.

Je soupirai et hochai la tête.

— Si tu savais. C'est énorme. Grandiose. La vérité, ça me dépasse complètement !

— Ah ?

— J'aurai de la chance si tout est en place ce soir. Honnêtement.

— Je suis très intrigué.

— J'espère bien !

Il sourit, passa la main sur mon blouson.

— Très belle, cette veste... Et dessous, c'est comment ?

— Dessous...

Il a posé sa main sur mon épaule, puis l'a glissée sous mon blouson.

— C'est pas mal non plus, dis-je.

— Ah oui ? Laisse-moi regarder.

Il a passé l'autre main sous ma manche. Ah là là, les mecs.

— Pas mal du tout... J'aime bien ton petit pull aussi. C'est quelle marque ?

— Aucune idée, répondis-je.

Je sentis sa main remonter sur ma taille, puis le long de mon dos jusqu'à l'étiquette.

— Lanoler, lut-il lentement en se rapprochant si près que j'ai senti ses lèvres sur ma nuque. Belle qualité... Mais c'est difficile à dire. Peut-être que si je...

J'ai regardé par la vitre de la portière. Les autres du lycée traversaient la pelouse, avec un gobelet de café à la main.

— Non ! Ça va bientôt sonner.

— Tu es bien consciencieuse, c'est nouveau ?

Sa voix était étouffée parce qu'il essayait de soulever mon pull.

Je soupirai et regardai l'horloge sur le tableau de bord. Dans cinq minutes, on serait en retard. On n'avait pas le temps qu'on voulait ; ça aussi, c'était trop demander ?

— Bon, d'accord, je suis tout à toi, dis-je alors qu'il continuait de m'embrasser dans le cou et remontait vers mon oreille.

Quand je suis rentrée à la maison, dans l'après-midi, Jamie était dans la cuisine et travaillait sur son ordinateur. En m'entendant, il a fait un bond incroyable et s'est jeté sur le pain de mie comme s'il n'avait pas mangé depuis trois jours.

— Qu'est-ce que tu as ? demandai-je, étonnée.

Il a poussé un énorme soupir.

— Tu m'as fait une de ces peurs, je croyais que c'était Cora ! dit-il en reposant le pain de mie. J'ai trop bien bossé pour qu'elle découvre tout maintenant !

La table était couverte de CD, certains dans leurs boîtiers, d'autres éparpillés.

— C'est quoi ? Ton cadeau de la Saint-Valentin ?

— L'un de mes cadeaux, précisa-t-il en sortant un CD de son boîtier. Ce sera la troisième ou la quatrième vague de la journée.

— *Vague ?*

Il glissa son CD dans son ordinateur.

— C'est ma technique spéciale Saint-Valentin !

Après un bourdonnement, l'écran s'anima.

— Je m'explique : j'offre des cadeaux tout au long de la journée. Je commence par quelque chose de modeste, des fleurs, des chocolats, et pourquoi pas des ballons. Les CD viendront ensuite, et après, ce sera l'apothéose avec un dîner aux chandelles... Je mets la dernière main aux préparatifs !

— Je vois.

Je m'assis en face de lui et prit un CD de Bob Dylan.

— Il y a un problème ? demanda Jamie. Ne me dis pas que tu n'aimes pas la Saint-Valentin ? Tout le monde adore la Saint-Valentin !

J'allais répondre que non, c'était faux, mais comme il avait dit exactement la même chose pour Thanksgiving, Noël et le Nouvel An, j'ai pensé que ça serait dommage de lui faire de la peine.

— Je suis un peu à la bourre... Je dois trouver un cadeau pour demain.

— Pour Ben, dit-il en pianotant sur son ordi.

De surprise je n'ai pas répondu.

— Ruby, par pitié, on n'est pas complètement aveugles ! Presque toutes les fenêtres de la maison donnent sur le jardin, par conséquent sur la mare. Même la nuit au cas où tu ne l'aurais pas remarqué !

Je me sentis bête tandis que je tournais et retournais le boîtier du CD entre mes mains.

— Pour Ben, oui... Je veux que ça soit un cadeau sublime, mais je n'ai pas trouvé le début d'une idée.

— C'est parce que tu y penses trop. Les meilleurs cadeaux viennent du fond du cœur, pas d'un magasin !

— Bien dit de la part d'un homme qui achète des cadeaux par vagues !

— J'ai acheté les CD, mais l'idée, elle me vient du fond du cœur !

— Et c'est quoi l'idée ?

— Faire une compilation des chansons préférées de Cora sur un même CD, expliqua-t-il, très content de lui. Je te jure que ça n'a pas été facile ! J'en ai fait la liste, et je les ai trouvées en ligne, sur Internet, ou dans des magasins de disques. Pour celles que je ne connaissais pas, ou introuvables, j'ai dû faire appel à un gars que l'un de mes employés connaît, grâce à son cours de Gestion du Stress. Un dingue de musique. Mais finalement, j'ai tout ! *Precious Time, Frankie and Johnny, Don't Think Twice, It's All Right...*

— ... Angels from Montgomery, dis-je avec calme.

— Exactement !

Il souriait.

— Mais au fait, tu pourrais m'aider ? Regarde ma liste et dis-moi s'il manque quelque chose ?

Il l'a fait glisser sur la table. J'ai tout de suite reconnu les titres des chansons, écrits en gras, que maman nous chantait quand on était petites.

— Je crois que tout est là.

— Splendide.

Il a pressé sur son clavier pour éjecter le CD pendant que je me levais.

— Tu vas où ?

— Faire des courses, dis-je en mettant mon sac à l'épaule. Je dois trouver un truc carrément phénoménal.

— Tu réussiras. Souviens-toi, laisse parler ton cœur ! À partir de là, ça ira tout seul.

Je n'en étais pas si sûre, surtout quand j'arrivai au centre commercial où je vis des cœurs rouges partout, sur des ballons, sous forme de gâteaux, de chocolats fourrés à je ne sais quoi, ou dans les bras de nounours en peluche tout doux. Après avoir galéré dans une douzaine de magasins, je n'avais toujours pas eu de révélation.

— Moi, je pense que cette fête est débile, manipulée par les fabricants de cartes qui inondent le marché de vœux à la con ! me dit Harriet lorsque, une heure plus tard, complètement à plat, je m'asseyais sur le tabouret de la caisse pour me reposer. Si tu aimes vraiment quelqu'un, tu dois le lui montrer tous les jours, pas seulement le 14 février, un point c'est tout.

— Ça ne t'a pas empêchée de faire un prix spécial Saint-Valentin sur les bracelets et les bagues coordonnés ! lui fit remarquer Reggie de son kiosque.

— Parce que je suis aussi une femme d'affaires ! Aussi longtemps qu'il y aura des fêtes, il y aura du mercantilisme et je compte bien en profiter !

Reggie leva les yeux au ciel et se remit à empiler ses flacons de multivitamines.

— Je veux juste trouver un cadeau sympa, qui a un sens..., dis-je.

— Essaie de penser à autre chose et l'inspiration viendra, dit-elle en rangeant des boucles d'oreilles.

— Il me reste environ vingt-six heures pour la trouver, dis-je après un coup d'œil à ma montre. C'est peu.

— J'ai une idée ! Pourquoi pas des macarons, comme ceux que tu m'as offerts à Noël ? Tu ne peux pas te tromper ! dit-elle après avoir bu une gorgée de café.

Je n'ai pas acheté de macarons, mais une stupide carte cadeau au PLUG, le magasin de musique. C'était encore plus pathétique que des macarons... Ça n'était pas du tout phénoménal, à peine montrable. Tandis que je quittais le centre commercial, déprimée, j'espérais que Harriet aurait raison et que j'aurais une idée de génie avant la soirée du 14 février. Avant demain soir.

Mais le lendemain, je n'avais toujours rien trouvé. Du coup, ça a été cruel de voir la première vague de cadeaux de Jamie au petit déj' : quatre douzaines de roses multicolores dans des vases garnis d'un gros ruban blanc, partout, dans toute la cuisine. Cora lisait la carte de l'un des bouquets, rouge comme une tomate, tandis que je me servais une banale tasse de café.

— Il en fait toujours trop pour la Saint-Valentin..., dit-elle, toute chose quand même, en rangeant sa carte dans son sac. La première année de notre mariage, il m'a acheté une voiture...

— Vraiment ?

— Oui. Je ne savais plus quoi dire.

Elle soupira et prit sa tasse.

— C'était adorable, mais j'étais mal. Moi, je n'avais qu'une petite carte de rien du tout...

Exactement ce que j'avais pour Ben.

— Bon... Je dois y aller..., dis-je.

Tandis que je me dirigeais vers la voiture de Ben, dix minutes plus tard, je m'ordonnai d'arrêter de penser à cette connerie de Saint-Valentin. Ça aurait dû être facile, ça a été complètement impossible. Parce que, lorsque j'ai ouvert la portière, je me suis retrouvée nez à nez avec un énorme panier de sucreries et de fleurs surmonté d'un ballon qui flottait comme un nuage au-dessus.

— Désolé..., dit Ben, de derrière le ballon, on est un peu à l'étroit ce matin. Cela ne t'ennuierait pas de mettre ce panier cadeau sur tes genoux ?

J'ai pris le panier, je suis montée et j'ai refermé la portière. Aussitôt, l'odeur des roses est devenue plus forte. J'ai vite compris pourquoi. La banquette arrière disparaissait sous des paniers de friandises et de fleurs, de toutes les tailles, alignés sur trois rangées.

— Où est Gervais ?

— Là !

Sa voix était étouffée. Il respirait fort. Tout à coup, son visage apparut entre les roses.

— Je crois bien que je fais une réaction allergique...

— Ça ne va plus être long maintenant, le rassura Ben en ouvrant la vitre de sa portière.

Il prenait la route lorsque son portable a sonné et vibré sur le tableau de bord. De derrière mes fleurs, je vis Ben le prendre.

— Oui, dit-il en ralentissant aux feux. Eh bien... en route pour le lycée, je commencerai donc la livraison dans dix minutes... D'abord Lakeview, puis les bureaux... Oui. D'accord. À plus.

— Tu ne vas pas en cours aujourd'hui ? demandai-je lorsqu'il a eu raccroché.

Il referma son portable.

— Non. Trop de boulot. Mon père a vu grand, avec son spécial Saint-Valentin. Résultat : on est à la bourre. On aura de la chance si on finit ce soir, et en s'y mettant les deux à fond !

— Ah. Vraiment...

— T'inquiète, on aura tout le temps pour nous, ce soir ! me dit-il alors que son portable sonnait de nouveau.

Ma pire angoisse, ça n'était pas l'idée de manquer notre soirée ensemble. Mais en avait-il la moindre idée ? Difficile à dire... Il parlait encore avec son père en se garant devant Perkins Day. Gervais et moi, on s'est extraits des roses et de la voiture. Alors que Gervais filait en éternuant, je reposai le panier cadeau sur mon siège et j'ai attendu devant la portière grande ouverte. Mais Ben raccrochait à peine qu'il passait déjà une vitesse pour repartir.

— Excuse, il faut vraiment que je file ! me cria-t-il par-dessus les fleurs et le ballon. Mais à ce soir, d'accord ? À sept heures au bord de la mare ! Surtout, ne sois pas en retard !

Pas de souci. Je refermai la portière tandis qu'il collait de nouveau son portable à l'oreille. Puis il s'est éloigné, et je n'ai plus vu bientôt que les ballons derrière le pare-brise arrière. On aurait dit qu'ils dansaient.

Jamie et Cora dînaient en ville, sans aucun doute au milieu d'une énième vague de cadeaux, peut-être le tsunami final. J'étais toute seule à la cuisine avec ma carte à la con lorsque l'horloge au-dessus de la gazinière a sonné sept heures.

Je me levai, mis ma carte dans ma poche et sortis en passant ma main dans mes cheveux pour me recoiffer. Roscoe se leva de son panier et m'a suivie tranquillou. Dehors il faisait froid à mourir. Je regardai les lumières de la piscine et la maison de Ben.

Je ne sais pas si c'était un mauvais pressentiment, ou la conclusion logique et inévitable d'une situation impossible, mais j'ai su, avant même d'avoir poireauté un bon quart d'heure au bord de la mare, que quelque chose clochait. J'ai compris que ça dérapait avant que je ne sente plus mes doigts, pourtant bien à l'abri dans les poches de mon nouveau blouson. Avant que Roscoe me lâche pour rentrer à la maison où il faisait bien plus chaud. Avant que d'autres lumières s'allument, illuminant les arbres une seconde à peine, puis s'éteignent pour me laisser toute seule dans le noir glacial.

Il était huit heures et quart lorsque Cora a passé la tête par la porte pour regarder dans le jardin, la main au-dessus des yeux.

— Ça va ? Il fait un froid de canard...

— Comment était votre dîner en amoureux ?

— Fantastique !

Derrière elle, Jamie entrait dans la cuisine avec une jolie petite boîte en forme de cygne qui devait renfermer les restes de leur dîner.

— Tu devrais écouter le CD qu'il m'a fait ! C'est...

— J'arrive, coupai-je. Dans une seconde.

— N'attends pas trop longtemps, Ruby.

Mais j'avais déjà trop attendu. Pas seulement une heure et quinze minutes, mais depuis Thanksgiving. C'est à ce moment-là que j'aurais dû dire à Ben que je ne pouvais pas rester sans agir et continuer à me faire un sang d'encre pour lui. Mais j'avais laissé passer novembre, puis décembre et janvier, je n'avais pas voulu écouter mon instinct. Et maintenant que j'étais assise toute seule au bord de la mare dans cette nuit de février, je regrettais de vivre ce sale moment. C'était ma faute, je l'avais bien cherché.

Je suis rentrée et j'ai essayé de me changer les idées en faisant mes devoirs et en regardant la télé, mais je n'arrêtais pas de regarder la maison de Ben et sa fenêtre que je voyais si bien de ma chambre. Derrière le store, je l'ai vu faire les cent pas. Au bout d'un moment, il s'est arrêté et je me suis demandé si je n'avais pas rêvé.

Le téléphone a sonné une bonne heure plus tard. Jamie et Cora étaient en bas et mangeaient les chocolats de la vague n° 2 en écoutant la compile. J'entendais leurs voix et la musique. Je ne me suis même pas dérangée pour regarder l'écran du téléphone à côté de mon lit.

Quand Jamie a appelé d'en bas pour dire que c'était pour moi, j'ai hésité, puis j'ai décroché.

— Je sais que tu es super en colère, me dit Ben, mais rendez-vous tout de suite au bord de la mare, d'accord ?

Je ne répondis pas, qu'est-ce que ça pouvait bien faire ? De toute façon, il avait déjà raccroché.

J'ai entendu Billie Holiday chanter pendant que je

descendais, sortais de nouveau dans le jardin et revenais auprès de la mare. L'herbe était raide de gel, méchante comme mille couteaux. Cette fois, je ne m'assis pas, je croisai les bras tandis que Ben sortait de l'ombre, une main derrière le dos et un grand sourire sur les lèvres.

— Excuse, j'ai deux heures de retard, et ça n'est pas la surprise que j'avais promis..., dit-il en s'approchant. Mais aujourd'hui, ça a vraiment été la folie ! Je viens juste de rentrer à la maison. Je te jure que je vais me racheter !

Nous étions dans la nuit, entre les lumières de sa maison et celles de Cora, c'était donc difficile de bien voir son visage. Mais quand même, je savais que ça n'allait pas. Il était trop nerveux, trop brusque.

— Tu étais à la maison, j'ai vu la lumière chez toi, tout à l'heure, dis-je.

— C'est vrai, mais on avait encore un tas de trucs à faire, répondit-il sans hésiter. Je devais ranger et mettre les comptes à jour. Et puis, il fallait que j'emballe ton cadeau...

Il sortit sa main de derrière son dos et il m'a tendu une petite boîte avec un ruban.

— Ben...

— Prends ! Tu me pardonneras peut-être...

Je pris la boîte, mais je ne l'ouvris pas. Je m'assis sur le banc et la posai sur mes genoux. Quand il est venu à côté de moi, j'ai vu une marque rouge sur son cou.

— Je sais que tu es rentré depuis déjà deux heures, lui dis-je rapidement. Qu'est-ce qui s'est passé ?

Il a posé une jambe sur le banc pour me faire face.

— Rien. Rien du tout. Allez, il nous reste encore deux heures pour fêter la Saint-Valentin ! Alors, ouvre ton cadeau et profitons-en !

— Je n'en veux pas, de ton cadeau ! Je veux que tu me dises ce qui s'est passé ce soir ! dis-je d'une voix agressive.

— J'ai été retenu par mon père, c'est tout.

— C'est tout !

— Mais qu'est-ce que tu veux que je te dise encore ?

— Tu ne comprends pas ? J'ai angoissé comme une malade ! J'ai passé la soirée à regarder ta maison et à me demander si tout allait bien !

— Tout va bien ! Je suis là, maintenant. Avec toi. Pour la Saint-Valentin, et j'en ai rêvé pendant toute la journée. Et je préférerais parler d'autre chose que de mon père.

Je secouai la tête en fixant la mare.

— De mon cadeau, par exemple, reprit-il.

Il s'est penché sur moi et m'a cernée en posant ses mains, l'une à ma droite, l'autre à ma gauche.

— Il paraît qu'il est carrément phénoménal.

— C'est faux. C'est une carte de vœux à la con.

Il a reculé, clairement refroidi.

— Bon, d'accord. On arrête de parler, ça vaut mieux...

Il s'est rapproché. J'ai senti sa bouche sur mon oreille, puis dans mon cou. Normalement, quand on s'embrassait, j'oubliais tout. Il était si proche que je ne pensais plus aux moments où il était absent.

Mais pas ce soir. J'ai reculé et tendu les bras pour qu'il s'éloigne.

— Arrête !

— Qu'est-ce qui se passe ?

— Ce qui se passe ? C'est trop facile de te pointer comme si de rien n'était, de me dire que tout baigne et de m'embrasser !

— Tu ne veux pas que je t'embrasse ?

— Je te dis seulement que tu ne peux pas m'embrasser et refuser de me parler de ce qui se passe dans ta vie ! Tu ne peux pas agir comme si tu tenais à moi et m'empêcher de te faire du bien.

— Ça n'est pas ce que je fais.

— Mais si.

Il a détourné les yeux et secoué la tête.

— Je t'explique dans les grandes lignes, continuai-je. La première fois qu'on s'est rencontrés, tu m'as sauvé la mise. Après, tu es venu me chercher dans la clairière près de Jackson.

— C'était différent.

— Pourquoi ? Parce que c'était moi et pas toi ? Tu penses que tu n'as besoin de personne et que tu es le meilleur, parce que tu es gentil avec tout le monde ?

— Pas du tout.

— Ça ne te dérange pas que ton père te hurle dessus et te frappe ?

— Ce qui se passe entre mon père et moi ne te regarde pas. Ce sont des histoires de famille.

— Comme ma vie dans ce taudis que tu as vu ! Tu m'aurais laissée là-bas si je te l'avais demandé ? Ou dans la clairière, le jour où j'étais défoncée et bourrée ?

Il allait répondre mais il a poussé un très gros soupir. Touché, me dis-je. Pas trop tôt...

— Je ne comprends pas pourquoi c'est toujours lié..., reprit-il.

— Qu'est-ce qui est toujours lié ?

— Mon père et moi. Les autres et moi.

Il a secoué la tête.

— Ça n'est pas la même chose. Pas du tout.

Silence. Son « toujours » m'avait fait tilter. Je me suis rappelé ma conversation avec Heather à l'aquarium. Lorsque je lui avais dit qu'un ami de plus ou de moins, ça ne faisait pas la différence, elle m'avait répondu qu'avec Ben on ne savait jamais. Je me suis aussi souvenue de la tristesse de Ben, le matin quand il la regardait arriver au lycée. Et enfin de toutes les rumeurs sur leur rupture. Sans aucun doute fausses.

— C'est à cause de ça que toi et Heather vous avez rompu ? continuai-je en détachant bien mes mots. Ça n'est pas qu'elle ne supportait pas la violence de ton père, mais parce que tu refusais que les autres t'aident et te fassent du bien ?

Ben a fixé ses mains sans répondre. Et dire que je pensais que Heather et moi, on n'était pas pareilles...

— Il faut que tu parles de ta situation à quelqu'un. À ta mère ou...

— Impossible. Tu devrais pourtant me comprendre, non ?

Exactement ce qu'il m'avait dit à Thanksgiving. À l'époque, j'avais dit oui, mais cette fois, je devais dire non. Ben pensait peut-être que la violence de son père n'avait aucune conséquence sur sa vie, il se trompait gravement. Je le savais bien, parce que ma mère vivait toujours en moi, même si elle habitait ailleurs, je ne sais où. J'avais les mêmes peurs que maman et les mêmes réactions de fuite. La preuve, je n'avais pas voulu me mouiller, la première fois que Ben m'avait posé sa question.

Avant de répondre, j'ai posé ma main sur sa poitrine, près du cou, là où j'avais vu la marque rouge sur sa peau, tout à l'heure. Il a fermé les yeux et s'est laissé aller contre ma paume. Sa peau était toute tiède lorsque j'ai écarté sa chemise doucement, parce que j'avais un pressentiment, une intuition, appelez ça comme vous voulez. J'ai tout de suite vu des marques roses, rouges, avec des dégradés : un énorme bleu se formait déjà.

— Oh, Ben, Ben...

Il s'est rapproché, il a posé sa main sur la mienne et l'a serrée. Puis il m'a de nouveau embrassée, tout à coup, avec passion, comme s'il voulait oublier mes derniers mots et le reste. C'était si fou, si bon, que j'ai failli moi aussi oublier pourquoi on s'embrassait tellement fort. Mais je l'ai repoussé.

— Non !

Il est resté immobile, sa bouche près de la mienne. Comme s'il espérait encore. Mais j'ai secoué la tête.

— Je ne peux pas.

— Ruby...

Ça m'a déchirée de l'entendre parler avec cette voix, mais je ne voyais plus que son bleu par le col de sa chemise.

— Seulement si tu acceptes que je t'aide ! continuai-je. Il le faut.

Il a fait « non » et a reculé. Par-dessus son épaule, je voyais les lumières de la piscine danser comme des créatures d'un autre monde.

— Et si je refuse ?

J'avalai ma salive et je me jetai à l'eau.

— Alors casse-toi !

J'ai cru qu'il resterait, que mon « casse-toi » l'obligerait à se décider plus qu'un beau discours, mais il s'est levé, a boutonné sa chemise, et une fois de plus, il s'est buté. Retour à la case départ... J'avais envie de lui dire qu'il n'avait pas besoin d'en rajouter et de la jouer maso. Mais de quel droit ? Après tout, moi aussi j'avais refusé qu'on m'aide lorsque je galérais, et c'était il y a quelques mois à peine.

— Ben !

Il s'éloignait déjà, tête baissée. Je n'ai pas bougé, je l'ai suivi des yeux jusqu'à ce que je ne le voie plus.

Puis je me suis levée avec une boule brûlante comme un soleil au fond de la gorge. J'ai pris son cadeau sur le banc et je l'ai tourné dans tous les sens. Papier rose, joli ruban, tout pour plaire, comme si l'emballage était plus important que le cadeau à l'intérieur.

Je suis rentrée, en essayant d'avoir un air normal. Je n'avais qu'une envie, me retrouver seule dans ma chambre, mais tandis que je montais les escaliers, Cora est sortie du salon avec sa boîte de chocolats. J'entendais son CD qui jouait toujours, dans le salon. Janis Joplin cette fois.

— Est-ce que tu veux...

Elle s'est interrompue.

— Ça va, Ruby ?

J'allais dire « oui trop bien », mais je n'ai pas pu parce que je pleurais. J'ai tourné la tête et j'ai respiré un bon coup pour me calmer. Elle s'est approchée et m'a caressé les cheveux.

— Ruby.... Dis-moi ce qui ne va pas...

J'ai fait un effort pour parler et j'ai essuyé mes yeux.

— Non, rien.

— Si. Dis-moi. Parle.

Si faciles à prononcer, ces mots-là.

— Je ne sais pas..., commençai-je d'une voix peu claire qui ne ressemblait pas à ma voix de tous les jours. Comment on fait pour aider quelqu'un qui le refuse et se braque ? Qu'est-ce qu'on fait quand on ne peut plus rien faire ?

Dans le silence, j'attendis la question qui devait suivre, et qui, forcément, m'obligerait à tout déballer.

— Oh Ruby..., dit-elle seulement. Je sais que c'est dur.

Mes larmes m'empêchaient de bien la voir.

— Je...

— J'aurais dû me douter que ce CD te rappellerait le passé.... J'ai été bête... Écoute, tu ne dois pas te sentir coupable, pour maman, nous ne pouvons plus rien faire pour elle. Nous sommes ensemble et on doit s'entraider.

Maman. Évidemment. Cora pensait que je parlais de maman. Qui d'autre sinon ? Elle ne pouvait pas savoir que j'avais de nouveau un vide dans ma vie.

Ma sœur parlait toujours. Malgré les larmes, je l'entendais me jurer que tout irait bien. Je savais qu'elle y croyait de toute son âme. Mais moi, j'étais aussi sûre d'une chose : c'était plus facile de se perdre que de se trouver ou de se retrouver. Je comprenais mieux maintenant pourquoi nous cherchons toujours et pourquoi nous trouvons rarement : il y a tellement de serrures et si peu de clés.

Chapitre 15

— Comme vous le constatez, déclara Harriet en faisant un geste vers sa minuscule boutique, je travaille surtout l'argent et j'utilise des pierres fantaisie ou semi-précieuses pour la petite touche finale. Je travaille l'or, mais plus rarement, parce que l'or ne m'inspire guère.

— Je comprends, dit la journaliste en griffonnant.

Le photographe, un grand gars moustachu, reposa une chaîne avec un pendentif-clé sur le présentoir avant de prendre une nouvelle photo.

— Vous avez ouvert votre bijouterie dans ce centre commercial il y a longtemps ?

— Six ans.

La journaliste écrivait toujours. Nerveuse, Harriet regarda du côté Vitamin Me où je tenais compagnie à Reggie pendant l'interview. J'ai levé mon pouce discrètement, elle m'a fait un petit signe et s'est remise à sourire à la journaliste.

— Elle se débrouille vraiment bien ! me dit Reggie en continuant à monter sa pyramide de flacons d'oméga 3 au centre de sa pub : « Le poisson, c'est bon ! » Franchement, je me demande pourquoi elle est aussi nerveuse !

— Parce que c'est Harriet. Elle l'est toujours.

Il soupira et ajouta un nouveau flacon sur sa pile.

— C'est la caféine... Si elle arrêtait, c'est toute sa vie qui changerait, j'en suis convaincu...

Mais la vie de Harriet avait déjà changé, grâce aux Keys me (c'est le nom qu'elle avait donné à ses chaînes avec des pendentifs-clés). Depuis Noël, ses nouvelles créations se vendaient plus que le reste, à tel point que c'était devenu un événement. Des gens venaient des villes voisines, d'autres appelaient d'États plus lointains pour nous demander si nous avions une adresse mail (oui), ou un site Internet (en cours, bientôt). Lorsque Harriet n'était pas pendue au téléphone pour répondre aux questions, elle créait des clés de différentes formes et tailles et avec diverses pierres. Elle avait aussi élargi le concept de la clé aux bracelets et aux bagues. Et elle vendait toujours autant ! J'avais l'impression que toutes les filles de mon lycée portaient des Keys me. Ça me faisait bizarre.

La journaliste écrivait dans les pages mode du quotidien de la région, et Harriet s'était préparée à son interview pendant toute la semaine. En clair, elle avait créé de nouveaux bijoux et m'avait fait faire des heures sup pour que tout, dans sa miniboutique, soit plus que parfait.

La journaliste lui demanda de poser à côté du kiosque avec une Keys me incrustée de diamants fantaisie autour du cou, et en souriant pour la photo, s'il vous plaît merci.

— Regarde-la donc ! dis-je à Reggie. C'est une superstar !

— Elle l'est, déclara Reggie en continuant d'empiler ses flacons. Pas parce qu'elle est tout à coup devenue célèbre. Pour moi, Harriet a toujours été spéciale.

Il l'avait dit avec tant de naturel que ça m'a tuée.

— Tu devrais lui dire que tu l'aimes, continuai-je tandis qu'il ouvrait un nouveau carton.

— Oh, je l'ai déjà fait !

— C'est vrai ? Quand ?

— Après Noël...

Il sortit un flacon de comprimés de cartilage de requin, l'examina et le mit de côté.

— On est allés au Garfield boire un verre, un soir après le boulot. J'ai bu deux margaritas et j'ai tout déballé...

— Et ?

— Une vraie catastrophe..., dit-il en soupirant. Elle m'a dit qu'elle n'avait ni le temps ni l'espace nécessaires pour avoir une relation amoureuse en ce moment. Texto.

— Elle a dit ça ?

— Je te le jure.

Il vida son carton et le plia.

— Elle a ajouté que ses Keys me se vendaient si bien qu'elle devait se concentrer sur sa carrière, peut-être même agrandir sa boutique, et surtout, garder les pieds sur terre et ses objectifs bien en vue.

— C'est complètement nul.

— Je m'en remettrai... Je connais Harriet depuis longtemps, elle n'est pas du genre à s'attacher.

Pendant ce temps, Harriet riait et rougissait pendant que le photographe prenait encore une photo.

— Elle ne sait pas ce qu'elle manque, en tout cas, dis-je.

— C'est gentil, me dit Reggie comme si je l'avais complimenté sur sa chemise. Mais parfois, il faut se contenter de ce que les gens peuvent nous donner. Même si ça n'est pas ce qu'on veut... C'est mieux que rien, tu ne crois pas ?

J'ai dit « oui », même si je n'y croyais pas, surtout depuis ma dispute avec Ben.

J'avais voulu avoir plus d'espace ? J'avais gagné : désormais, on était séparés par le plus vaste des infinis qui pour moi s'appelait aussi le vide... Entre lui et moi, il y avait eu quelque chose, maintenant il n'y avait plus rien. Voilà c'est tout, plus rien à en dire.

Résultat, je n'allais plus au lycée avec Ben, le matin. J'avais décidé de me débrouiller seule, après quelques voyages terriblement silencieux et pesants. À la fin, j'avais repris mes vieux horaires de bus, mis mon réveil et, tant qu'à faire, décidé de me lever encore plus tôt pour assister aux cours de soutien de maths que ma prof, Mme Gooden, une vraie lève-tôt, proposait aux nuls avant le début des cours. J'avais demandé à Gervais de passer l'info à Ben. Ce qu'il avait fait. Je ne sais pas si Ben a été surpris, en tout cas il n'a rien montré. Mais c'est bien connu, il ne montrait jamais rien à personne, il était aussi secret qu'une banque suisse.

J'avais gardé son cadeau de la Saint-Valentin parce que je ne savais pas comment le lui rendre sans créer un nouveau malaise entre nous. Je l'avais d'abord posé sur ma commode, toujours enveloppé dans son papier cadeau et avec son ruban, puis je l'avais fourré dans un tiroir pour ne plus l'avoir sous les yeux. Je n'avais même pas eu envie de le déballer pour regarder ce qu'il y avait dedans. Je m'en fichais comme de ma première culotte. On n'a pas forcément envie de tout voir, tout savoir dans la vie.

Ben bossait tout le temps pour Destress. Pendant le semestre du printemps, comme la majorité des élèves de terminale – je précise : ceux qui n'avaient pas été transférés à Perkins en catastrophe pour relever des notes trop médiocres et avoir une chance de se faire admettre à l'université –, il avait un emploi du temps léger, donc pas mal de liberté pour faire des trucs sympas. Les trois quarts des terminales se la coulaient très douce sur la pelouse entre les cours, quand ils n'avaient pas pris racine au Jump Java. Pas Ben. Chaque fois que je le voyais au lycée ou dans notre quartier, il était en mouvement, chargé de cartons ou portable à l'oreille, tandis qu'il montait et descendait de voiture. Je me disais que les affaires de Destress avaient repris, mais ça me faisait doucement rigoler de le voir se décarcasser pour les autres. C'est comme s'il n'y avait eu que deux options dans la vie : ne penser qu'à soi et pas aux autres. Comme moi. Ou faire du bien seulement aux autres. Comme lui.

Je n'arrêtais pas d'y penser lorsque je passais devant les tables HELP où Heather Wainwright continuait toujours de rassembler de l'argent ou des signatures pour telle ou telle cause. Après Thanksgiving, je lui

plages. Ça n'était pas grand-chose, mais je me suis tout de suite sentie mieux.

Si je n'avais pas été capable d'aider Ben, j'avais au moins fait le bonheur d'un autre et je n'avais pas à regarder loin pour en avoir la preuve : Gervais squattait ma table et celle d'Olivia pour déjeuner avec nous tous les jours de lundi à vendredi, de 12 h 05 à 1 h 15.

— Souviens-toi de la règle des puissances ! me dit-il en me montrant mon bouquin de maths. C'est la base !

Je soupirai et fis un effort pour m'éclaircir les idées. La vérité, c'est que Gervais était un superbon prof. Je comprenais déjà des tonnes de choses que je n'avais jamais comprises, avant, même des trucs que mes cours de rattrapage du matin laissaient dans le flou. Je progressais bien mais lentement tout de même. Cela dit, au début, je m'étais demandé comment ça marcherait avec Olivia, s'il la jouerait sentimental ou amoureux fou et si elle comprendrait tout, illico, et m'en voudrait à mort. Mais ça ne posait pas le plus petit problème. Gervais était le troisième de l'équipe, désormais.

— La règle des puissances est la suivante : la dérivée d'une variable x exposant puissance n est égale au produit de l'exposant et de la variable à la puissance n-1, récita Olivia en ouvrant son portable.

Pardon ?

— Bravo ! s'exclama Gervais, ravi. Tu vois, Olivia, elle a tout compris !

Évidemment. Olivia était l'Einstein des maths, ce qu'elle ne m'avait jamais avoué, d'ailleurs. Mais maintenant que Gervais passait du temps avec nous, tous les deux planaient dans le paradis des mathématiques.

Et lorsqu'ils parlaient de la myriade d'Archimède[1], d'autres machins inexplicables qu'ils avaient en commun, dont leur passion pour le cinéma, des pour et des contre des innombrables cours proposés à l'université, j'étais carrément bluffée.

— Mais enfin, qu'est-ce qui se passe entre vous deux ? avais-je demandé à Olivia après une pause déjeuner avec Gervais.

J'avais passé mon temps à me bagarrer avec la règle des puissances, assise entre eux, avec l'impression d'être une débile finie, tandis qu'ils évoquaient en détail un film de science-fiction récent avec le making-of et les scènes coupées au montage.

— Ce qui se passe ? Rien, il est sympa ! dit-elle tandis que nous traversions la pelouse.

— La vérité : il est amoureux de toi.

— Je sais.

Elle l'avait dit avec tellement de naturel que j'ai eu un blanc.

— Tu le sais ?

— Ça crève les yeux, non ? Il était toujours au cinéma, les jours où je travaillais. Pas vraiment discret.

— Il veut être ton ami. Il m'a demandé de l'aider.

— Et tu l'as aidé ?

— Non. Mais je lui ai dit qu'il pouvait me donner des cours de maths pendant l'heure du déjeuner. Et qu'il se pourrait que tu sois dans les parages.

1. Pour compter le nombre de grains de sable nécessaires afin de remplir l'univers, Archimède a inventé un système de numération efficace basé sur les myriades, c'est-à-dire 10^4, dans l'Arénaire.

J'avais parlé vite, parce que j'avais peur de sa réaction, mais elle n'en a pas eu.

— Je le trouve sympa, dit-elle en haussant les épaules, et ça doit être dur ici pour lui, tu sais.

Je me souvins du jour où elle m'avait dit que toutes les deux, nous avions des points communs. Gervais par exemple ?

— Tu as raison.

— De plus, ajouta Olivia, il sait parfaitement qu'il ne se passera jamais rien entre nous deux.

— Tu en es certaine ?

Elle s'est arrêtée de marcher et m'a regardée comme si j'étais devenue folle.

— Quoi ? Tu as peur que je ne sois pas assez claire ?

— Mais non !

— Tu me rassures.

Elle se remit à marcher.

— Nous savons tous les deux que notre relation a des limites. C'est tacite. Et tant que ça nous convient, ça ne fait de mal à personne. C'est la base.

Comme la règle des puissances, oui.

Non seulement j'étais surprise de m'être aussi bien mise aux maths, mais je l'étais encore plus d'avoir respecté mon deal avec Jamie : j'avais en effet envoyé mes dossiers de candidature avec une étonnante confiance, à la fin du mois de janvier. Comme je savais que ma moyenne générale était faible, j'avais fait le maximum sur le reste : dissertes, appréciations des profs, etc. Au final, j'avais déposé un dossier de candidature dans trois universités : celle de Cora, pas loin d'ici, puis dans une deuxième à Slater-Kearns, plus petite, orientée vers les arts et qui était en pleine montagne, et enfin, dans une troisième, Defriese University, qui se trouvait dans le District de Columbia, donc assez loin. Mme Pureza, la conseillère d'orientation, m'avait expliqué que ces trois universités avaient la réputation de donner leur chance aux étudiants « atypiques » comme moi. J'avais donc vraiment la possibilité d'entrer en fac... Quand j'y pensais, ça me faisait peur... J'avais attendu de finir le lycée pendant toute ma vie et à présent que j'y étais presque, j'hésitais. Je ne savais pas encore si j'étais prête.

Mais il me restait encore quelques mois avant la fin de l'année scolaire. C'était tant mieux parce que je n'avais pas beaucoup avancé sur mon projet en anglais. L'autre jour, j'avais étalé toute ma doc dans ma chambre en espérant avoir une révélation : j'avais des tonnes de notes, de Post-it au mur, et dans les bouquins que j'avais utilisés pour faire mes recherches. Le soir après le dîner, ou quand je ne travaillais pas chez Harriet, je m'asseyais à mon bureau et je fouillais dans ma doc en attendant un éclair de génie.

Pas de bol, je galérais toujours dans ma nuit. Il n'y avait que la photo de famille de Jamie, que j'avais prise dans la cuisine et mise sur le mur au-dessus de mon bureau, qui me donnait la meilleure définition de la famille. Je passais des heures à la fixer et à examiner chaque visage, comme si l'un d'entre eux allait me donner la réponse à la question : *Qu'est-ce que la famille ?* Pour moi, là maintenant, à froid, c'était l'abandon par ma mère, c'était aussi Jamie et Cora que j'allais bientôt quitter. C'était peut-être un début de réponse ? Possible, mais ça n'était pas la bonne. J'en étais certaine.

J'entendis tout à coup Harriet m'appeler et je revins sur terre. Elle me faisait signe de m'approcher.

— Je vous présente mon assistante, Ruby Cooper, dit-elle à la journaliste. Elle portait une chaîne avec une clé, le jour où je l'ai embauchée. C'est ce qui m'a inspirée.

Le photographe et la journaliste fixaient ma clé, moi j'avais envie de la serrer dans ma main pour la cacher.

— Très intéressant, dit la journaliste en se remettant à écrire. Et quelle a été votre propre inspiration, Ruby ? Pourquoi avez-vous décidé de porter une clé autour de votre cou ?

Être une vedette, c'est vraiment pas mon truc.

— Je ne sais pas. J'en avais marre de la perdre tout le temps.

La journaliste nota l'information, puis lança un regard sur le photographe qui prenait toujours des photos des Keys me.

— Je pense que ça suffira, dit-elle ensuite à Harriet. Merci de votre disponibilité.

Après ils sont partis.

— Merci, Ruby, me dit Harriet. J'étais tellement nerveuse... Je n'ai pas été trop nulle au moins ?

— Mais non, tu as été extra !

— Mieux que ça : plus cool tu meurs ! renchérit Reggie.

Harriet s'assit et passa la main sur son visage.

— Ils m'ont dit que l'article paraîtrait samedi ! C'est énorme ! Vous imaginez la pub que ça va nous faire ! Je n'arriverai jamais à assurer toutes les commandes !

C'était Harriet tout craché ! Le moindre truc sympa se terminait en cata !

— Tu y arriveras ! la rassura Reggie. Tu as une bonne employée !

— Oh, je sais, dit Harriet en me souriant. C'est juste... eh bien, oui, c'est juste que toute cette histoire me submerge ! Je pense que je vais faire appel à Destress Sans Stress. Blake sera content, il n'arrête pas d'insister. Je vais faire la totale : les expéditions, la gestion des comptes sur le Web et tout le bazar !

— Tu ne pourrais pas simplement te réjouir de ce qui t'arrive, pour une fois ? lui dit Reggie. Après tout, ce sont d'excellentes nouvelles !

Moi, je comprenais Harriet. Quand la vie est tout à coup trop belle, on a peur que l'univers ne rétablisse aussi sec son bon vieil équilibre. Le bonheur attire le malheur, ce qui est perdu se retrouve, et ainsi de suite.

J'avais beau le savoir, j'ai quand même été surprise par la nouvelle que Jamie et Cora m'ont apprise, plus tard dans la soirée. Lorsque je suis rentrée, ils étaient tous les deux dans la cuisine, le téléphone entre les mains de Cora. Ils m'ont regardée en même temps et j'ai su qu'il était arrivé quelque chose.

— Ruby, c'est maman, commença Cora doucement.

Ma mère n'était pas en Floride. Elle ne faisait pas une croisière avec son Warner, ne se faisait pas bronzer et ne bossait pas non plus comme serveuse dans une crêperie sur une plage. Maman était dans une clinique de désintoxication depuis deux semaines après avoir été retrouvée inconsciente par une femme de chambre dans un hôtel du Tennessee.

Mais quand Cora a commencé à parler, j'ai tout de suite pensé qu'elle était morte. J'ai senti mon cœur s'arrêter, puis se remettre à battre au moment où j'ai compris que je m'étais fait un film d'horreur.

— Elle va bien ? prononçai-je quand elle a eu terminé son récit.

Le regard de Cora passa de Jamie à moi.

— Elle est en traitement. Elle a encore du chemin à faire avant d'être guérie. Mais oui, elle va bien.

J'aurais dû me sentir mieux, maintenant que je savais où était maman et qu'elle allait bien, mais en même temps, ça me faisait mal aux tripes de la savoir enfermée dans un hôpital.

J'ai fait un effort pour dompter ma respiration trop rapide et continuer à parler.

— Elle était seule ?

— Que veux-tu dire ? demanda Cora.

— Elle était seule lorsqu'on l'a retrouvée ?

— Oui, pourquoi ? Elle aurait dû être accompagnée ? demanda Cora.

Oui. Par moi. J'ai senti une boule enfler dans ma gorge et battre comme mon cœur.

— Non. Enfin, je veux dire, elle avait un ami, avant de partir.

Jamie et Cora ont échangé un regard. Je les ai revus m'attendre, le jour où j'étais rentrée défoncée. À ce moment-là, en voyant ma tronche dans le miroir de l'entrée, j'avais cru reconnaître ma mère toutes les fois où elle était claquée, bourrée et ultradéprimée. Jamie et Cora s'étaient fait un maximum de souci pour moi. Maman, elle, personne n'était venu la chercher pour la ramener chez elle. Je me doutais que la femme de chambre l'avait retrouvée par le plus grand des hasards.

Maman disparue était donc enfin retrouvée. C'était comme si une valise que je pensais perdue pour toujours, et prête pour un voyage que j'avais oublié, réapparaissait au beau milieu de la nuit devant chez moi. C'était une impression extrêmement bizarre, parce que j'avais l'habitude de me dire que maman était partout et nulle part, mais je savais à présent qu'elle était dans un hôpital du Tennessee. J'avais le sentiment qu'elle avait vécu dans mon imagination où je lui avais créé mille existences possibles et qu'elle revenait dans le monde réel.

— Que va-t-il se passer, maintenant ?

— Eh bien, dit Cora, le programme pour le traitement initial dure quatre-vingt-dix jours. Après, elle devra choisir la voie à suivre. Idéalement, elle devrait bénéficier d'un soutien psychologique permanent dans un établissement spécialisé, mais la décision dépend entièrement d'elle.

— Tu lui as parlé ? lui demandai-je.

— Non.

— Alors comment tu es au courant ?

— Grâce à vos derniers propriétaires. L'administration de l'hôpital ne trouvait personne à contacter, alors elle a fait des recherches, a retrouvé le nom des proprios et enfin l'assistante sociale nous a appelés.

Elle a regardé Jamie.

— Comment s'appellent-ils déjà ? Huntington ?

— Honeycutt, dis-je.

Je les imaginais bien, Alice avec son allure de lutin, Ronnie dans sa chemise écossaise. Étranger, danger ! avait dit Alice le premier jour. Pourtant, c'est grâce à eux si j'avais retrouvé Cora et ma mère. Total bizarre.

Tout à coup, j'ai eu très chaud. C'était trop, je ne pouvais plus assumer. J'ai voulu me calmer, je n'y suis pas arrivée. Je ne voyais que cette entrée nickel-propre et jolie, ce quartier trop parfait, les mille événements qui s'étaient déroulés depuis la fugue de maman, et tout ce qui avait rempli le vide qu'elle avait laissé.

— Ça va aller, Ruby, me dit Jamie. Rien ne changera. Cora ne savait même pas si elle allait t'en parler, mais...

Ma sœur était immobile, le téléphone toujours entre ses mains.

— ... mais nous avons choisi de t'en parler, reprit-elle en me regardant fixement. Cela dit, tu n'as aucune obligation envers elle. Il faut que tu en sois consciente. Ce qui va se passer entre maman et toi, du moins s'il se passe quelque chose, ne dépend que de toi, Ruby.

Nous avons ensuite découvert que ça n'était pas tout à fait vrai. Le centre de désintoxication où se trouvait ma mère – que Jamie et Cora payaient, cela, je l'ai appris bien plus tard – avait une politique très stricte pour protéger ses patients. En gros, les contacts avec des amis ou avec la famille, du moins au début, étaient interdits. Les coups de téléphone et les e-mails aussi. On pouvait toujours envoyer des lettres, mais l'équipe médicale les distribuait seulement quand elle jugeait le moment venu. « C'est pour son bien... Si elle accepte de suivre une cure de désintoxication, elle doit le décider seule, sans subir de pressions extérieures », me dit Cora après toutes ces explications.

À ce moment-là, pourtant, nous ne savions même pas si ma mère accepterait, parce qu'elle n'avait pas été hospitalisée de sa propre volonté. Une fois que l'hôpital l'a eu requinquée, la police a découvert qu'elle était poursuivie parce qu'elle avait signé des chèques en bois, alors elle a dû choisir entre la désintoxication et la taule. Elle a pris l'option désintoxication. Vraiment motivée ou pour éviter la taule ? Ça, restait à savoir, mais l'essentiel : on savait où elle était, désormais.

Jamie avait dit : « Rien ne changera. » Mais je savais que c'était faux. Maman avait toujours été mon point de repère. Quand je savais où elle était, je pouvais me situer. Durant tous ces mois où elle avait disparu, j'avais eu l'impression de flotter, sans limites ni frontières, mais maintenant qu'elle avait été retrouvée, j'attendais toujours je ne sais quoi, une certitude ? laquelle ? merde, pour atterrir. Hélas rien ne se passait. Je me sentais au contraire plus mal que jamais, écrabouillée entre ma nouvelle vie et l'ancienne.

Le pire, c'est que maman avait été retrouvée après ma rupture avec Ben. Comme si le destin me tirait la langue. C'était peut-être mon karma de n'avoir qu'un petit nombre de gens en même temps dans ma vie ? Maman revenait, Ben s'éloignait, une porte s'ouvrait, une autre se refermait. Voilà.

Les jours passèrent. J'essayais d'oublier maman, comme j'avais essayé de le faire pendant tous ces mois, mais c'était plus difficile. Pas seulement à cause du fait qu'elle avait été retrouvée, mais parce que je voyais des gens qui portaient les Keys me de Harriet au lycée, dans sa bijouterie ou dans la rue. Les clés étaient jolies et aussi brillantes que ma nouvelle existence chez Cora. Moi, je portais toujours la mienne, plus simple, plus abîmée, moins romantique, moins mode. Ça n'était pas que la clé de la maison jaune, c'était aussi celle qui ouvrait une porte au fond de mon cœur. Mais elle était restée fermée pendant si longtemps que j'avais peur de l'ouvrir : je craignais trop de voir ce qu'il y avait de l'autre côté.

Chapitre 16

— Alors, à la base, dit Olivia, tu creuses un trou, tu le remplis de flotte et ensuite tu y balances trois-quatre poissons.

— Mais non ! D'abord, tu installes une pompe d'alimentation et un filtre. Ensuite, tu garnis ton bassin de roches et de plantes, puis tu poses un filet de protection dessus, pour que les prédateurs ne bouffent pas tes poissons. Et puis, il y a le traitement de l'eau et la prévention contre les algues !

Olivia recula pour mieux voir.

— À mon avis, c'est se donner beaucoup de mal pour pas grand-chose. Surtout pour une flaque d'eau où tu ne peux même pas nager !

Olivia et moi faisions une pause après avoir bossé sur nos projets d'anglais. Je voulais la présenter à Jamie qui bricolait au bord de la mare, comme tous les samedis matin. Mais au moment où on était sorties dans le jardin, M. Cross avait appelé mon beau-frère par-dessus la barrière. Ils discutaient depuis un bon quart d'heure : M. Cross faisait la conversation pour deux parce que Jamie aurait visiblement préféré être ailleurs. Le problème, c'est qu'il n'arrivait pas à se dépatouiller du père de Ben.

— D'autant plus qu'avec un jardin aussi grand, tu pourrais avoir une mare et une piscine ! précisa Olivia en s'asseyant sur le banc.

— Exact, mais ça serait un peu beaucoup.

— Pas dans ce quartier. Tu as vu ces rochers quand nous sommes entrées ? Ma parole, on dirait Stonehenge !

Je souris. Pendant ce temps, Jamie s'éloignait après avoir fait un signe d'au revoir à M. Cross, mais il n'a pas compris, plutôt : il n'a pas voulu comprendre. Il s'est rapproché de Jamie comme un aimant, et crac, l'a relancé.

— Je crois bien que je le connais, me dit Olivia en faisant un geste vers eux.

— Ben oui, c'est le père de Ben.

— Non, je te parle de ton beau-frère ! Je te jure, je l'ai déjà vu quelque part.

— C'est lui qui a fait don du terrain de foot de Perkins.

— C'est peut-être ça...

Elle regardait toujours vers eux.

— C'est donc vrai, Ben habite là ?

— Je t'ai déjà dit que nous étions voisins.

— Oui, mais je n'avais pas compris qu'il habitait juste derrière chez toi, à quelques mètres. Votre rupture, ou bien l'impasse où vous êtes, excuse, je ne trouve pas de meilleur mot, ne doit pas arranger les choses...

— Ça n'est pas une impasse. Ni une rupture.

— Ah oui ? Vous êtes passés de « Je te vois tous les jours, on ne se quitte plus » à « Je ne te cause plus, je ne veux plus jamais te voir ». Sans raison. Je vois. Logique.

— Je n'ai pas envie d'en parler, dis-je alors que Jamie s'éloignait de M. Cross en agitant la main, l'air de dire : « À plus tard mon vieux, là je dois y aller. »

M. Cross continuait de parler, mais il ne chercha pas à coller Jamie, cette fois.

— Tu sais, c'est rare de trouver quelqu'un avec qui on s'entend vraiment bien, reprit Olivia. Il y a des tonnes de gens terriblement ennuyeux sur terre.

— Première nouvelle !

Elle m'a tiré la langue.

— Si tu veux mon avis, entre toi et Ben, ça fait de l'électricité. Alors vous devriez vous forcer un peu pour recharger les accus.

— Écoute, Olivia, c'est bien toi qui m'as dit qu'entre deux personnes, ça marchait seulement si elles connaissaient les limites de leur relation ? Ça n'est pas le cas pour Ben et moi, donc nous n'avons pas de relation.

— Fabuleux. J'aime ta façon d'expliquer sans rien expliquer.

— Non, je suis comme toi : je ne veux pas perdre mon temps avec des gens dont je me méfie.

— Tu penses que je suis comme ça ?

— C'est toi qui l'as dit.

Jamie se dirigeait vers nous, enfin libre. Il nous fit bonjour de la main.

— Jamais dit ça ! répliqua Olivia.

— Mesdemoiselles ! intervint Jamie, comme toujours très aimable, tandis qu'il s'approchait, vous admirez la mare ?

— Très joli, dit Olivia poliment, j'aime surtout le filtre.

Évidemment, Jamie sourit aux anges. Il lui tendit la main.

— Ravi de faire ta connaissance.

Puis il s'accroupit au bord de la mare et plongea la main dans l'eau, la retira et laissa glisser ses doigts sur sa surface.

— Ça y est, je sais où je vous ai déjà vu, s'exclama Olivia. Vous êtes le type de UMe !

Jamie nous regarda l'une après l'autre. Sceptique. Surpris.

— Eh bien, oui, je pense.

— Tu l'as vu sur UMe ? demandai-je.

— Ho ! hé Ruby, atterris ! Il est sur la nouvelle page d'accueil que je consulte dix millions de fois par jour !

Elle secoua la tête, stupéfaite.

— Incroyable ! Je n'arrive pas à y croire ! Ruby ne me l'a jamais dit !

— Tu le sais, on n'impressionne pas facilement Ruby, dit Jamie en se relevant.

Pas comme Olivia, qui le regardait comme s'il était sorti de la cuisse de Jupiter.

— UMe m'a sauvé la vie quand j'ai été obligée de changer de lycée, déclara-t-elle à Jamie, main sur le cœur.

— Ah oui ? demanda celui-ci, trop content.

— Carrément ! Tous les jours de midi à une heure, j'allais sur un ordi de la bibliothèque pour consulter ma page UMe et envoyer des messages à mes amis. Et, bien sûr, j'y passais la moitié de la nuit.

Elle soupira, mélancolique.

— C'était mon seul lien avec eux...

— Avec ton portable, dis-je.

— Mais je peux aussi consulter ma page UMe avec mon portable !

Puis elle regarda de nouveau Jamie :

— Super-application. Très ergonomique.

— Ah oui ? Nous avons pourtant eu quelques critiques de la part des utilisateurs.

— J'y crois pas !

Olivia agita la main.

— C'est facile ! Enfin, en gros, c'est facile, parce que le réseau d'amis, là, je vous le dis tout net, il faut le revoir complètement. Je déteste !

— Pourquoi ? demanda Jamie.

— Eh bien, pour les débutants, c'est déjà difficile de faire une recherche, alors si en plus vous avez beaucoup de profils et que vous vouliez réorganiser le fichier, il faut se bagarrer avec le menu déroulant, ce qui vous prend des plombes.

Je pensai à ma propre page UMe, que je n'avais pas consultée depuis des mois.

— Combien d'amis as-tu ? lui demandai-je.

— Environ mille.

Quoi !

— Quoi ? Je suis populaire online !

— On dirait bien.

Une fois qu'Olivia fut partie, avec un sac promotionnel UMe.com messenger, des stickers UMe et des tee-shirts UMe, je retrouvai Jamie dans la cuisine en train de faire cuire des blancs de poulet pour le dîner.

J'entrais quand le téléphone sonna. J'allais décrocher, mais Jamie a regardé sur l'écran et secoué la tête.

— Laisse le répondeur, Ruby.

J'ai regardé l'écran du téléphone. C'était M. Cross.

— Tu le filtres ?

— Oui, avoua-t-il avec un soupir, en arrosant son poulet d'huile d'olive et en secouant la poêle comme un pro. Cela me déplaît, mais il commence à être lourd, avec cette histoire d'investissement...

— Quel investissement ?

Il hésita avant de continuer.

— Tu sais, Blake, c'est un vrai marchand de tapis. Il a toujours des projets grandioses.

Je revis M. Cross en train de le harceler, tout à l'heure dans le jardin.

— Il veut s'associer avec toi ?

— Plus ou moins.

Il ouvrit le placard au-dessus de la gazinière et en sortit une grande bouteille de vinaigre.

— Il aimerait étendre l'activité de sa société et il recherche des partenaires. Mais je pense surtout qu'il est à court de fric, exactement comme la dernière fois.

Il ajouta un peu de vinaigre balsamique à son poulet, le renifla, puis en rajouta.

— Ah bon, il t'a déjà proposé de t'associer avec lui ?

Il hocha la tête et referma sa bouteille.

— Oui, l'année dernière, quelques mois après que nous avons emménagé. On l'avait invité pour l'apéritif, histoire de faire connaissance, puisque c'est l'un de nos plus proches voisins. On parlait de tout et de rien, quand, soudain, il m'a fait le récit de ses aventures, de son manque de chance confondant, dont il n'était d'ailleurs ni responsable ni coupable. Puis il m'a annoncé que, cette fois, il tenait l'idée du siècle, un projet énorme qui s'est finalement avéré être un service privé de conciergerie pour particuliers : Destress Sans Stress.

Au même instant, Roscoe sortit de la buanderie où il faisait toujours sa sieste. En nous voyant, il a bâillé, s'est dirigé vers la chatière, puis l'a franchie sans hésitation. La chatière s'est refermée avec un clac.

— Non mais, regarde-moi ça ! dit Jamie qui l'avait suivi des yeux. Comme quoi, il ne faut jamais désespérer !

— En effet, c'est impressionnant.

Nous regardâmes Roscoe qui allait dans le jardin et levait la patte contre un arbre. On était fiers comme s'il avait fait sa première dent.

— À la fin, je lui ai signé un chèque pour m'associer, reprit Jamie. Ça n'était pas grand-chose, mais quand ta sœur l'a su, elle a explosé.

— Ah oui ?

— Oh oui ! Je ne sais pas pourquoi, mais elle n'a jamais pu sentir Blake. Elle dit que c'est parce qu'il parle sans cesse de fric. Mon oncle Ronald aussi parle toujours d'argent, et elle l'adore... Alors, va comprendre...

Moi, je comprenais pourquoi Cora n'aimait pas M. Cross, même si elle ne pouvait pas l'expliquer.

— Et voilà que Blake recommence avec ses histoires. Il me harcèle avec ses nouvelles idées depuis que je lui ai demandé si on pouvait se servir de son four, pour Thanksgiving. Je biaise, mais je te jure qu'il est tenace. Il doit penser que je suis une bonne poire et qu'il peut me soutirer de l'argent facilement.

Olivia aussi avait dit qu'elle était une bonne poire, le jour où elle soutenait Laney en train de s'entraîner.

— Tu n'es pas une bonne poire, tu es sympa. Tu fais confiance aux gens, c'est tout.

— Le plus souvent, j'ai tort, dit-il alors que le téléphone se remettait à sonner.

De nouveau, CROSS s'inscrivit sur l'écran. La petite lumière du message clignotait déjà.

— Parfois j'ai de bonnes surprises. Toi par exemple..., continua Jamie.

— Tu vas donc me signer un gros chèque ?

— Tu peux toujours courir ! Mais je suis fier de toi, Ruby. Tu as fait un sacré chemin, tu reviens de loin.

Plus tard, seule dans ma chambre, j'ai repensé à cette histoire de chemin qu'il faut parcourir pour se réaliser et devenir quelqu'un. Plus on va loin, plus on a des raisons d'être fier de soi. Et le voyage le plus long commence à partir de rien. Au final, ça n'est peut-être pas le voyage qui compte, mais sa destination.

Les collégiennes, ça se déplace en bancs, comme les sardines. Et quand elles débarquent, le mieux, c'est de s'écarter pour ne pas se faire engloutir.

— Regardez, les filles ! Voilà de quoi je vous parlais ! s'exclama une petite brune habillée tout en rose, sans aucun doute la chef du groupe derrière elle. J'hallucine ! La copine de mon frère a le même avec des pierres roses. C'est trop bien !

— J'aime beaucoup celui avec des diamants, dit une blonde rondouillette, boudinée dans une espèce de pantalon en cuir. C'est le plus joli.

— C'est pas un diamant ! reprit la brune en rose alors que deux autres filles, des jumelles rousses, se dirigeaient plutôt vers les bracelets. Sinon, ça coûterait des millions de dollars.

— Ce sont de faux diamants, expliqua Harriet. Et au prix très raisonnable de vingt-cinq dollars.

— Personnellement, reprit la brunette en mettant la chaîne avec une clé décorée de pierres roses sur son pull col V, j'aime l'argent, c'est classique, et ça va bien avec mon nouveau look épuré éco-chic.

— Look éco-chic ? demandai-je.

— Respectueuse de l'environnement, OK ? Les métaux naturels, les bijoux éthiques, simples mais qui font un effet dingue ! Toutes les célébrités en ont ! Vous ne lisez pas *Vogue* ?

— Non.

Elle a haussé les épaules d'un air de dire « pauvre nulle », ôté la chaîne et fait le tour de la boutique avec ses copines. Elles se sont ensuite retrouvées devant des bagues et ont bouleversé le présentoir que j'avais mis vingt minutes à organiser.

— Elles pourraient les remettre à leur place, ou faire comme si, dis-je à Harriet.

— Laisse-les, me dit Harriet, ça n'est rien de ranger.

— Surtout si c'est moi qui range.

Elle a haussé un sourcil et pris sa tasse de café sur le comptoir.

— Toi, tu es de mauvaise humeur. C'est quoi, le problème ?

— Désolée..., dis-je alors que les filles s'éloignaient en laissant une pile de bagues sur le présentoir.

Je commençai à remettre tout en ordre.

— Ça doit être le stress.

— Je comprends, dit Harriet en s'approchant pour m'aider.

Elle remit une bague en onyx à sa place et une rouge à côté.

— C'est bientôt la fin de l'année scolaire, tu attends des réponses des universités où tu as envoyé tes dossiers de candidature, et l'avenir t'appartient. Mais ça n'est pas une raison pour être autant à cran. Tu devrais plutôt te réjouir de sortir de ta bulle pour découvrir le vaste monde !

Je cessai de m'activer et la regardai comme si je ne l'avais jamais vue, tandis qu'elle continuait de ranger, aussi calme que le dalaï-lama.

— Pardon ?

— Quoi ?

Elle n'avait pas percuté. Mon ironie lui échappait.

— Harriet ? Il s'est passé combien de temps entre l'instant où tu as voulu embaucher une vendeuse et celui ou tu m'as embauchée ?

— L'essentiel, c'est que je t'ai embauchée.

— Mais tu as mis combien de temps avant de me laisser seule dans ta boutique ?

— Je le reconnais, j'ai longtemps hésité, mais je te laisse souvent te débrouiller et je suis moins inquiète.

Souvent ? Moins ? Ma parole, elle blaguait.

— Et Reggie ?

Elle essuya ses mains sur son pantalon, puis regarda les Keys me, et remit la chaîne avec la clé rose sur le présentoir.

— Quoi, Reggie ?

— Il m'a raconté ce qui s'était passé à Noël. Qu'est-ce que tu lui as répondu quand il t'a fait sa déclaration d'amour ? Que tu n'avais ni le temps ni l'espace nécessaires pour avoir une relation en ce moment ? Sors de ta bulle, toi aussi ! Redéfinis ta conception de l'espace-temps !

— Reggie est mon ami, dit-elle en redressant un fermoir. Si nous allons plus loin et que ça ne marche pas, ça changera tout entre nous.

— Tu n'en sais rien si ça ne marchera pas.

— Je ne sais pas non plus si ça marchera.

— C'est une raison pour ne pas essayer ?

Elle m'ignora et déplaça deux bagues.

— Tu ne savais pas non plus si ça marcherait en m'embauchant ! continuai-je. Mais tu m'as embauchée quand même. Et si tu ne m'avais pas...

— J'aurais le calme dans ma boutique au lieu d'être psychanalysée ! Et je serais bien contente !

— Tu n'aurais jamais fait des Keys me, tu n'aurais jamais eu ce succès, continuai-je sans l'écouter. Et tu n'aurais pas eu la chance inouïe d'apprécier ma compagnie ni cette conversation.

Elle leva les yeux au ciel, s'assit sur son tabouret et ouvrit l'ordinateur portable qu'elle avait récemment acheté pour se connecter à son site de gestion par Internet.

— Écoute, si la vie était parfaite, je sortirais avec Reggie et nous serions heureux jusqu'à la fin des temps, dit-elle en l'allumant, mais parfois, il faut suivre ses intuitions, et la mienne me hurle que Reggie et moi, c'est non. D'accord ?

Bon. D'ailleurs, vu ce que je venais de vivre avec Ben, j'aurais mieux fait de la féliciter au lieu de la convaincre de se jeter dans les bras de Reggie.

Je me remis à ranger les bagues dans l'ordre où elles étaient avant que les gosses du collège ne passent.

— Tiens, c'est bizarre..., dit Harriet tandis que je faisais la poussière. Je suis en train de vérifier mon compte sur Internet et j'ai un petit découvert. J'ai bien des paiements en cours, mais pas autant ?

— Peut-être que ton site n'a pas été mis à jour ?

— Je n'aurais jamais dû accepter le nouveau système de paiement par Internet de Blake..., soupira Harriet. Je préfère signer mes chèques que faire des virements.

Elle décrocha le téléphone et composa un numéro.

— Répondeur... Évidemment. Tu connais le numéro de portable de Ben ?

— Non.

— Alors quand tu le verras, dis-lui que je dois lui parler.

J'allais lui dire que je ne le voyais plus, donc que je ne pouvais rien lui transmettre, mais Harriet était de nouveau sur son ordi.

Harriet n'était pas la seule à ne pas déstresser sans stress, comme je le découvris en rentrant. Cora épongeait le sol de l'entrée avec de l'essuie-tout et Roscoe, qui me faisait toujours la fête quand je rentrais du lycée, était invisible.

— C'est impossible qu'il ait pissé dans l'entrée, il utilise la chatière, maintenant, dis-je en posant mon sac à dos.

— Nous la fermons lorsque nous sommes absents, expliqua Cora en se relevant. En général, ça ne pose pas de problème, mais Ben ne s'est pas donné la peine de passer aujourd'hui.

— Tu es sûre ? Ben est très fiable, d'habitude.

— Pas aujourd'hui, c'est clair.

Bizarre. Ben était régulier comme un coucou suisse. Ça m'a inquiétée à tel point que je me suis demandé s'il ne s'était pas barré. Mais le même soir, je vis de la lumière dans sa chambre et les éclairages de la piscine. Comme d'habitude... Puis vers minuit j'ai aperçu Ben qui nageait et faisait des longueurs sans s'arrêter. Il était tout sombre sur le bleu lumineux de l'eau. Je l'ai regardé longtemps. Quand j'ai éteint la lumière, il nageait toujours.

Chapitre 17

Ce week-end, je n'aurais dû penser qu'à l'algèbre. Lundi, je devais en effet subir l'exam' qui allait décider de mon destin, de ma moyenne générale et de mon avenir. Et selon Gervais, dont la méthode avait fait ses preuves, il était temps pour moi de passer en « mode zen », comme il disait. Lorsqu'il m'avait annoncé la grande nouvelle, hier, vendredi, je n'en étais pas revenue.

— Qu'est-ce que c'est ?

— Cela fait partie de ma pédagogie, expliqua-t-il en buvant l'une de ses deux minibriques de lait chocolaté habituelles. Pour commencer, nous avons revu tout ce que tu étais censée savoir en algèbre cette année, ensuite, nous nous sommes concentrés sur tes points faibles, que nous avons révélés et que nous avons attaqués un à un. Maintenant, il est temps de passer en mode zen.

— Ce qui signifie ?

— Admettre que tu es impuissante face à ton destin, ton exam' d'algèbre et le reste. Tu dois donc oublier ce que tu as appris.

Je le regardai sans comprendre. Olivia qui vérifiait sa page UMe sur son portable prit la parole.

— Tu retrouves la même philosophie dans le cinéma asiatique. Une fois que le samouraï a bénéficié de ses enseignements, il doit seulement se fier à son instinct lorsque l'heure du défi arrive.

— Je me demande pourquoi j'ai bossé comme une malade si c'est pour oublier tout ce que j'ai appris, fis-je remarquer. C'est le truc le plus débile que j'aie jamais entendu !

Olivia haussa les épaules.

— Puisque le grand homme te dit que sa pédagogie a fait ses preuves.

Hein, quel grand homme ?

— L'idée, ça n'est pas de tout oublier, reprit Gervais. Je t'explique : tu as si bien assimilé ce que tu as appris que tu n'as plus besoin d'y réfléchir activement. Tu vois un problème, tu connais sa solution. C'est l'instinct qui commande.

J'ai regardé la feuille de révision remplie de problèmes qu'il venait de me donner, alors j'ai senti mon moral tomber dans mes chaussettes et mon esprit partir en confettis. Si c'était mon instinct qui me parlait, je préférais ne pas entendre ses cris de désespoir.

— Mode zen ! répéta Gervais. Il faut un esprit clair, accepter l'incertitude, et la solution surgira d'elle-même. Fais-moi confiance et tu verras !

Je n'étais pas du tout convaincue et je le fus encore moins lorsque Gervais me donna ses instructions pour le week-end qui précédait le fameux lundi. (Un véritable programme militaire avec paragraphes, sous-paragraphes, etc. Un pro, ce Gervais.) Samedi matin je devais faire un dernier survol de mon algèbre, et l'après-midi, me coltiner des problèmes qu'il avait spécialement sélectionnés pour moi, car ils recouvraient les formules qui restaient terriblement obscures. Dimanche, ou le jour avant le Grand Jour, je devais buller. Buller ! Carrément hallucinant : je prenais le chemin pour oublier tout ce que j'avais appris dans la souffrance pendant des mois.

Samedi matin, je me suis bien installée dans mon lit et j'ai commencé le survol en essayant de me concentrer. Difficile, parce que je pensais à Ben. Depuis que je l'avais vu nager quelques soirées plus tôt, et quand mon esprit n'était pas plombé par l'algèbre, je n'arrêtais pas de penser à lui. Cora et Harriet avaient eu des nouvelles de M. Cross : il s'était répandu en excuses, puis il avait crédité le compte de Harriet et offert à Cora une semaine gratis de promenades pour Roscoe. Depuis, chaque fois que je voyais Ben dans la cour ou dans les couloirs du lycée, je me disais qu'il avait changé. On ne se parlait plus, mais j'avais repéré quelque chose de familier sur son visage, à moins que ça ne soit dans sa façon de marcher ? Quoi ? Je n'arrivais pas à trouver.

Après avoir étudié mon algèbre pendant deux heures, j'avais la tête comme une citrouille, j'ai donc décidé de faire un break et de passer prendre mon chèque chez Harriet. Je venais de prendre la coulée verte, lorsque j'ai vu du monde partout dans la rue, devant le centre commercial, le parking et autour du podium face au cinéma.

— Bienvenue au Vista FIVE-K, le marathon de cinq kilomètres ! entendis-je, alors que je me faufilais vers l'entrée du centre commercial, parmi les enfants, les chiens et les coureurs qui s'étiraient et s'échauffaient en bavardant. Les participants au marathon, tenez-vous prêts ! Départ dans dix minutes.

La foule se dirigeait vers la bannière VISTA 5K : COUREZ POUR RESTER EN BONNE SANTÉ ! étendue entre le parking et l'entrée du centre commercial. Je suivis le mouvement et je cherchai Olivia, mais je ne vis que des coureurs, grands, gros ou petits, certains en ensemble Lycra, d'autres en shorts et tee-shirts pourris.

Dans le centre commercial, c'était beaucoup plus calme, il n'y avait pas grand monde. J'entendais toujours l'annonceur, dehors, accompagné par les boum-boum de la basse, même lorsque je me suis éloignée pour me diriger vers l'espace boutiques, où Harriet et Reggie discutaient près de Vitamin Me.

— Je ne prendrai pas d'huile de poisson, ça n'est pas la peine d'insister.

— Les oméga 3, c'est très important ! reprit Reggie. C'est un produit miracle !

— Je ne crois pas aux produits miracle ! Je veux bien prendre deux-trois bricoles de base à titre expérimental, mais surtout pas d'huile de poisson ! Je n'ai jamais rien entendu là-dessus !

— Bon, comme tu veux, dit Reggie tandis qu'il prenait un flacon et versait des comprimés dans un sac en plastique. Mais tu vas prendre du zinc et le complexe B-12. C'est un vrai bonheur !

Harriet, sceptique, but son café. Puis elle me vit.

— J'étais certaine que tu passerais aujourd'hui ! Oublie les vitamines. C'est l'argent, le plus important !

Reggie soupira.

— Tu as vraiment besoin d'oméga 3 : tu serais plus optimiste.

Harriet ne l'écoutait plus. Elle se dirigea vers sa caisse, puis l'ouvrit pour en sortir mon chèque.

— Et voilà. Tu verras, il y a un petit bonus.

De trois cents dollars.

— Mais pourquoi ?

— Partage de bénéfices. Une façon de te remercier pour ton boulot de ces derniers mois.

— Oh, ce n'était pas la peine.

— Je sais, mais j'ai repensé à notre conversation de l'autre jour. Tu avais raison. Pour les Keys me et tout le reste. Je n'aurais rien fait sans toi. Vraiment.

— Je ne visais pas un bonus en te disant ce que j'ai dit !

— Je sais, mais ça m'a tout de même fait réfléchir. À beaucoup de choses.

Elle a tourné les yeux sur Reggie, qui ajoutait toujours des comprimés à son sac. Maintenant que j'y repensais, Harriet me semblait très ouverte à la possibilité d'avaler des comprimés à base de zinc. Et qu'est-ce qu'elle prenait « à titre expérimental » ?

— Attends ! lui dis-je en montrant le kiosque de Reggie puis le sien. Qu'est-ce qui se passe entre vous ?

Elle a refermé sa caisse.

— Absolument rien !

Mon œil.

— Bon, d'accord. Si tu veux tout savoir, on a bu un verre, hier après le boulot, et il m'a convaincue de prendre ses foutues vitamines.

— Ah.

— Et il m'a aussi invitée à dîner !

— Harriet ! Alors tu as changé d'avis !

Elle a soupiré. Pendant ce temps, Reggie fermait soigneusement le Zip du sac en plastique.

— Au début, j'ai refusé son invitation, reprit Harriet, je voulais lui répéter ce que je t'avais dit. Que j'avais peur que ça ne marche pas. Que ça gâcherait notre amitié. Enfin, tu vois le topo.

— Et ?

— Il a dit qu'il comprenait. On a bu un autre verre, et j'ai quand même accepté de dîner avec lui, dit-elle avec un soupir.

— Et pour les vitamines ?

Elle agita les mains devant mon nez.

— Je ne sais pas. C'est arrivé sans que je comprenne comment.

— Ah oui, je vois, dis-je en observant de nouveau Reggie.

Il avait été patient, et finalement, il avait obtenu ce qu'il voulait. Du moins, tous les espoirs étaient permis à partir de maintenant.

Après, je suis passée à la banque, puis j'ai fait deux-trois courses et je suis revenue vers la coulée verte. Le marathon se terminait. Les derniers coureurs buvaient du Gatorade, une boisson de sportif. Comme il y avait moins de monde, j'ai tout de suite repéré Olivia. Elle regardait vers le centre commercial tandis que les tout derniers coureurs s'approchaient avec peine de la ligne d'arrivée.

— Toujours pas de Laney ?

Elle secoua la tête sans me regarder.

— Je crois qu'elle a laissé tomber, mais comme elle a son portable, elle aurait déjà dû me téléphoner.

— Merci à tous ceux qui ont participé à VISTA 5K, cria l'animateur dans son micro. À l'année prochaine ! Pour un nouveau marathon de cinq kilomètres !

— Elle est sans doute dans les pommes, quelque part, reprit Olivia. Je le savais ! Je te laisse, je pars la chercher. À plus !

Elle s'éloignait lorsque j'aperçus une petite silhouette qui s'approchait en courant lentement.

— Olivia ! Attends ! la rappelai-je. Regarde !

Elle a tourné les yeux et suivi la direction de mon doigt. On n'était pas encore certaines à cent pour cent, alors on n'a pas bougé et on a continué de regarder jusqu'à ce qu'on soit sûres. Laney s'est tout à coup arrêtée et s'est penchée pour poser ses mains sur ses genoux.

— Oh la vache ! s'exclama Olivia. C'est bien elle !

Je me détournai vers l'animateur toujours sur le podium, qui parlait à présent avec une organisatrice. Pas très loin, une bonne femme montait sur une échelle pour décrocher l'horloge.

— Attendez ! lui dis-je, il y a encore une coureuse qui arrive !

Ça ne l'a pas empêchée de décrocher son horloge.

— Désolée, le marathon est fini.

Mais Olivia lui a prouvé le contraire. Elle s'est avancée et a mis ses mains autour de sa bouche pour crier :

— Laney ! Tu y es presque ! Tiens bon !

Sa voix était éraillée et tendue. Je me souvins de la fois où je l'avais vue avec son chrono de cuisine en train de se plaindre de ce fichu marathon. Olivia avait des défauts, mais sur ce coup-là elle avait vraiment assuré.

— Allez ! reprit-elle.

Elle se mit à frapper dans ses mains. On n'entendait plus qu'elle, dans un silence gigantesque.

— Allez, Laney ! hurla-t-elle. Allez !

Elle se mit en travers de la route sans cesser de taper dans ses mains. Tout le monde la regardait. Moi aussi. Je songeais à Harriet qui examinait les petites vitamines de Reggie d'un air méfiant pendant que Reggie lui préparait un assortiment. Je me revis aussi avec Ben, le soir de la Saint-Valentin, quand il m'avait demandé ce qui se passerait, s'il refusait de se faire aider. À ce moment-là, j'avais pensé qu'il n'y avait qu'une seule réponse. *Casse-toi.* Mais là, je me disais qu'il y avait des milliers de possibilités entre s'accrocher et laisser tomber. Dans les moments vraiment graves de la vie, l'essentiel, c'était d'être là. C'est tout. D'ailleurs, Laney se remit à courir en voyant Olivia qui l'encourageait de toutes ses forces.

Quand Laney a eu terminé, quelques minutes plus tard, je ne crois pas qu'elle ait remarqué que la foule avait disparu, l'horloge aussi, et que l'animateur n'avait même pas annoncé son temps. Elle ne regardait qu'Olivia, elle la serrait dans ses bras tandis que la bannière flottait au-dessus de leurs têtes. Dans la vie, on n'a pas toujours la chance d'avoir tout le monde en même temps à ses côtés, mais la vraie chance, quand on y réfléchit, c'est d'avoir simplement besoin d'une seule personne près de soi.

Quand je suis rentrée à la maison, je me suis remise à mon algèbre. J'étais bien décidée à réviser, mais j'étais distraite. Je ne cessais pas d'examiner la photo de famille de Jamie, toujours sur le mur au-dessus de mon bureau. Je l'avais observée au moins un millier de fois, pendant tous ces mois, c'est seulement maintenant que je percutais...

Ce qu'est une famille ?

D'abord, c'est un sentiment d'appartenance. Que vous soyez bon ou mauvais, qu'on vous accepte totalement ou qu'à moitié, la famille sera toujours là, et ne vous lâchera pas, quoi qu'il arrive. Ça n'est pas qu'une histoire de chromosomes ou de liens du sang, c'est quelque chose de plus intense et de grandiose. Cora avait eu cent fois raison. On a plusieurs familles. Pour commencer, la famille où on naît. Ensuite, les familles que l'on crée au cours de sa vie : avec ses amis, ses amoureux ou même des inconnus. Aucune n'est parfaite, d'ailleurs personne ne s'attend à y trouver la perfection. On ne peut pas non plus imposer aux autres sa propre vision des choses et de la vie. Le secret, c'est de prendre ce qu'on vous donne et d'en faire quelque chose pour se construire un monde.

Ma vraie famille, ça n'était pas que ma mère, perdue ou retrouvée, mon père, parti il y a longtemps, et Cora, la seule qui avait toujours été présente, en fin de compte. C'était aussi Jamie, qui m'avait acceptée sans poser de questions et avait fait l'inimaginable : me faire accéder à un avenir auquel je n'aurais jamais osé rêver. C'était aussi Olivia, qui posait des questions mais savait aussi donner des réponses. Et Harriet, qui comme moi avait cru n'avoir besoin de personne et qui finalement avait découvert le contraire. Et enfin Ben.

Ben était devenu mon ami alors que je ne savais même pas ce que c'était, l'amitié. Il m'avait sauvé la vie, deux fois, sans jamais rien demander en retour, sauf ma parole et ma compréhension. Je lui avais donné ma parole, mais pas ma compréhension, parce que je m'en croyais incapable à ce moment-là. Là-dessus, j'avais déconné et j'avais eu exactement la même réaction que ma mère : je lui avais fait du mal pour ne pas souffrir.

Avoir besoin des autres, en fin de compte c'est facile. C'est aussi naturel que de respirer, mais quand les autres ont besoin de vous, alors là c'est une autre histoire. Parce que la vérité, c'est qu'il est cent fois plus difficile d'être là et de donner. Et pourtant, donner et recevoir, aider et accepter de l'aide, ça va ensemble. L'un n'existe pas sans l'autre. C'est comme les maillons pour former une chaîne. La bonne clé pour la bonne serrure.

Tout à coup je me levai, je descendis et traversai la cuisine, puis le jardin. C'était peut-être idiot, mais j'avais le besoin vital de dire à Ben que j'étais désolée et que j'étais à fond avec lui.

J'arrivais devant la baie vitrée, lorsque je vis M. Cross qui traversait le salon à toute vitesse, portable à l'oreille. J'ai reculé et je me suis cachée lorsqu'il a ouvert la baie pour sortir dans le patio.

— Je t'ai déjà dit que je n'avais pas été en ville de la journée, dit-il en longeant la piscine pour se rendre au garage. Il était censé prendre des affaires et aller chez des clients. Est-il passé prendre les vêtements aujourd'hui ?

Il a poussé un soupir.

— Bon, d'accord. Je vais continuer de le chercher. Mais si tu le vois, dis-lui que je veux qu'il revienne à la maison. Immédiatement !

Puis il est rentré. Je n'entendais plus que ma respiration et le glouglou de la pompe de la piscine, toute proche, qui aspirait et rejetait l'eau. Puis je repensai à Ben qui nageait comme un fou, l'autre soir, après avoir arrêté la natation depuis un bail.

M. Cross faisait de nouveau les cent pas dans le salon. Tandis que je l'observais, je revis le visage de Ben au lycée, la dernière fois que je l'avais vu. Et tout à coup, j'ai compris pourquoi son expression distante et si lointaine m'avait rappelé quelque chose. Enfin quelqu'un : maman. Elle avait eu exactement la même, avant de se barrer pour de bon. Lorsque j'étais rentrée à la maison, ce soir-là, elle s'était détournée, l'air très surpris de me voir.

M. Cross appela de nouveau Ben, mais je savais que ça ne servait à rien. Le vide, c'est évident, même si vous voulez vous convaincre du contraire.

Ben était parti.

Chapitre 18

— Tiens, prends. Ça porte bonheur ! dit Jamie.

Il glissa les clés de sa voiture sur la table.

— Vraiment ? Tu en es certain ?

— Affirmatif ! C'est un grand jour ! Ce serait dommage de le commencer en prenant le bus !

Je mis les clés dans ma poche.

— Super ! Merci.

Jamie s'assit en face de moi et se servit, comme d'habitude, un bol de céréales qu'il noya dans du lait.

— Alors ? Comment tu te sens ? me demanda-t-il. Confiante ? Nerveuse ? Zen ?

Zen, mon Dieu...

— Bof, ça va... j'aimerais juste que ce soit déjà fini.

Au même instant, son téléphone a vibré et buzzé en se tortillant sur la table. Jamie l'a pris et a regardé qui appelait.

— Ah non, c'est pas vrai !

Il a répondu d'une voix sèche qui ne ressemblait pas à sa vraie voix.

— Oui ?

Je me levai pour rincer mon bol dans l'évier. En passant près de Jamie, je reconnus la voix de M. Cross, mais je n'entendis pas ce qu'il disait.

— Ah bon ? lui répondit Jamie, l'air inquiet tout à coup. Quand l'avez-vous vu pour la dernière fois ? Attendez, je vais lui demander.

Il a écarté son téléphone de l'oreille.

— Tu as vu Ben récemment ? Son père le cherche partout.

Ça, pour le chercher, il le cherchait.

— Non.

— Tu l'as vu, ce week-end ?

— Pas depuis vendredi au lycée.

— Blake ? Elle ne l'a pas vu depuis vendredi, fit Jamie à M. Cross. Oui, absolument. Nous vous tenons informé si nous apprenons quoi que ce soit. Mais vous aussi, tenez-nous au courant, d'accord ?

J'ouvris le lave-vaisselle, y rangeai mon bol et la cuillère pendant qu'il raccrochait.

— Que se passe-t-il ?

— Ben a disparu. Blake ne l'a pas vu depuis vendredi.

— Il a appelé la police ?

— Non, dit-il en enfournant une grosse cuillerée de céréales. Il pense qu'il est parti pour le week-end avec des amis, pour une fête entre élèves de terminale, ou un truc de ce genre. Il ne peut pas être allé bien loin, de toute façon.

Erreur. On peut aller n'importe où, quand on a le temps et l'argent. De plus, Ben n'avait pas une barrière à franchir pour se libérer et tracer. Il n'avait qu'à passer la porte d'entrée.

Et merde : j'étais arrivée trop tard. Si j'étais allée lui parler, le soir où je l'avais vu nager, ou vendredi au lycée, j'aurais pu l'aider. Maintenant, j'étais bien avancée. Comment le retrouver ? Je ne savais même pas où il était.

Ça m'a fait drôle d'aller au lycée seule en voiture après avoir partagé celle de Ben et pris le bus pendant des mois. J'aurais adoré, si je n'avais pas été au volant de la super Audi de Jamie, en route pour un exam' d'algèbre et avec Ben dans mes pensées. En plus, il y avait des bouchons, c'était l'horreur. J'attendais à un feu lorsque j'ai croisé les yeux d'une bonne femme en minivan. Elle a dû penser que j'étais une gosse de riche qui allait au lycée dans sa caisse de luxe. Ça m'a énervée, je ne sais pas pourquoi, et je l'ai fixée jusqu'à ce qu'elle tourne la tête.

Une fois au lycée, j'ai traversé le parking en respirant façon zen pour m'éclaircir les idées et me calmer. En vérité, j'avais eu la zen attitude pendant tout le dimanche. Pas parce que Gervais me l'avait demandé. Parce que j'avais su, avant d'en avoir la certitude, que Ben avait fichu le camp. Du coup, impossible de faire de l'algèbre. D'ailleurs, maintenant aussi, les maths, c'était le dernier de mes soucis.

Je m'approchai de ma salle de classe. Gervais m'attendait devant.

— Tu as bien suivi mes instructions ? me demanda-t-il. As-tu eu tes huit heures de sommeil ? Un petit déj' riche en protéines ?

— Gervais, fiche-moi la paix, par pitié !

— Souviens-toi, prends ton temps pour les premières questions, même si ça te semble facile. Tu dois commencer doucement pour mettre ton cerveau en marche, poser les bases et assurer pour les questions les plus difficiles.

J'ai fait « oui ». Pas envie de répondre, cette fois.

— Si tu butes sur la règle des puissances, rappelle-toi notre définition. Écris-la sur ta feuille pour l'avoir tout le temps sous les yeux.

— Écoute, Gervais, tu es vraiment gentil, mais là, je dois y aller.

— Et pour finir, me coupa-t-il, alors qu'à l'intérieur ma prof, Mme Gooden, prenait une pile de feuilles et les feuilletait avant de les distribuer, si tu bloques, fais le vide dans ta tête. Imagine une pièce vide et laisse ton esprit vagabonder dedans. Je te jure que tu trouveras la réponse en un rien de temps !

Il avait fini sa phrase en criant comme un perdu, et certainement pas comme un grand spécialiste de la zenitude orientale. À croire qu'il avait fait le pari de terminer avant que ça sonne. J'avais beau être ailleurs, je me dis que j'aurais dû être plus sympa avec lui. C'est sûr, lui et moi, on avait un deal, je le payais vingt dollars dès qu'il m'envoyait la facture (c'est-à-dire deux fois par semaine, sur du papier à en-tête, je jure que c'est vrai). Mais me coacher à la dernière minute, c'était bonus. Même pour une méthode globale et complète qui avait fait ses preuves.

— Merci, Gervais.

— Ne me remercie pas. Atteins juste les 90 sur 100. Je ne veux pas que tu bousilles mon taux de succès.

Je fis de nouveau « oui », puis je rentrai en classe et j'allai m'asseoir à ma place. Gervais, toujours devant la salle de classe, me fixait. Jake Bristol, qui était assis à côté de moi, s'est penché et a tapoté mon épaule.

— Alors, c'est le grand amour entre toi et Miller ? Tu dragues les gosses maintenant ?

Crétin.

— Non, nous sommes amis.

Mme Gooden passait dans la rangée. Elle me sourit en posant la feuille face contre table. Elle était grande et jolie avec des cheveux blonds qu'elle laissait sur ses épaules, sauf lorsqu'elle couvrait le tableau de théorèmes de manière frénétique : elle s'en faisait un chignon qu'elle fixait avec un crayon de papier.

— Bonne chance, me dit-elle lorsque je retournai ma feuille.

En la voyant couverte d'algèbre, j'ai senti mon cœur dégringoler : panique à bord. Puis je me suis souvenue des conseils de Gervais : prendre mon temps et préparer mon cerveau. Après, j'ai pris mon crayon et j'ai commencé.

Le premier problème était facile. Le deuxième, difficile, mais, bon, faisable. Et c'est en arrivant au bas de la page que j'ai compris que je les avais tous faits ! J'ai continué, toujours en suivant le conseil de Gervais, en écrivant la règle des puissances dans la marge. *La dérivée d'une variable* x *exposant puissance* n *est égale au produit de l'exposant et de la variable à la puissance* n-*1*.

J'entendais la voix d'Olivia dans ma tête et Gervais qui me la rabâchait chaque fois que j'hésitais.

Il me restait encore dix minutes quand je suis arrivée au dernier problème, qui m'a vraiment pris la tête, celui-là. J'ai lu, je n'ai rien compris et j'ai paniqué tous azimuts. Cette fois, je n'entendais aucune voix et pas un seul conseil dans ma tête. Je regardai autour de moi. Les autres écrivaient, Mme Gooden feuilletait un magazine, et à l'horloge, il me restait cinq minutes.

Qu'est-ce que Gervais m'avait dit, déjà ? Ah oui, me représenter une pièce vide. J'ai donc essayé de visualiser des murs blancs et du parquet. Et tandis que je me concentrais, j'ai vu autre chose. Une porte entrouverte sur un endroit que je connaissais. Pas la maison jaune, pas chez Cora. Un salon avec d'immenses baies vitrées, une chambre à coucher avec une couette propre et des canapés neufs. C'était un endroit vide et sans vie. Enfin, j'ai visualisé une capsule de bière sur le plan de travail, laissée là exprès.

J'ouvris les yeux, je regardai de nouveau mon problème toujours pas résolu. Il me restait trois minutes et des bananes. J'écrivis la réponse à toute vitesse, en suivant mon instinct. Puis j'ai rendu ma copie, je suis sortie. J'ai traversé la pelouse et le parking. J'ai démarré sans entendre la sonnerie, au loin.

Dans une vie rêvée, je ne me serais pas seulement souvenue de l'endroit où était l'immeuble et de l'étage, mais aussi du numéro de l'appartement. Dans mon monde à moi, je me retrouvai au septième étage, perdue au milieu d'un couloir plein de portes, en me demandant par où j'allais commencer. Là-dessus, j'ai frappé au hasard.

Les fois où des gens m'ouvraient, je m'excusais. Les autres fois, je continuais. À la sixième porte, personne n'ouvrit, mais j'ai entendu un petit bruit à l'intérieur. D'instinct, ou toujours en mode zen, allez savoir, j'ai tourné la poignée. Pas besoin de clé. Ça s'est ouvert tout seul.

La pièce était comme je l'avais vue tout à l'heure dans ma tête. Canapés impec', plan de travail nickel-propre, capsule de bière toujours à la même place. À la seule différence qu'il y avait un sweat USWIM sur l'un des tabourets de la cuisine. Je l'ai pris et j'ai senti l'odeur de Ben, odeur d'eau chlorée. Puis j'ai cherché Ben.

Il était sur le balcon et contemplait la vue, mains sur la rampe. Pourtant, ça caillait. Tellement, même, que j'ai senti l'air froid en m'approchant des baies fermées. J'allais ouvrir, mais j'ai hésité. J'étais mal à l'aise. Je ne savais pas comment faire pour lui dire : « Je suis venue pour toi, pour t'aider, comme toi tu m'as aidée. » Puis j'ai pensé que ça viendrait tout seul. Là-dessus, j'ai ouvert la baie.

Ben s'est retourné, et la vérité, c'est que je lui ai fait la peur de sa vie. Mais dès qu'il m'a reconnue, il s'est détendu. Après, j'ai vu les bleus sur son cou et sa joue. Impossible de les cacher aux autres. Même à lui.

— Ruby, qu'est-ce que tu fais là ?

J'ai ouvert la bouche pour répondre, tant pis si c'était maladroit, mais rien n'est sorti. J'ai regardé la vue immense derrière Ben. Ce n'était pas le vide, pourtant ça m'a inspirée : j'ai su ce que j'allais dire, par où et par quoi commencer. Et j'ai prononcé les premiers mots de Cora, ceux du début...

— Il fait froid, on devrait rentrer, fis-je en lui tendant la main.

Chapitre 19

Ben m'a suivie à l'intérieur, mais j'ai eu un mal fou à le convaincre de rentrer avec moi.

On s'est assis sur le canapé tout neuf de l'appart' et on a parlé pendant deux heures. C'est seulement après qu'il a accepté de raconter son histoire à Cora. Je n'ai pas eu grand-chose à faire, j'ai juste pris son portable pour l'appeler. Quand on est arrivés chez moi, Cora nous attendait.

On s'est installés à la cuisine, moi un peu en retrait, et Ben a tout déballé. Il a commencé par dire que ça allait bien, lorsqu'il avait emménagé avec son père. Même si M. Cross avait déjà des problèmes d'argent et des soucis avec les créditeurs, il ne se défoulait pas trop souvent sur lui. Puis à l'automne, quand Destress Sans Stress avait commencé à avoir des difficultés, la situation avait empiré et atteint son point culminant à Noël, au moment où il avait fallu rembourser des prêts. Ben a raconté qu'il avait toujours voulu tenir bon, mais un soir où son père avait été plus violent que d'habitude, la preuve, les bleus partout sur la figure, il en avait eu marre et s'était barré.

Cora a été grandiose. Elle a tout géré. D'abord, elle l'a écouté avec un sérieux incroyable, puis elle lui a posé des questions précises et elle a téléphoné aux services sociaux pour se renseigner. Enfin, elle a appelé la mère de Ben en Arizona et elle lui a expliqué la situation, toujours avec son grand calme. Après, elle a fait un petit signe de tête sympa à Ben en lui tendant le téléphone pour qu'il fasse le reste.

Dans la soirée, Ben avait un billet d'avion et une solution provisoire. Il passerait la fin de l'année scolaire en Arizona, puis il ferait son stage de natation, comme prévu, en Pennsylvanie. À l'automne prochain, il étudierait à l'université où il avait été admis dès janvier, mais sans sa bourse, qui lui avait été retirée parce qu'il avait quitté l'équipe de natation. Cela dit, le coach de son université accepterait peut-être de le faire nager de temps en temps, ou de le laisser participer à l'entraînement. Ça n'était pas exactement ce que Ben avait prévu, mais c'était mieux que rien.

M. Cross n'a pas été content du tout quand il a été informé de ces derniers événements. D'abord, il a insisté pour que Ben revienne chez lui, il l'a même menacé d'appeler la police. C'est seulement lorsque Cora lui a dit que Ben pouvait facilement porter plainte contre lui qu'il a accepté, mais pas de bon cœur, qu'il reste chez nous. Il n'a pas cessé de téléphoner et il a fait aussi un max de problèmes pour que Ben récupère ses affaires et séjourne avec nous avant de partir chez sa mère.

Les jours suivants, j'ai fait de mon mieux pour distraire Ben en l'invitant au cinéma (où nous avons eu le pop-corn et l'entrée gratis grâce à Olivia), en me promenant avec lui et Roscoe ou en allant boire un café au Jump Java. Ben ne revint pas à Perkins, car Cora s'était arrangée pour qu'il termine son année scolaire par Internet et par correspondance. Tous les après-midi, lorsque je rentrais à la maison, j'étais inquiète et je l'appelais. J'étais soulagée quand il me répondait. Je comprenais ce que Jamie et Cora avaient ressenti lorsque j'étais arrivée chez eux...

Je savais que Ben partirait bientôt, mais je ne lui en parlais pas. Il avait déjà bien assez de soucis, et le plus important, j'étais là. Le matin de son départ, quand je suis descendue et que je l'ai vu dans l'entrée avec son sac, j'ai été atrocement triste.

Cora aussi. Elle a pleuré en lui disant au revoir. Elle n'a pas arrêté de le serrer dans ses bras, mouchoir à la main.

— Je te téléphone ce soir, pour être certaine que tu es bien arrivé, lui dit-elle. Et ne t'inquiète pas pour le reste. Tout est sous contrôle.

— D'accord. Merci encore. Merci pour tout...

— Et surtout, donne souvent de tes nouvelles, dit Jamie en le serrant contre lui et en lui tapotant le dos. Tu fais partie de notre famille, maintenant.

Notre famille...

Nous sommes partis pour l'aéroport. Il était tôt, les maisons étaient encore endormies lorsque nous sommes passés sous l'espèce de dolmen de l'entrée. Je me suis souvenue de ce que j'avais ressenti, quand j'étais arrivée pour la première fois dans ce quartier si nouveau et si différent.

— Alors ? Nerveux ? demandai-je à Ben tandis qu'on prenait la nationale.

— Pas trop. J'ai du mal à réaliser... c'est surréaliste..., dit-il en s'asseyant plus confortablement.

— Tu réaliseras quand il sera trop tard pour revenir.

Il me sourit.

— Mais je reviendrai. Il faut juste que je survive à l'Arizona et à ma mère.

— Tu penses vraiment que ça va être dur ?

— Aucune idée. Elle ne m'a pas invité, elle m'a fait venir seulement parce qu'elle était obligée.

— On ne sait jamais, tu auras peut-être une bonne surprise ?

Il ne parut pas convaincu.

— Dans tous les cas, ne fugue pas le premier soir ! Donne-lui au moins quelques jours !

— D'accord, dit-il lentement en me regardant. Autre chose ?

Je changeai de file et entrai sur l'autoroute. Il était tôt, il n'y avait pas de circulation.

— Eh bien, si jamais une voisine chiante essaie d'être sympa avec toi, ne la jette pas...

— Parce qu'on peut toujours avoir besoin d'aide. Pour te récupérer dans une clairière, par exemple.

— Exactement.

Je sentais son regard sur moi, mais il ne dit plus un mot. Je pris la sortie de l'aéroport. À ce moment-là, je vis un avion dans le ciel, un petit éclair argenté qui montait toujours plus haut.

Au terminal, même s'il était encore très tôt, il y avait déjà un monde fou. Le soleil se levait, le ciel était rose. Nous avons sorti ses affaires pour les poser sur le trottoir.

— Bon, lui dis-je, tu as tout ?

— Je pense que oui. Merci de m'avoir conduit à l'aéroport.

— Je te devais bien ça !

Il sourit.

— Autre chose... ajoutai-je.

— Quoi ?

— Même si tu te fais des tonnes d'amis, en Arizona, essaie de ne pas nous oublier.

Il me dévisagea.

— Ça ne risque pas. Sérieux.

— On ne sait jamais, tu sais. Une nouvelle maison. Une nouvelle vie... C'est facile...

— J'ai trop de souvenirs pour oublier.

J'espérais que c'était vrai. Sinon, je pouvais toujours lui donner ce que j'étais capable de donner et espérer un retour de sa part. Plus facile à dire qu'à faire... Depuis Noël, j'essayais de lui trouver le cadeau parfait, quelque chose de phénoménal pour le remercier de tout mon cœur de ce qu'il avait fait pour moi. Mais je n'avais rien trouvé. Tout à coup, j'ai baissé les yeux et j'ai compris que je me trompais.

J'ai eu du mal à ouvrir le fermoir de ma chaîne, et lorsque j'ai retiré la clé de la maison jaune, j'ai remarqué qu'elle était tout abîmée. Surtout quand je la comparai avec la clé étincelante de la maison de Cora et de Jamie, juste à côté. J'ai pris la main de Ben et je l'ai tournée paume en l'air pour lui donner la clé de ma nouvelle maison.

— Juste au cas où, lui dis-je.

Il a fait « oui » de la tête. Il a refermé les doigts sur la clé et sur mes doigts par la même occasion. J'ai laissé ma main dans la sienne, si chaude, et je l'ai serrée avant de me rapprocher de lui. Puis j'ai mis ma main autour de son cou et je l'ai embrassé en le pressant de toutes mes forces contre moi.

Les semaines suivantes, Ben et moi, on a été sans cesse en contact, par téléphone et par UMe.com. Ma page UMe longtemps inactive ne l'était plus, grâce à Olivia qui m'avait aidée à l'activer. Elle la mettait à jour régulièrement et m'avait donné plein de gadgets. Mais je n'avais que quelques nouveaux amis – elle, Ben, Gervais et évidemment Jamie, qui m'envoyait plus de messages que tous les autres –, et surtout de nombreuses photos, dont deux de Ben. Il me les avait envoyées de son boulot : maître nageur à la piscine municipale près de chez sa mère. Il nageait tous les jours pour se remettre en forme. Il disait que les progrès étaient lents, mais malgré tout visibles. Parfois, la nuit, lorsque je ne pouvais pas dormir, je l'imaginais en train de faire des longueurs pendant des heures.

Sur la photo que je préfère, Ben ne nage pas. Il pose devant la cabine du maître nageur. Il a le soleil derrière lui et il porte un sifflet autour du cou. Mais si on regarde bien, on voit une chaîne plus petite avec quelque chose dessus. C'est difficile de voir quoi, mais moi je sais.

Chapitre 20

— Ruby ? Tu es prête ?

Cora était dans le jardin, devant la cuisine, son sac à l'épaule.

— On part déjà ?

— Presque. Dès que Jamie aura trouvé le Caméscope ! Il a décidé de filmer l'Événement.

— Parce qu'il faut toujours filmer les événements importants dans une famille ! hurla Jamie quelque part dans la maison. Plus tard, tu me diras merci !

Cora a levé les yeux au ciel.

— Tu as encore cinq minutes, Ruby, qu'il le trouve ou non. Pas question d'être en retard pour la remise de ton diplôme de fin d'études secondaires !

Elle est repartie dans la cuisine et j'ai de nouveau regardé la mare. Je passais beaucoup de temps au bord, ces derniers temps, plus précisément depuis le mois d'avril. Ce jour-là, j'étais rentrée à la maison et j'avais surpris ma sœur et mon beau-frère qui observaient et palpaient quelque chose dans l'entrée.

— Pose ça, Jamie !

— Je ne l'ouvre pas, je veux juste regarder !

— Pose, je te dis !

Je m'approchai.

— Qu'est-ce que c'est ?

— Une lettre de l'université ! me dit Jamie en me tendant une enveloppe. Elle est arrivée au courrier il y a une heure. On est morts d'impatience !

— Non, Jamie est mort d'impatience, nuance ! corrigea Cora.

Je m'approchai encore et pris l'enveloppe. J'avais entendu dire que les universités répondaient en envoyant des enveloppes minces (pour une réponse négative) ou épaisses (réponse positive). La mienne était entre les deux.

— Il faut une page pour dire non, dit Jamie comme si j'avais pensé à haute voix. C'est un seul mot, après tout.

— Jamie ! Tais-toi, par pitié ! le gronda Cora.

Je fixai de nouveau l'enveloppe.

— Je vais l'ouvrir dehors. Enfin, si ça ne vous dérange pas ?

Jamie allait protester, mais Cora a posé la main sur sa bouche.

— Bien entendu. Bonne chance.

C'était donc le mois d'avril. L'herbe poussait, toute verte, les arbres bourgeonnaient, il y avait du pollen partout. Une brise agréable soufflait pendant que je m'approchais de la mare, mon enveloppe dans la main. Je me suis arrêtée au bord, devant mon reflet dans l'eau, et je l'ai ouverte.

J'allais en sortir les feuillets lorsque j'ai aperçu quelque chose bouger très vite dans la mare, si vite même que j'ai cru avoir rêvé. Je me suis rapprochée et j'ai regardé dans ses profondeurs glauques, au-delà des rochers, des algues et des iris, et là, j'ai vu un petit poisson blanc tacheté. Il y en avait d'autres, évidemment, des rouges, des jaunes, des tachetés et des noirs, qui nageaient lentement, mais c'était le blanc, le mien, que j'avais vu en premier. J'ai pris une grande inspiration et j'ai sorti les feuillets de l'enveloppe.

« Chère mademoiselle Cooper, nous avons le plaisir de vous annoncer... »

Je me tournai vers la cuisine, où je ne fus pas surprise de voir Jamie et Cora qui me regardaient. Jamie a ouvert la baie et passé la tête par l'ouverture.

— Alors ?

— Bonnes nouvelles !

— Oui ?

Derrière lui Cora a posé la main sur sa bouche et ouvert de grands yeux. J'ai fait un grand « oui » de la tête.

— Et les poissons sont remontés à la surface ! Venez voir !

Maintenant, on était à la mi-juin. On les voyait bien nager entre les nénuphars, les iris jaunes et les jacinthes d'eau.

J'ai observé mon reflet à la surface de la mare, mes cheveux dénoués, ma grande toge noire et ma toque à la main. Puis le vent s'est mis à souffler, les feuilles ont chuchoté et ondulé comme des danseuses, et la surface de l'eau s'est brouillée. Roscoe à côté de moi a fermé les yeux.

Je ne portais plus la clé de la maison jaune et longtemps j'avais eu un sentiment de vide. Jusqu'à quelques jours plus tôt. Je fouillais au fond de mon tiroir lorsque j'avais retrouvé le cadeau de la Saint-Valentin de Ben. La dernière fois qu'on s'était téléphoné, je lui en avais parlé et il m'avait demandé de l'ouvrir. Ce que j'avais fait. Il m'avait offert deux boucles d'oreilles en forme de clé, incrustées de pierres rouges, une création de Harriet. Comme toujours, Ben avait su ce qu'il me fallait avant que je le sache. Je les portais tout le temps, depuis.

J'ai regardé vers la maison de Ben, au-delà du jardin et des arbres qui ondulaient. Je l'appelais toujours comme ça, c'était une habitude, même si Ben et M. Cross n'y habitaient plus, désormais. M. Cross avait mis sa maison en vente, en mai, juste après qu'une plainte avait été déposée contre lui par des clients de Destress Sans Stress : ils avaient remarqué des écarts surprenants sur leurs comptes bancaires et lui avaient demandé des comptes. Aux dernières nouvelles, M. Cross continuait Destress Sans Stress, mais avec un minimum de stress, car ses clients l'avaient presque tous lâché. Il louait un appart' quelque part en ville. Les nouveaux propriétaires de la maison de Ben avaient de jeunes enfants qui se baignaient dans la piscine de temps en temps. Les après-midi où il faisait chaud, je les entendais rire et jouer dans l'eau, de ma fenêtre.

Et moi ? Eh bien, moi, je dis merci à la méthode de Gervais. J'ai eu 91/100 à mon exam' de maths, ce qui m'a assuré ma place à l'université ! Et dans une heure ou deux, j'allais traverser la pelouse de Perkins Day pour la remise des diplômes par M. Thackray. Je serais enfin une lycéenne diplômée ! Avant la cérémonie, j'avais reçu une masse de doc et des e-mails afin de commander des billets pour la famille et me renseigner sur les lois et règlements concernant le nombre de places autorisées par personne. À la fin, j'avais pris quatre places, pour Cora et Jamie, Reggie et Harriet. Reggie et Harriet ne faisaient pas partie de ma famille, mais s'il y avait bien quelque chose que j'avais appris, ces derniers mois, c'est que la définition de la famille était très souple.

C'est le point de vue que j'avais en tout cas développé dans mon exposé d'anglais, que j'avais rendu en juin. Nous avions dû expliquer notre travail devant toute la classe et illustrer nos recherches et découvertes. J'avais apporté deux photos. J'avais montré la première, qui représentait la tribu en expansion de Jamie, et j'avais donné les différentes définitions que j'avais rassemblées en expliquant les liens de parenté entre les Hunter. La seconde photo, plus récente, datait de mai, quand j'avais fêté mes dix-huit ans. Elle avait été prise à la fête que Cora avait organisée pour cette très grande occasion. Je lui avais dit de ne pas en faire trop, mais évidemment, elle a fait ce qu'elle voulait. En me précisant que je pouvais inviter qui je voulais.

Sur cette photo, nous posons au bord de la mare. Nous formons un petit groupe sympa. Moi, au centre, avec Cora à mes côtés, Olivia de l'autre. Jamie était un peu flou parce qu'il venait de courir après avoir mis la minuterie de son appareil photo. Il était près de Harriet qui me regardait et me souriait, et de Reggie qui, vous vous en doutez, dévorait son Harriet des yeux. À côté d'eux, on voyait Laney tout heureuse et Gervais, le seul qui mangeait sa part de gâteau, avec son assiette à la main. Cette photo, comme celle des Hunter, que j'avais observée pendant tous ces mois, n'était pas parfaite, loin de là. Mais elle représentait la réalité de l'instant, et ça, c'était bien.

Nous étions déjà en devenir, même si, ce jour-là, nous ne le savions pas encore.

C'est arrivé deux semaines plus tard. Je partais pour le lycée lorsque je vis ma sœur qui pleurait, assise sur son lit.

— Cora !

J'ai lâché mon sac à dos pour venir m'asseoir à côté d'elle.

— Il y a un problème ?

Elle a inspiré et a secoué la tête, incapable de répondre. Mais je n'avais pas besoin de réponse : je venais de voir la boîte du test de grossesse sur la table de nuit.

— Oh, Cora... ça va aller...

— Je... je..., dit-elle en sanglotant toujours.

— Que se passe-t-il ? demanda Jamie qui entrait.

Je lui montrai la boîte du test de grossesse. Son visage s'est décomposé.

— Oh. Chérie, tout va bien... On a rendez-vous la semaine prochaine..., dit-il en s'asseyant de l'autre côté de Cora. On va voir ce qui se passe...

— Je vais bien ! lui dit Cora alors que je lui tendais des mouchoirs en papier.

Je lui mis les mouchoirs de force dans la main. Elle tenait toujours son test de grossesse et je le lui ai pris des mains tandis qu'elle prenait une autre grande inspiration. C'est seulement en le posant sur la table de nuit que je vis le résultat.

— Tu es..., demanda Jamie qui lui caressait le bras. Tu es certaine ?

J'ai de nouveau regardé le test. Puis une troisième et une quatrième fois.

— Oui, dis-je en lui montrant le signe qui indiquait nettement que Cora, toujours en pleurs, était enceinte. C'est positif.

Elle était aussi malade comme un chien, matin, midi et soir, et si fatiguée qu'elle se couchait comme les poules. Mais elle ne se plaignait jamais.

J'avais beaucoup réfléchi et, un peu avant mon anniversaire, je m'étais assise à mon bureau pour écrire une longue lettre à ma mère, toujours en cure de désintoxication dans le Tennessee. Je ne savais pas très bien ce que je voulais lui dire, et après plusieurs heures, comme rien n'était venu, j'avais juste photocopié ma lettre d'admission à la fac et je l'avais glissée dans une enveloppe. Je ne faisais pas encore la paix, mais je faisais un premier pas vers elle. Maintenant au moins, on savait comment se retrouver, même si seul le temps nous dirait si on se retrouverait vraiment.

— Je l'ai trouvé ! On y va ! entendis-je Jamie qui hurlait de l'intérieur.

Roscoe pointa ses oreilles, et je le regardai courir vers la maison tandis que ses médailles s'entrechoquaient.

C'est à ce moment-là, alors que j'étais seule encore pour un moment, que j'ai mis la main dans la poche de ma toge. J'en ai sorti la clé de la maison jaune, que j'avais gardée dans un tiroir de mon bureau depuis que Ben était parti. Je l'ai caressée avant de la serrer fort dans ma main.

Cora m'appelait toujours. Ma famille m'attendait. J'ai de nouveau regardé la mare. Tout ce monde qui s'était formé à partir de rien, c'était incroyable... Puis je me suis approchée, j'ai fixé mon reflet tout en jetant la clé dans la mare, où elle est tombée avec un petit splash. Au début, un poisson a filé, de trouille, mais tandis qu'elle coulait, d'autres poissons l'ont entourée et l'ont accompagnée au fond, jusqu'à ce qu'elle disparaisse de ma vue.

Cet ouvrage a été imprimé par

Mesnil-sur-l'Estrée

pour le compte des Éditions Pocket Jeunesse
en avril 2009

12, avenue d'Italie
75627 PARIS Cedex 13

N° d'impression : 94928
Dépôt légal : mai 2009
Imprimé en France